Sofia Sienko

DER
STEIN
SCHLÜSSEL

Eine umfassende Einführung in das Stein-Reich
Wie man die Geheimnisse der Edelsteine entschlüsseln,
ihre Energien freisetzen und zum Heilen nutzen kann
Mit farbigem Edelsteinlexikon

WINDPFERD

Die Autorin
Sofia Sienko ist Jahrgang 1958. 1979 Ausbildung und Praxis als Masseurin und medizinische Bademeisterin. Später Ausbildung zur Diplom-Biologin. 1992 Doktorgrad im Fachbereich Virologie an der Medizinischen Mikrobiologie und Immunologie der Universität Bonn. Über 20 Jahre aktive Beschäftigung mit Esoterik, seit 1990 mit dem Schwerpunkt Edelsteine. Sofia Sienko hält Seminare über Edelsteine und berät interessierte Personen.

1. Auflage 1995
© by Windpferd Verlagsgesellschaft mbH, Aitrang
Alle Rechte vorbehalten
Umschlaggestaltung: Wolfgang Jünemann
Zeichnungen im Innenteil: Ute Rossow,
Martina Morlok (Seite 290)
Fotos im Innenteil: Ulrich Geiser
Die abgebildeten und vom Verlag ausgewählten Steine stammen größtenteils von Erika Engelmann (Esoterische Kleinode, Überlingen) und von Gerold Boelts (Vogelflug, Hagen) – wir danken für die freundliche Unterstützung.
Lektorat: Karin Brunke
Gesamtherstellung: Schneelöwe, 87648 Aitrang
Gedruckt auf Enviro-Papier: chlorfrei, säurefrei, aufhellerfrei
ISBN 3-89385-156-9

Printed in Germany

INHALTSVERZEICHNIS

3

7

DANKSAGUNG

Mein besonderer Dank gilt meiner Schwester Tamara – endlich einmal jemand, der all meine dunkleren und unscheinbaren Steinchen mag – sowie meiner Freundin Elke Schmoranz, der bekannten Kölner Astrologin. Elke liebt nicht nur Sterne, sondern auch Steine. Dieser glückliche Umstand führte uns beide zusammen und mich dazu, daß ich dieses Buch schrieb (»Fische« können ja so faul sein, aber Elke ist nicht umsonst »Löwe« ...).

VORWORT

Es wird viel über Heilsteine und ihre Kräfte geschrieben. Dennoch konnte ich in den letzten Jahren kein Buch und keine Seminarunterlagen finden, in denen umfassend und nicht allzu abgehoben in das Thema eingeführt wird. Stets war der Anfänger gezwungen, noch einen Esoterik-Duden, Chemie- und Physikbücher (wohl dem, der schulpflichtige Kinder hat), alte Pflanzenphysiologieunterlagen aus Studentenzeiten, Aromatherapieschinken sowie etliche Publikationen der renommierten US-Heilerliga aufgeklappt auf den Knien zu balancieren, während man ein Heilsteinbuch las. Dieser Ernüchterungseffekt vermiest es vielen Menschen, einfach praktisch loszulegen und zu testen, was dran ist an den Steinen. Also beschloß ich, sozusagen als nachträgliche Entschädigung ein Buch zu schreiben, das ich selbst gern gehabt hätte, als ich anfing, mich für das Thema zu interessieren.

Vor meinem Werk kann ich allerdings nur warnen: Es macht süchtig auf Steine. Spätestens ab hier lesen Sie also weiter auf eigene Gefahr.

Dieses Buch spiegelt meine sehr persönlichen Erfahrungen im Umgang mit Heilsteinen wider und berücksichtigt die vielen Fragen, die mir immer wieder von Ratsuchenden gestellt worden sind. Die Faszination, die edle Steine auf uns ausüben, ist sicherlich so alt wie die Menschheit selbst. Seit archaischen Zeiten war der Stein in vielen Kulturen und Hochkulturen Symbol für Ewiges, Unvergängliches, war Sitz der Götter und auch Botschafter und Vermittler feinstofflicher, übernatürlicher Kräfte, die unter anderem auch heilend wirken konnten.

Genau an diesem Punkt knüpfe ich an. Wenn ein Farbstein entsprechend gereinigt wird und auf den Benutzer eingestimmt ist, kann er auch heute und gerade heute ohne pompösen religiösen Überbau und ohne Anwendung langwieriger komplizierter Heilriten und Verschmelzungsrituale seine spezielle Heilschwingung freisetzen. Es liegt nur an uns, sich für diese subtilen Energien zu öffnen. Dem einen liegt das mehr, dem anderen eben weniger, so wie dies auch bei Lieblingsspeisen oder Hobbys bekannt ist. Im heutigen Übergang in das Zeitalter (Äon) des Wassermannes haben wir aber alle das Potential, uns für neue Heilweisen und Ideen zu öffnen. Es sollte uns daher nicht schwerfallen, mit Steinen zu experimentieren. Viele Leute würden das ja gern, aber ...

Die Fülle der Literatur, Zeitmangel, das Kaufen qualitativ schlechter und/oder ungereinigter Steine, mangelnde oder keine Heilsteineffekte beim Testen – und schwupp, schon verschwinden die neu gekauften Steine, die man aus Neugier oder Faszination gekauft hat, in der Schublade. Ohne Licht und Zuwendung werden sie dort noch weiter verkümmern, und das potentielle neue Hobby ist hiermit gestorben.

Für mich ist ein Heilstein: Schwingung (= Energie), verpackt in eine besondere Struktur, seine Gitterstruktur – mehr nicht. Deswegen achte und respektiere ich aber jeden einzelnen meiner Steine. Sie wollen genauso umhegt und gepflegt werden wie Kinder. Bei jeder Stein- oder Mineralienart hat diese Schwingung eine andere, besondere Frequenz, die durch die Art der Gitterführung und die Mengenanteile der beteiligten Metalle und Nichtmetalle unverkennbar und sortentypisch ist. Je nachdem, unter welchen Umgebungsbedingungen der Stein wuchs, prägen sich ihm noch besondere, regional unterschiedliche Eigenheiten ein. Dazu ein Beispiel: Ein Bergkristall ist immer ein Bergkristall, aber seine Heilschwingung wird, je nach Fundort auf der Welt, variieren. So einfach ist das also – ein Stein ist eine Portion einer speziellen Energie »zum Anfassen«, und diese Energie wird in Tausenden Frequenzen variiert, von denen die meisten auch noch heilend wirken können. Wird nun diese Heilfrequenz durch gewaltsames Hervorzerren des Steines ans Licht (Bergungstrauma, oft durch Dynamit oder Bulldozer), Transport-, Verkaufs-, Schleif- und Lagerungstraumen schlichtweg überfordert, so erhalten Sie den berühmten armen, gebeutelten Stein, den Sie nach dem Kauf hocherfreut ausprobieren und der nichts bringt. Nach dem Lesen dieses Buches werden Sie Ihre Steine und Mineralien viel besser verstehen und ihre Farbe, Form, Größe, Härte, Transparenz, Dichte und Ausstrahlung als Produkt der typischen, nur den Steinen eigene Schwingung, die in ein Gitter »verpackt« ist, zu deuten wissen. Dadurch wird der Kontakt zu ihnen (auch ohne Geistreisen und Beschwörungen) sehr viel intensiver, der Stein wird als Individuum empfunden, das uns etwas Bestimmtes sagen will, und derselbe Stein sagt jedem etwas anderes, weil auch wir Individuen sind. Sehr schnell schon werden Sie Ihre eigenen Arbeitshypothesen aufstellen, die von meiner – je nach Benutzercharakter, Temperament und Lebensart – sicherlich in vielen Punkten abweichen werden, aber keiner, der sich an die Reinigungs- und Programmierschritte gehalten hat, wird mehr behaupten können, daß »das mit den Steinen« alles Eso-Humbug und Einbildung sei. Viel Spaß beim Lesen und Ausprobieren!

Ihre Sofia Sienko

Kapitel 1

PFLEGE UND PROGRAMMIERUNG DER STEINE

Warum und wozu Steine pflegen und programmieren?

Bei Steinen und Mineralien, die zu Heilzwecken (oder zur Gesundheitspflege und Förderung spiritueller Qualitäten) eingesetzt werden, handelt es sich nicht um einfache Schmucksteine. Diese Steine oder Mineralien bedürfen von Anfang an (Kauf oder Geschenk) einer besonderen Behandlung, um sie auch zum Heilen einsetzen zu können.

Diese Absicht muß dem von allen Traumen (Bergungs-, Transport-, Lagerungs-, Kauf- und/oder Schleiftrauma) und Engrammen befreiten und somit erst aufnahmefähigen Stein vom Benutzer mitgeteilt werden. Am besten ist eine mündliche Formulierung der Absicht, gerade diesen Stein als Heilstein zu verwenden, die für jeden Stein im Prinzip gleich ist. Im Unbewußten prägt sich eine solche gleichartige Formulierung sowohl beim Besitzer als auch beim Stein besser ein, der Wiedererkennungswert und die Affirmation durch gleichbleibende Floskeln, Formeln oder Programme ist enorm und macht den Großteil der Wirkung aus.

Selbstverständlich muß man sich also vorher genau überlegen, was man vom Stein will. Dies wird schriftlich fixiert. Zur Absichtsäußerung gehören Beginn (Datum!), der Wunsch, also das Programm (nicht zu schwammig, nicht zu speziell), und die Beendigung (wird stets vergessen), das heißt die Programmlaufzeit.

Wie soll Ihr Stein sonst wissen, was Sie wollen? Wenn Sie es vorher auch nicht genau wissen, hinterher, nach einigen Programmierungen, wissen Sie es ganz genau – und, was noch wichtiger ist, Ihr Unterbewußtsein auch. Steinfrequenz und Körperfrequenz werden vom Un(ter)bewußten automatisch optimal abgestimmt, besonders natürlich bei einem »leeren«, nicht mit Bergungs-, Transport-, Lager- und Verkaufstrauma vollgestopften armen Stein. In diesem Zustand kann er für sich selbst schon nichts tun, geschweige denn für andere. Ehe er seine erlittenen Traumen in die menschliche Aura ablädt, macht er lieber gar nichts. So richtet er keinen Schaden an (das wäre gegen seine Aufgabe), hilft aber auch nicht oder nur wenig.

Dies ist meiner Meinung nach auch der Hauptgrund, warum »das mit den Steinen« nicht funktioniert. Keineswegs ist die Unerfahrenheit des Besitzers schuld, wenn sich eine Wirkung nicht erzielen läßt. Dieser Mangel läßt sich bei qualitativ hochwertigen Steinen, die groß genug sind, so gut wie immer beheben. Je eindeutiger die Programmierung, desto spezieller wird die Verwendung – und desto häufiger ist eine Reinigung und Aufladung fällig. Erfahrungsgemäß reicht eine erstmalige Reinigung mit Wasser, (dann, es geht auch gut alles in einem) Salz (gern 7 Tage), anschließend Programmierung und Aufladung in Sonnen- oder Mondlicht. Später (nach jedem Gebrauch) reichen eine Wasserreinigung und Lichtaufladung.

Reinigung

Das brauchen Sie für den Umgang mit Ihren Steinen
- O fließendes (möglichst kalkarmes, also weiches) Wasser
- O ein Reinigungsmittel auf Pflanzenbasis (Kokosfett-Derivate oder ähnliches, Reformhaus)
- O Glasgefäße: möglichst eins mit weitem Hals für kleine Stufen, mehrere hohe, um Spitzen von 2 bis 8 cm Länge aufrechtstehend hineinzustellen und Cognac-Schwenker für Cabochons, kleine Scheiben, Minigeoden und ähnliches.
- O eine weiche Kinderzahnbürste
- O einen kleinen Lappen
- O Reinigungsformel
- O ein Buch zum Notieren der Steinsorte, Herkunft, Gewicht, des ersten Eindrucks, Reinigungsformel und Programmierung
- O Meersalz
- O eine Quarzdruse für die Energetisierung im Sonnenlicht, eine Amethystdruse für eine Aufladung im Mondlicht
- O kleine Naturseidenstofflappen zum Bedecken der Gefäßöffnungen
- O Gummibänder zum Fixieren

So, jetzt wird es praktisch. Um ihrem neuerworbenen Liebling alles für seine neue Aufgabe bei und mit Ihnen bieten zu können, bedarf er erst einmal einer ganz profanen mechanischen Reinigung. Meist sind noch Transportstaub und Laugenreste oder Salzsäurereste (Malachit,

Azurit) am Stein verblieben, die Sie mit einer gutem Seife auf Pflanzenbasis (er liebt auch Seife mit echtem Rosmarin- oder Rosenöl), notfalls
mit einer weichen Bürste, gründlich entfernen.
Steine stauben auch beim Lagern stark ein. Nicht umsonst sind sie
von (staubanziehenden) Ionenfeldern umgeben. Also bitte auch die Steine aus sauberen Läden, frisch aus dem Regal, nie belecken oder auf
offene Wunden oder ähnliches (Chrysokoll, Obsidian, Heliotrop) auflegen. Die meisten Lager von Mineralienhandlungen sind staubig, unbe-
heizt, und es gibt natürlich überall Ungeziefer. Halten Sie sich daher
bitte an eine Vorreinigung vor der eigentlichen Heilsteinreinigung unter
fließendem Wasser. Bitte nehmen Sie nie brühheißes Wasser wegen der
Sprödigkeit aller Mineralien. Manche Steine verlieren unter heißem Wasser auch ihren schönen Glanz (Opal).

Bevor Sie einen Stein mit einer Bürste bearbeiten, spülen Sie den
Sand bitte gründlich ab, weil er Quarz (Mohshärte 7,5) enthält, der bei
Steinen mit geringerer Mohshärte (unter 7,5) Schmirgeleffekte hervorruft, genau wie zu scharfe Reinigungsmittel Opale, Chrysokolle, Malachite zersetzen. Den mit milder Seife und notfalls Bürste oder Lappen
vorgereinigten Stein trocknen Sie nun gut ab und tragen alle Daten in
Ihr Therapie- oder Einkaufsbuch ein. Nach der Reinigung unter lauwarmem Wasser legen Sie den Stein in ein Glas- oder Plexiglasgefäß ge-
eigneter Größe, das ausschließlich diesem Zweck vorbehalten bleiben
sollte. Das können ausgemusterte oder neue Gläser sein, nicht verwert-
bare geschenkte Artikel oder sonst etwas, es muß also kein Prunk be-
trieben werden (das Geld stecken Sie lieber in die Steine). Es empfiehlt
sich, die Gefäße vor dem ersten Gebrauch – genau wie die Steine – mit
der Reinigungsformel zu reinigen.

Das Salz, mit dem Sie die Steine nun bedecken, sollte ebenfalls nur
für diese Zwecke benutzt werden (Vorräte für Spontansteinkäufe hor-
ten!). Schalen und sehr offenhalsige Gefäße können Sie mit einem Sei-
dentuch (Farbe: was gefällt, gut ist aber ungefärbte), das Sie passend
zurechtschneiden, abdecken und an einen Ort stellen, der nur Ihnen
zugänglich ist: zum Beispiel (abschließbare) Schreibtischschublade,
extra ausgeräumtes Schrankfach etc.

Zum Transport oder zur Lagerung (bis es dunkel ist) eines Heilsteins
empfiehlt sich das Einwickeln in einen kleinen Lappen, der mit einem
Gummiband (oder natürlich mehreren) befestigt wird.

Nicht im Gebrauch befindliche Steine können Sie auf Regalen, in
Vitrinen oder in Seide gewickelt lagern – wie, das ist (Glaubens-)
Geschmackssache. Ich lagere meine getrennt nach Tag- und Nacht-
steinen. In einem kleinen Hängeschrank oder Regal mit Türen stauben

die Steine nicht ein und werden auch nicht so oft von jedem angefaßt (oder vom Regal gefegt). Sie können die Steine in Spiralform oder in Reih und Glied arrangieren, oder jedesmal, wenn es beliebt, neu umstellen. Viele schwören auf Amethyst- beziehungsweise Bergkristallspiralen aus Trommelsteinen, die zwischen die Heilsteine gelegt werden.

Das Reinigungsritual

Sie reinigen den Stein unter fließendem, lauwarmem beziehungsweise kaltem Wasser. Sie halten den Stein mit beiden Händen (zur Schale geformt) unter das fließende Wasser. Sie sprechen den Text der Reinigungsformel laut oder denken ihn (geht dann direkt in den Äther/Akasha, allerdings können sich magisch ungeschulte Personen oft nicht mehr als 5 Sekunden konzentrieren, daher lieber laut und deutlich sprechen oder ablesen, wenn Sie aufgeregt sind!).

Diese Formel ist meine Erst-Reinigungs- und Dauerpflegeformel. Sie können, je nach Ihrem persönlichen Glauben, natürlich anderen Wesen danken und die umgewandelte Energie anderen Kraftfeldern, dem kosmischen Bewußtsein, dem Universum oder wem auch immer zur Verfügung stellen. Wandeln Sie daher den Text solange um, bis er für Sie stimmt.

Das Wasser spült alles Negative fort. Alles Negative wird fortgespült von diesem _____ (Sorte, zum Beispiel Bergkristall). Alles, was in, an, auf diesem Stein ist und negativ ist, wird fortgespült vom Wasser und von den Elementegeistern, denen ich hierfür danke, umgewandelt in positives planetares Bewußtsein.

Behalten Sie den Stein so lange in den Händen und unter dem Wasserstrahl, bis Sie fühlen, daß er nun geläutert ist. Diese Formel reicht zur Pflege (Dauergebrauch). Oder man reinigt die Steine unter fließendem Wasser mit einer spontanen Formel, die einem so einfällt. Diese sollten Sie dann aber versuchen auswendig zu lernen oder hinterher aufzuschreiben, da Sie sonst nicht nachvollziehen können, was Sie dem Stein gesagt haben.

Manche Heilsteinverwender reinigen nach dem Kauf mit einem Eukalyptusbad mit anschließender Beifuß-Räucherung. Dabei hält man den Stein in den Rauch und stellt sich vor, daß alles Negative wie der Rauch vergeht und positiv wird.

Manche reinigen auch im Rahmen eines Planetenrituals den neuen Stein gleich mit (geht nur strikt nach Wochentagen).

Nach jeder Anwendung des Steins sollten Sie ihn auf jeden Fall reinigen, wie es oben beschrieben ist.

Anschließend werden die Steine von mir zum Energetisieren auf einer Amethyst- bzw. Bergkristalldruse ins (Mond-/Sonnen-)Licht gestellt.

So programmieren Sie Ihren Stein

Ihr Stein muß nach einem bestimmten, möglichst standardisierten (gleichbleibenden) Schema aktiviert und eingestimmt werden, um sich auf Sie einstellen zu können. Je gezielter er eine Absicht mitgeteilt bekommt, desto prompter und differenzierter kann er reagieren – desto reinigungsbedürftiger wird er auch. Qualitativ minderwertigere Steine werden Ihnen sowieso kaputtgehen oder die Farbe verlieren. Meine Formel wende ich schon seit Jahren mit Erfolg an. Sie hat weder eine Programmschleife noch sonstige Tücken. Sie können sie nach eigenem Wunsch abwandeln und für den privaten Gebrauch benutzen. Wir wissen, es muß ein Zeitraum, innerhalb dessen der Stein arbeiten soll, angegeben werden. Bei einer Reinigungsformel muß beachtet werden, daß das Negative nicht nur einfach abgespült, sondern auch umgewandelt wird (vergleiche hierzu auch RA BONEWITZ,»Kosmos der Kristalle«)

Das Programmierungsritual
Ab heute, dem Tag/Monat/Jahr (nach Christi Geburt), ist dieser Stein (dieser Lapislazulicabochon, dieser Trommelstein-Jaspis aus Madagaskar, diese Bergkristall-Kugelkette, möglichst genaue Angaben) **Heilstein für mich und andere, solange ich lebe** *(bis auf Widerruf, 1 Jahr),* **mit sich automatisch von Tag zu Tag verstärkender Wirkung solange ich lebe** *(bis auf Widerruf, 1 Jahr).*
Immer wieder, nach jedem Gebrauch, kann nur ich (jeder) diesen Stein durch das Wasser, das Salz und mein Reinigungsritual reinigen. **Er ist nach jedem Gebrauch (nur von mir) durch die Kraft des Wassers, des Lichtes, des Salzes und mein Reinigungsprogramm wieder regenerierbar, mit sich automatisch verstärkender Wirkung, solange ich lebe** *(bis auf Widerruf, 1 Jahr). Ich erhalte immer die nötigen Kräfte, nie zu viel, nie zu wenig, in Übereinstimmung mit dem Karma der zu behandelnden Person (des Patienten).* **Zur Ausrichtung und Konzentrierung lege ich diesen _____ (Stein) nun in das Salz** *(eventuell bestimmte Formulierung).*

Das Fettgedruckte entspricht meiner persönlichen Formel.

Wenn Sie den Stein seinem zugehörigen Planeten (die Zuordnungen der Planeten zu den Wochentagen finden Sie in Kapitel 5 – »Tagesräucherungen«) weihen wollen, können Sie die folgende Formulierung in die Erstprogrammierung einflechten. Beispiel:

Ab heute, dem Tag/Monat/Jahr/, einem Dienstag, einem Marstag, ist dieser Granat, ein marsischer Stein, Heilstein für mich und andere ...

Salz

Der Stein wird nun in Meersalz (eine Schicht ins Gefäß schütten, Stein einlegen, den Rest ohne Lücken auffüllen) gelegt und bleibt dort eine Woche. Ist er einem Planeten geweiht, zum Beispiel ein Granat dem Mars, bleibt er von Dienstag bis Dienstag im Salz. Das Salz wird nur einmal verwendet und jeder Stein immer für sich ins Salz gelegt. Nur in sehr große Gefäße können Sie mehrere derselben (nie verschiedene) Sorte legen. Die Steine dürfen das Glas oder einander nicht berühren.

Das Gefäß wird nun mindestens 3, besser 7 Tage an einen dafür bestimmten Ort gestellt und der Stein nach dieser Zeit vormittags, wenn er im Sonnenlicht aufgeladen wird, beziehungsweise abends, wenn er im Mondlicht energetisiert wird, mit Wasser aus dem Salz gespült und alle Salzreste gründlich entfernt. Meist hat der Stein jetzt schon eine andere Farbe und eine veränderte Transparenz. Halite nicht in Salz legen.

Abschließend legen Sie den Stein nun zum Aufladen auf der Bergkristall- oder Amethystdruse ins entsprechende Licht.

Welcher Stein braucht welches Licht?

Ihr Stein spiegelt exakt die Umstände, die zur Zeit seiner Entstehung in seiner Umgebung herrschten, wider. Im Schutz der Erde richtete er seine Kräfte nach den Kraftfeldern und Ley-(Schlüssel-, Drachen-)Linien aus und sammelte beziehungsweise konzentrierte diese Erdkräfte nach den Urprinzipien, die seit Anbeginn der Entwicklung herrschten: das duale Prinzip, das »Gute« gegen das »Böse«, die lunaren gegen die solaren Kräfte, Licht gegen Schatten, oder wie auch immer Sie es nennen wollen. Deshalb gibt es lunare und solare Steine. Die Lichtphotonen der Sonne (aktiver Strahler) haben eine andere Qualität als die am Mond (reflektierender Trabant) passiv reflektierten, im Grunde ja auch von der Sonne stammenden Energien. Bekommt ein Heilstein nicht »seine« Qualität angeboten, kann er sich nicht regenerieren und verliert seine Heilkraft (taugt bestenfalls als Schmuck)

Steine, die Sie nur dem Sonnenlicht aussetzen sollten
– am besten zwischen 10 und 12 Uhr –

Achat	Fluorit	Perlen
Amazonit	Goldfluß	Porphyrit
Ametrin	Hämatit	Prasem
Analcim-Katzenauge	Herkimer-Diamant	Pyritsonne
Apatit	Hermanover Kugeln	Rauchquarz
Apophyllit	Holz	Rhodonit
Aquamarin	Howlith	Riverstone
Aventurin	Iolith	Rutilquarz
Azurit	Kalzit außer Orangen-	Saphir
Baumquarz	Kalzit	Saphirquarz
Bergkristall	Kieselsteine	Sardonyx
Bernstein	Koralle (außer	Schwefel
Beryll	schwarzer)	Serpentin
Chalkopyrit	Krokoit	Smaragd
Chalzedon	Kupfer	(klar, transparent)
Chiastolith	Lapislazuli	Sonnenstein
Citrin	Lavendelquarz	Staurolith
Coelestin	Magnesit	Tigerauge
Diamant, gelb, weiß	Milchquarz	Tigereisen
Disthen	Moosachat	Türkis
Dioptas	Morganit	Turmalin (außer
Dolomit	Muscheln	Indigolith)
Dow-Kristall	Ochsenauge	Turmalinquarz
Dumortierit	Onyx	Ulexit
Eisenkiesel	Oolith	Variszit
Falkenauge	Opalith	Zinkblende
Flint	Padparadscha	

Steine, die Sonne und Mond brauchen:

Rhyolith, Jade

19

Amethyst	Kunzit	Orangenkalzit
Azurit-Malachit	Labradorit	Peridot
Brasilianit	Lepidolith	Petalith
Charoit	Luvulith (Sugilith)	Phantomquarz
Chrysokoll	Magnetit	Realgar
Chrysopras	Malachit	Rhodochrosit
Diamant, schwarz	Meteorite (Moldavit,	Rosenquarz
Feuerachat	Eisen-Nickel-Mete-	Rubin
Feueropal	orite, Chondrite)	Smaragd (milchig,
Granate (alle)	Mondstein	undurchsichtig)
Heliotrop	Nephrit	Sodalith
Jaspis (alle)	Obsidian/Apachenträ-	Sarder
Indigolith	ne/Schneeflocken-/	Selenit
Jade, lila	Mahagoniobsidian	Topas
Karneol	Opal (einschließlich	Zoisit mit Rubin
Koralle, schwarz	Andenopal)	

(siehe auch R. FLOREK: »Heilende Edelsteine«, Seite 103 – 104)

So bewahren Sie Ihre Steine auf und pflegen sie

Inzwischen haben Sie also Ihre Steine gereinigt, programmiert und im Licht energetisiert. Sie brauchen nun, wie oben bereits erwähnt, eine würdige dauerhafte Bleibe. Ein extra Glaskasten (Swarovski-Setzkasten mit Tür zum Beispiel – schenken lassen, die sind nicht billig) oder ein Regalfach bieten sich an. Ich habe Nachtsteine mal monatelang in Seide, im Dunkeln verwahrt, aber sie scheinen das nicht zu brauchen. Ihre Heilkraft wird durch die Lagerung bei Tageslicht (normales Zimmerlicht) nicht gemindert, sie brauchen eben nur zur Energetisierung öfter gezielt Mondlicht. Achten Sie darauf, daß die Steine nicht unmittelbar vom Fernsehgerät angestrahlt werden oder an der Rückseite vom Sicherungskasten oder direkt an Nachtspeichergeräten stehen. Ist dies unvermeidlich – mißtrauisch testen. Für das Fernsehgerät gibt es billig TV-Entstrahler zu kaufen. In einem Raum, in dem Heilsteine aufbewahrt werden, sollten keinesfalls täglich das Fernsehen, das Radio und/oder der Videorecorder stundenlang laufen. Es sollte in diesem Raum nicht geraucht werden.

Auch wenn Sie die Steine lange (mehr als 6 Monate) nicht mehr als Heilsteine benutzen, sollten Sie sie, je nach Typ, mindestens einmal pro Quartal für mindestens 30 Minuten, besser eine bis zwei Stunden lang ins Sonnen- beziehungsweise Mondlicht legen. Da Steine, insbesondere programmierte, beständig Energien transformieren, können sie die Ihnen eigene Energie nicht unbegrenzt speichern, das wäre gegen ihr transformatives Programm (das von Ihnen eingegebene Heilprogramm). Mit einigem Bekümmern werden Sie festgestellt haben, daß Heilsteine einen gewissen zeitlichen Aufwand brauchen. Besonders bei Erstkäufen oder bei häufigem Einsatz liegen ständig welche im Salz, auf der Druse oder müssen gepflegt werden.

Wenn Ihnen das alles zu viel ist, Sie aber dennoch nicht auf die transformativen Kräfte der Steine verzichten wollen, bietet sich eine Verwendung von sehr großen Rohbrocken, Stufen, Drusen oder großen Naturspitzen an.

Sie werden nach dem Kauf mechanisch gereinigt. Sie reinigen den Stein (die Stufe) unter fließendem Wasser, befreien den Stein von allem Negativem an, in, auf ihm und verpassen ihm ein automatisches Selbstreinigungsprogramm. Das läuft dann auch ohne Ihr Zutun immer weiter.

Große Mineralien verstrahlen Energien, die groß genug sind, sich auf jede Zimmergröße einzurichten. Die in viele Richtungen weisenden Spitzen einer großen Stufe reflektieren Heilenergie in sich und in jede Zimmerecke, dadurch energetisieren sie sich praktisch von allein und brauchen nur ein- bis zweimal jährlich eine Lichtaufladung im Freien.

Arbeits- und Schlafzimmer:	ein großer Sodalith-Rohbrocken
Wohnzimmer:	Kalzit-Bergkristall-Pyrit-Stufen,
	Rosenquarz-Rohbrocken
Krankenzimmer:	Amethystdrusen, Achatgeoden,
	Tigereisen-/Jaspis-/Achatscheiben

Ab einer bestimmten Größe arbeiten alle Steine recht autark jahrelang vor sich hin. Sie können auch eine große Amethyststufe der Reihe nach in jedes Zimmer der Wohnung stellen. Dazu reinigen Sie den Stein und programmieren ihn dann folgendermaßen: *In jedem Zimmer, in dem ich stehe, wandele ich vorhandenes Negatives in Positives um und reinige mich dabei automatisch beim Umwandlungsprozeß mit.*

Sie können auch das ganze Zimmer ab und zu mit Weihrauch oder Beifuß (Räucherstäbchen, Kohleräucherungen) samt dem Stein reinigen. Dennoch: ab und zu muß eine Aufladung im Licht sein.

Es gibt noch etwas zu beachten

Leider werden viele Tatsachen auf Seminaren oder in Büchern nur sporadisch erwähnt, meist überhaupt nicht, daher gebe ich Ihnen einige Tips »en block«.

Giftigkeit

Tabu für Bäder sowie Elixiere zum Einnehmen sind alle Mineralien, die als Kontaktgifte, Ätzstoffe oder radioaktive Strahlung gesundheitlich bedenklich sind oder durch ihren Schwermetallgehalt den Körper belasten. Sie gehören hinter Schloß und Riegel, besonders bei Haustieren und Krabbelkindern im Entdeckungsalter, im Haushalt sowie bei Besuch oder wenn Tiere in Pflege genommen sind.

Kristalliner Schwefel: Er ist schleimhautverätzend und feuergefährlich.

Realgar (»Rauschrot« oder »Rauschgelb«): Enthält Arsen: As_4S_4 (AsS)

Heliodor: Kann je nach Fundort radioaktiv verstrahlt sein.

Goldberyll: Kann radioaktiv strahlen, da er uranhaltig sein kann.

Kupfervitriol (Chalkanthit)

alle arsen-, blei- und wismuthaltigen Mineralien (As, Pb, Bi)

Zinkblende (Schalenblende): Kann Cadmiumverunreinigungen enthalten, deshalb nur mit Papierunterlage auflegen.

Beachten Sie bitte auch beim Aufladen der Steine, daß Vögel, Katzen, Hamster, Zwergkaninchen und Kinder jeden Alters gern zugreifen, beknabbern, verschlucken, was auch bei ungiftigen Steinen (Mohshärte) fatal sein kann.

Halit (Steinsalz) löst sich im Salz oder in Salzwasser auf. Wenn man es lutscht, beknabbert oder ähnliches damit anstellt, tritt Übelkeit und Erbrechen auf. Sie dürfen keine Elixiere anfertigen, die Steine nicht in den Mund nehmen oder auf Schleimhäute auflegen.

Schwefel und Realgar sind schöne gelbe oder rote Mineralien, die den physischen Körper aufbauen. Halit kann man als Abschluß einer Heilbehandlung zum Fixieren des neuen Zustandes auflegen.

In jedem seriösen Mineraliengeschäft kann man Dosimeter kaufen, um die radioaktive Strahlung eines Steins (Heliodor, Goldberyll und andere) zu messen.

Lieblingsschmuckstücke werden unansehnlich – was nun?

Es kann vorkommen, daß ein Ihnen ans Herz gewachsenes Schmuckstück mit jedem weiteren Monat oder Jahr mehr oder weniger täglicher Tragezeit immer unattraktiver auszusehen scheint. So können im Lieblingsschmuckstück eingefaßte Steine farblich verblassen (Aquamarin) oder dunkler werden (Brillanten),»Sterne« aus Sternsaphir oder Sternrubin unsichtbar werden, das Chayotieren von Katzenaugen oder Analcimen kann verschwinden, Labradorit, Spektrolith oder Mondsteine schillern nicht mehr, Opale wirken müde und bröselig, Perlen verlieren ihren Glanz. Auch Metalle wirken matt, stumpf, laufen an oder färben ab.

Was ist hier mit Ihrem Lieblingsstück geschehen, das Sie sich damals doch so gern gekauft haben oder von einem lieben Menschen geschenkt bekommen haben, weil man es damals »einfach haben mußte«? Die Erklärung fällt schwer, wenn es sich – wie der Juwelier versichert – um qualitativ hochwertige Metalle oder Farbsteine handelt.

Meiner Erfahrung nach läßt sich dieses gar nicht einmal so selten auftretende Phänomen über die innige energetische Verbindung erklären, die zwischen Träger und Schmuck entsteht. Sie ist um so intensiver, je mehr gefühlsmäßige Bindungen an den Schmuck bestehen (man »hängt« an dem Stück), und steigert sich immer weiter, insbesondere wenn der Schmuck ausschließlich von einer Person über lange Zeiträume hinweg regelmäßig getragen wird.

Sie »hängen« an den Energien der Steine und Metalle, diese wiederum »hängen« an Ihnen und kennen Sie natürlich ganz genau, in guten wie in schlechten Zeiten. So traumatisiert kann ein mit Liebe gekaufter Stein oder Ring gar nicht sein, daß er nicht, eingebracht in Ihre Aura, wieder ein bißchen Leben in sich verspürt und seinem Träger bedingungslos sämtliche Eigenenergie zuführt.

Pech, wenn er dann »sein Pulver auf einmal verschossen« hat und für ihn selbst nichts mehr übrig ist. Dann baut der Schmuck ab, er wird stumpf, er »stirbt«, energetisch gesehen. Tragen Sie ihn länger, bekommen zum Beispiel über Arbeit oder Privatleben einen Energieüberschuß in die Aura, die der Steinschwingung entspricht, beleben Sie den Stein kurzfristig wieder, und so geht das Spielchen weiter. Bei Künstlern und anderen kreativ arbeitenden Personen ist es interessant zu beobachten, daß Steine, die in dem Chakrenbereich als Schmuck hängen, der bei der Arbeit am aktivsten arbeitet, auch am schnellsten matt und unattraktiv werden.

So hatte eine Bildhauerin, die also mit den Händen Steinmetzarbeiten ausführt und vor allem Handnebenchakren und den Bereich Kehlchakra (Ausdruck) und Drittes Auge (Intuition) aktiviert, quasi nur noch eine Ruine von Sternrubin (Rot steht für Schaffenskraft) am Ringfinger aufzuweisen, völlig mürbe und fast schwarz. Und alle Ketten, außer einer Scheibchenkette aus dem harten blauen Saphir, die sie um den Hals trug, sahen nach ein paar Wochen furchtbar aus. Eine Riesenbernsteinkugel (war viel zu weich und gefühlslastig für die Künstlerin) hatte sie binnen eines Tages hingerichtet: Der strahlend helle Stein wurde trüb und wirkte bröselig, da half auch kein Sonnenbad mehr zu seiner Rettung.

Überlegen Sie sich also, ob Sie nicht Ihren Lieblingsschmuck vorsichtshalber programmieren, um ihn vor unbewußtem Abzapfen und Aussaugen zu bewahren. Wenn Sie ihn bewußt bitten, macht er das doch erst recht gern für Sie!

Was machen Sie mit Erbschmuck, Geschenken und Antikschmuck?

Erbschmuck

Wenn Ihnen die Herkunft bekannt beziehungsweise der Vorbesitzer bekannt, sympathisch und gesund war, ist alles in Ordnung. Dann lassen Sie den Schmuck als Andenken an die Person so, wie er ist. Tragen Sie ihn ohne Bedenken.

Erben Sie Schmuck von einer fremden Person, deren Gesundheitsstatus Ihnen nicht bekannt ist, reinigen Sie ihn von allem Negativen mit der Erstreinigungsformel und legen ihn in Salz.

Erhalten Sie Erbschmuck von einer kranken und unsympathischen Person, reinigen Sie ihn, legen ihn in Salz, lassen ihn umarbeiten und/ oder umschleifen – oder Sie verkaufen ihn gereinigt.

Bei allen Blutsverwandten ist aufgrund der genetischen Ähnlichkeit und dem gemeinsamen sozialen Umfeld ein hoher innerer energetischer Zusammenhang vorhanden. Anlagen zu Krankheiten sind vererbbar, auch Krankheiten selbst. Überlegen Sie sich daher genau, ob Sie den Schmuck als Andenken (eventuell für ihre Kinder) aufheben oder selbst tragen möchten. Trifft letzteres zu, sollten Sie ihn immer auf Verdacht reinigen. Sie können alles Gute und Positive ja ruhig bewußt am Schmuck belassen.

Geschenke

Auch wenn Ihnen der Schmuck gefällt und der Geber sympathisch ist: Man weiß nie, wo und wie das Präsent behandelt worden sind. Deshalb sollten Sie den Schmuck unter fließendem Wasser reinigen und eventuell kurz in einer Sole-Lösung ins Licht stellen.

Antikschmuck

Oft sind gefärbte, synthetische, brüchige und unseren heutigen Qualitätsansprüchen nicht mehr genügende Steine verwendet worden, meist auch in heute nicht mehr zulässigen Silber-, Gold- oder Mischlegierungen. Wenn Steine nach unten offen gefaßt wurden, also Kontakt mit der Haut des Vorbesitzers hatten, müssen sie auf jeden Fall unter fließendem Wasser gereinigt werden.

Bei dubiosen Legierungen habe ich einen Trick: Je nachdem, ob Tag- oder Nachtsteine vorherrschen, lege ich den Schmuck auf die jeweilige Druse (und wenn er Wochen da liegen muß), bis er klar und wieder kraftvoll erscheint.

Bedenken Sie, daß die Leute früher überhaupt nur 2 oder 3 Ketten und Ringe hatten, die sie jahrzehntelang trugen, bis ins hohe Alter, und daß Schmuck und Träger eine hohe innere Verbundenheit erreichten. Oft wird sogenannter Antikschmuck aus Altersheimnachlässen gekauft. Lange chronische Krankheitsverläufe gehen zum Teil auch in den Schmuck als tragende Information über.

Wenn er Ihnen also zunächst optisch behagt, beim Anprobieren aber nicht mehr – sollten Sie ihn besser nicht kaufen. Wenn jemand aber zum Beispiel jahrelang herzleidend war und den Schmuck bis zum Tode trug, Sie aber nichts am Herzen haben, können Sie ihn natürlich unbesorgt tragen, wenn die Steine nicht total trüb oder bröselig sind. Reinigen Sie mit Wasser, legen Sie sie notfalls in Salzlake (Sole) und/oder auf die Druse.

Bernstein muß immer in Sonnenlicht und Meersalz, immer 7 Tage gereinigt und programmiert werden. Der amorphe Bernstein, besonders im Osten (Polen, Rußland) als Glücksstein über die Generationen von der Mutter über die Tochter vererbt, sammelt so einiges in sich an. Er läßt es aber genauso willig wieder im Salz und im Licht los. Kaufen Sie nur unbestrahlten Bernstein.

Ein paar Tips zum Steinkauf

Qualität und Manipulationen

Der Steinkauf ist vor allem Vertrauenssache. Sicherlich ist ein Geschäft ideal, das in Ihrer Nähe ist und in dem man Sie persönlich anspricht und berät. Für regelmäßige Kunden wird auch einmal nach einer bestimmten Steinsorte oder selteneren Varietät gefahndet, und Sie werden auf Sonderlieferungen oder günstige Angebote automatisch aufmerksam gemacht.

Verantwortungsvolle Verkäufer lehnen manipulierte Ware ab, denn sie haben ihren guten Ruf zu verlieren. Sie achten für Sie darauf, daß sie ihre Steine aus Lieferquellen beziehen, die schriftlich garantieren, daß die Ware nicht

○ thermisch behandelt (gebrannter Amethyst wird oft als Citrin verkauft),

○ mit Röntgen- oder radioaktiven Strahlen verändert (Rauchquarz, Topas, Aquamarin, Rosenquarz),

○ optisch gefällig aufgehellt (Bernstein wird »geblitzt) oder

○ sonstwie farblich behandelt (Blaufärben von Achatscheiben, Farbauffrischung bei Azurit-Malachit oder Malachit, Umfärben von Magnesit zu »Türkis«),

○ restrukturiert (das heißt aus Schleifabfall-Kleinstpartikelchen zu einem großen Stein zusammengeklebt, das Gittersystem wird hierdurch ruiniert),

○ ausgebessert (Löcher oder Transport- und Schleifschäden, zum Beispiel bei Türkis, Azurit oder Malachit) oder

○ nachgeschliffen (zum Beispiel durch Transportschäden angeschlagene Spitzen)

wird. Synthetisch hergestellte Steine sollten als solche ausgeschildert sein (Goldfluß, Alexandrit, Topas, Spinell, Rubin und andere). Raffinierten Manipulationen kommt man als Laie nicht so einfach auf die Schliche. Es gibt jedoch einige sehr einfache Maßnahmen, die jeder beachten kann und beherzigen sollte.

So kann man sich mal ganz zwanglos im Laden umschauen: Gibt es hier viele Trommelsteine, die stark verkratzt, zerfurcht, angeschlagen und staubig aussehen? Sind sie überwiegend von Muttergestein durchzogen oder von dicken Quarzadern, so daß es schwerfällt, die Trommelsteinsorte auf den ersten Blick zu erkennen? Werden Steine mit Naturendung aus Platzgründen in Stapelkisten gelagert, in denen sie unweigerlich aneinanderschlagen, wenn eine Kiste hervorgezerrt wird?

Wirkt die untere Steinlage (oder gar der ganze Laden) extrem staubig und schlecht beleuchtet? Sind die Steine nicht nach Sorte und/oder Herkunftsland (am besten auch preislich einzeln) ausgezeichnet? Wenn ja, nehmen Sie lieber vom Kaufvorhaben Abstand.

Ein Laden muß nicht mondän und mit Luxusvitrinen, die mehr gekostet haben als ihr jetziger Inhalt, bestückt sein. Aber einigermaßen gutes Licht und viel ausgestellte Ware dürfen Sie erwarten.

Schlimm sind Riesenwühlkörbe, in denen sehr viele verschiedene Sorten als bunte Mischung übereinanderliegen. Die weniger traumatisierten Steine im Korb geben ihre Energie an stärker energetisch geschädigte direkt weiter. Es kommt zum Frequenzsalat über dem Korb. Das erschwert eine Wahl, und die Steine saugen sich gegenseitig sehr schnell aus.

Kleine Schalen mit nur wenigen Sorten sind daher wünschenswert. Bevorzugen Sie auch Läden, in denen Bücher zum Nachschlagen ausliegen und der Verkäufer nicht immer nur seit Jahren dasselbe Buch empfiehlt oder ausliegen hat. Sie sollten auch in Ruhe alles anschauen dürfen, danach aber einen Verkäufer als Ansprechpartner auftreiben können. Dieser sollte zumindest über die Angehörigen der Quarz-Sippe grobe Anhaltspunkte bezüglich ihrer Heilwirkung geben oder wenigstens 5 bis 10 Sorten benennen können, die allgemein kräftigend, ausgleichend oder beruhigend wirken.

Es ist verdächtig, wenn der Verkäufer das nicht kann, dafür aber nur den (teuren) Wunderstein, jenen berühmten »Lapis miraculosus«, anpreist, der sowieso gegen alles gut ist und der nur in seinem Laden erhältlich ist. So etwas kommt aber selten vor. Normalerweise nutzen die Verkäufer Wissenslücken nicht aus und freuen sich über Feedback Erzählen Sie beim nächsten Ladenbesuch ruhig, wie der neue Stein oder die neue Kette gewirkt hat, ob wie erhofft oder eben nicht. Engagierte Steinhändler können durch Erfahrungsberichte noch besser beraten und Großhändler, die gute Ware anliefern, bewußter berücksichtigen bei der nächsten Großbestellung – von der Sie dann doppelt profitieren werden.

Sie haben es in der Hand: Verlangen Sie Qualität, dann muß der Markt sich auf diesen Anspruch einrichten und die trüben, matten Steinwinzlinge dubioser Herkunft werden aus dem Angebot verschwinden.

Herkunft und Kaufpreis

1. *Trommelsteine* kosten je nach Größe oder per Gramm, sollten mindestens 3 x 1 cm groß sein beziehungsweise ab 10 g schwer; sie sind am preiswertesten; am besten ab 20 g
2. *Steine mit Naturendung* ab 2 cm Länge gut, außer bei Herkimer-Diamanten
3. *Cabochons* sollten schon so sein, daß man sie gut greifen kann, am besten nicht zu platte, ideal ab 2 bis 2,5 cm Länge, am handlichsten 3 x 2 cm
4. *Facettiert geschliffene Einzelstücke* werden nach Gramm oder Karat (1 ct = 0,2 g) berechnet
5. *Bergkristall-Sonderformen* werden oft nach Gramm berechnet (zum Beispiel Medialer Kristall oder Dow)
6. *Stufen, Gruppen* Herkunftsland und Unversehrtheit der Spitzen bestimmen den Preis, oft per Kilo

2. und 3. sind generell etwas teurer, da sie seltener sind oder wegen der Verarbeitung.
Die folgenden Listen sind lediglich als Information und nicht als Einkaufsliste gedacht.

Naturgemäß knapp wegen begrenzter Fundorte werden:
- Sugilith (Luvulith)
- Tansanit
- Uwarowit
- Worobjewit (enthält eventuell Cäsium)
- Tsavorit (Tsavolith)
- Krokoit (Australien)

Nur sporadisch im Handel sind:
- Padparadscha (Padparadja)
- roter Chalzedon
- Azurit-Malachit
- blauer Spinell
- blauer Turmalin mit Naturende (Indigolith)
- Chrysoberyll (Durchwachsungsdrillinge)
- Hyazinth (groß)
- Goldberyll (eventuell uranhaltig)
- alle Turmaline mit Naturende
- Gem Silica (Chrysokoll)

- Analcim-Katzenauge
- Hermanover Kugeln

Sonderformen:
- Dow-Kristall/Schamanen-Dow
- Skelettquarz
- Transmitter/Laser und andere Bergkristallsonderformen
- Azuritknollen (Utah)

Ihnen gefallen bestimmt die folgenden Steine, die immer schon
etwas teurer waren:
- Bergkristalle aus den Alpen, Madagaskar, Siebenbürgen, Japan,
  Arkansas
- Bergkristall-Doppelender aus Herkimer (USA, State of New York)
- kristalline Rosenquarzeinender-Stufen, nur Minas Gerais
- blauer Mondstein(cabochon) aus Ceylon
- Türkis und Almandin aus Böhmen (Europa überhaupt)
- Eilatstein aus Israel/Ägypten (Eilat)
- (Mohrenkopf-)Turmaline von Elba
- alles aus der Grube Tsumeb (bloß keinen Bildband
  schenken lassen!)
- Rauchquarze, Citrine und Malachit aus dem St.-Gotthard-Gebiet
- Amethyst aus den Alpen, Mexiko, Madagaskar
- Rauchquarz aus Japan
- rosa Turmalin aus Madagaskar
- Saphir aus Ceylon
- Lapislazuli aus Afghanistan mit Pyritsprenkeln
- Smaragde aus Kolumbien
- Zirkone von der arabischen Halbinsel, aus Tunesien, Syrien,
  Marokko
- Chrysopras aus Australien und natürlich die (Boulder-)Opale ...
- Goshenit aus den USA
- naturrunde Südseeperlen (vielleicht im nächsten Leben als
  Sultan)
- rote, rosa, weiße und schwarze Korallen (Äste, Kugeln, Ketten)
  aus dem Roten Meer, Australien, der Südsee
- Petalith und Morganit in Edelsteinqualität (beschliffen)

Steine aus Australien, aber auch aus Afrika und Madagaskar schätze
ich sehr. Für mich beinhalten diese Teile der Erde das Erbe des alten
Urkontinentes Pangäa. Damals gab es die uns heute bekannten Konti-

nente so noch nicht, sondern die Landmasse hing noch als eine große Einheit zusammen. Im Laufe der Millionen von Jahren haben die ursprünglichen Form- und Bildekräfte dieser alten Landmasse vieles hervorgebracht und einiges wieder untergehen lassen. Die Informationen jedes geschaffenen Steines, jeder neugeschaffenen Pflanze und später der ersten tierischen Lebewesen speicherte diese Erde in sich ab, verglich diese Informationen, optimierte sie und brachte immer komplexere, verfeinerte Modelle heraus – bis zum heutigen Tag. Daher haben für mich die alten, ursprünglichen Sedimente, Versteinerungen und Gesteine aus den »alten« Ecken der Erde ihren ganz besonderen Reiz, aber auch die neueren Produkte dieses alten Erdgedächtnisses wie der Sugilith (Luvulith), Madagaskar-Bergkristalle und Rosenquarze. Sie alle sind steingewordene Zeugen des Gedächtnisses unserer Erde, sozusagen Erfolgsmodelle der Hüter des Erdelementes und Produkte, die beständig weiter verfeinert und verbessert wurden und werden.

Empfehlungen für ein ausbaufähiges und solides Einsteigerset

Was kann man denn nun jedem empfehlen, egal, was er vorhat, und egal, ob er nur mal reinschnuppern will oder Profiambitionen hat? Was ist bezahlbar, praktikabel und ausbaufähig?

Generell gilt: Alles, was Sie sich für sich selber an Steinen aussuchen, ist in Ordnung für Sie. Ansonsten testen Sie doch einfach mal:

Version A (geringerer Preis)

	1	kg	Bergkristall-Trommelsteine, klar
			(ab 35 DM aufwärts)
oder:	1	kg	dunkler schöner Amethyst
oder:	halbe-halbe, zusätzlich Citrintrommelsteine	

Version B (höherer Preis)

6 Bergkristallspitzen über 100 g (ca. ab 30 DM/Stück)

Vorteil: Spitzen braucht man immer – 6 schöne auf einmal findet man nie, lassen Sie sich Zeit.

Siehe dazu auch die Abbildungen »Kraftfeld-Typen« und »Steinkreise« auf den Seiten 80 und 82.

Kapitel 2

Der Schlüssel zum Stein – was ist an den Steinen so faszinierend?

Sie haben sich also einen Stein gekauft. Er hat Sie magisch angezogen, Sie fühlen sich wohl mit ihm. Ja, aber warum haben Sie sich genau diesen Stein zum jetzigen Zeitpunkt ausgesucht? Es gibt verschiedene Möglichkeiten. Jeder Stein hat eine ganz spezifische Wirkungsweise. Aber wie kommt die zustande? In den folgenden Abschnitten schauen wir uns an, was am und im Stein wie wirkt.

Die Farbe

Was ist Farbe?

Esoterisch steht das weiße Licht für das Göttliche, das Vollkommene, das Unsterbliche und Ewige, das »Gute«, den Himmel der Bibel. Unsere Sonne strahlt als Zentrum des Sonnensystems weißes Licht ab und symbolisiert durch ihre Lichtkräfte, die alles durchdringen, alles erlösen, dieses göttliche Prinzip (den Sonnenlogos). Dementsprechend ist das »Böse« das Dunkle, das Dichte und Unerlöste, das sogenannte Schattenreich – also das, wo kein Licht eindringen kann, die Hölle der Bibel. Wir erkennen hier das duale Prinzip: Licht gegen Schatten, Gut contra Böse etc.

Physikalisch gesehen ist Licht ebenfalls nach dem dualen Prinzip wirksam: Licht hat sowohl Teilchen- (Lichtphotonen) als auch Wellencharakter. Das für das menschliche Auge sichtbare Licht ist eine elektromagnetische Strahlung mit Wellenlängen zwischen ca. 400 und 800 nm (siehe Abbildung Seite 32 »Elektromagnetisches Spektrum«. Im Vakuum (zum Beispiel im Weltall) breitet es sich aufgrund seines Wellencharakters von der Lichtquelle mit Lichtgeschwindigkeit (höchstmögliche Geschwindigkeit) gleichmäßig nach allen Seiten hin aus. Lichtquellen können Selbstleuchter sein, das heißt sie strahlen selbsterzeugtes Licht

Sichtbares Licht = Wellenlängen zwischen ca. 400 und 800 nm

Farbe	( ) nm			Farbe	( ) nm		
violett	390	-	430	gelb	560	-	600
indigo			430	orange	600	-	640
blau	430	-	470	hellrot	640	-	675
blaugrün	470	-	500	dunkelrot	675	-	760
grün	500	-	530	(Infrarot	> 760	-	1.100)
gelbgrün	530	-	560				

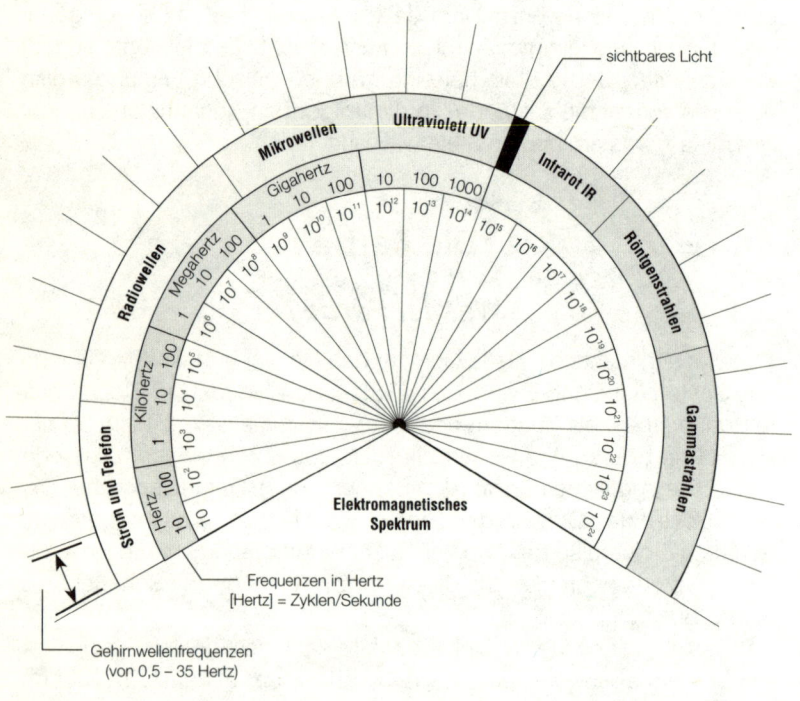

Abbildung 1: Das elektromagnetische Spektrum
(nach R. L. BRUYERE »Chakras – Räder des Lichts«, 1990).

aus: Sonnen, Fixsterne (aktives, solares Prinzip). Es gibt auch Nicht-selbstleuchter, die das Licht lediglich reflektieren: zum Beispiel Wolken, Monde, die Planeten (passives, weibliches, lunares Prinzip).

Aus Abbildung 1 wird deutlich, daß wir trotz der vermeintlichen Farbenvielfalt auf unserer Erde lediglich einen Bruchteil der elektromagnetischen Strahlung, die existiert, bewußt wahrnehmen. Selbst wenn wir großzügig sind und noch die Wärmestrahlung (IR) und die bräunenden Strahlen aus dem UV-Bereich dazunehmen, macht uns die Abbildung bewußt, daß eine ungeheure Vielfalt von Energien uns beständig umgibt und beeinflußt. Ein Teil dieser uns beeinflussenden Strahlung wird auf der Erde erzeugt, der größte Teil wird aus dem Makrokosmos auf alle Elemente des Kosmos (Galaxien, Nebel, Planeten, Sonnen, Sterne) abgestrahlt – natürlich auch auf unsere kleine Erde.

Weißes Licht, wie das Sonnenlicht, ist eine additive Mischfarbe, die eigentlich aus sieben verschiedenen Einzelfarben besteht: rot, orange, gelb, grün, blau, indigo, violett – alle zusammen erscheinen farblos. Licht breitet sich in optisch unterschiedlichen Medien mit verschiedenen Geschwindigkeiten aus (also zum Beispiele in der Luft anders als im Wasser oder in einem Kristall). Trifft ein Lichtstrahl auf eine Grenzfläche zwischen zwei verschieden optisch dichten Medien, wird er in seine Einzelfarben, die 7 Spektralfarben, zerlegt. Aufgrund ihrer verschiedenen Wellenlängen werden die Farbstrahlen natürlich auch unterschiedlich stark gebrochen. Violette (energetisch höhere) Strahlen (400 nm) werden am stärksten abgelenkt, rot wird an wenigsten gebrochen. Bei wasserklaren Steinen (Bergkristall) können Sie dieses Phänomen vor allem bei Gasblasen oder anderen Einschlüssen, die Grenzflächen bilden, schön beobachten.

Die Farbwirkungen

Rot wirkt aktivierend, anregend. Es ist die Farbe des Blutes, des Gefühlslebens. Es fördert Liebe (rote Herzchen) und Haß (Blutzoll), aber auch die Verarbeitung von Lebenserfahrungen (Wachstumsprozesse allgemein). Rot läßt den Blutdruck steigen (roter Kopf), fördert die Durchblutung (Gefäße, Wundheilung) sowie die Blutbildung selbst (bei Anämie, nach Blutspenden, Verwundungen, Operationen). Rot stärkt das Ego, fördert die Selbstbehauptung, stärkt auch den (Über-)Lebenswillen (bei Schüchternheit, Depressionen, zum Durchsetzen von Lebensplänen). Zielstrebigkeit, Mut und Ausdauer nehmen zu.

Rosa beruhigt, entspannt, entkrampft und stimmt versöhnlich. Es tröstet, macht friedlich, verfeinert das Gefühlsempfinden (Wahrnehmungssteigerung) und wirkt sehr ausgleichend positiv auf die Herztätigkeit.

Orange sind die Gewänder der asiatischen Mönche: Hilfsbereitschaft, Mitgefühl, innere Freude und Lebensfreude werden durch diese Farbe gefördert. Sie wirkt sanft anregend, belebt und stimuliert die Nährstoffaufnahme im Dünndarm. Orange macht heiter, steht auch für Jugendlichkeit und Zärtlichkeit.

Gelb steht für Weisheit und Erkenntnis. Es verbessert das Urteilsvermögen (Verstand) und fördert die geistige Entwicklung (Geist). Gelb wärmt, heitert auf, gibt Freude am Leben. Die körperliche und geistige Ernährung und Verdauung wird angesprochen: Magen, Solarplexus, Milz, Pankreas, das vegetative Nervensystem.

Grün ist die Farbe des Ausgleichs und der Harmonie. Es fördert Verständnis (auch für die Natur), Regeneration (nach Kuren, Krankheiten, Operationen), Ausgewogenheit und Großherzigkeit. Es nimmt Belastungen »von der Seele«, bringt dann Initiative und Lebenswillen, fördert die körperliche und geistige Entgiftung, entschlackt, entspannt, regt den Gallenfluß an.

Blau wirkt beruhigend auf das Nervensystem, abschwellend, kühlend, stärkt Glauben, Gelassenheit und gibt Zuversicht und Gottvertrauen. Es stimuliert die Nieren- und Blasentätigkeit sowie die Hormonproduktion.

Indigo: Die hohe Farbfrequenz wirkt vor allem mental, fördert die Intuition, das Erkennen kosmischer Gesetzmäßigkeiten, das Bewußtsein für die Existenz höherer Ebenen. Es fördert Integrität, Loyalität und Begabung für außersinnliche Wahrnehmungen.

Violett stärkt die Demut und die Opferbereitschaft, fördert spirituelle Energien, zeigt den Wunsch nach Läuterung (Karmaaufarbeitung, Transformation) und hohen ethischen Werten an wie Liebe, Güte, Barmherzigkeit. Es gibt geistige Ruhe und Gelassenheit, Verständnis und Unterscheidungsvermögen (besonders mit gelb). Violett fördert die Tätigkeit von Gehirn, Nerven, Haut, Lunge, Dickdarm und auch die Trauerarbeit (Erleichterung).

Braun gibt Kraft und physische Stabilität (Erdung). Es zentriert, sammelt und entspannt. Braun fördert Körperempfinden (bei Unsicherheit, Mutlosigkeit, Zerstreutheit) und das Gewebewachstum.

Schwarz absorbiert (vereinnahmt) alle Farben und stärkt deshalb. Es wirkt konzentrationsfördernd, befreit von Ablenkungen, grenzt ab.

Weiß, silberfarben, klar: Es handelt sich – wie bei schwarz – um neutrale Farben, die das Bestehende unterstützen und sichtbar machen. Dann fördern sie die Erkenntnis und Klarheit.

Das Buntschillernde fördert sowohl Zerstreuung als auch die Erinnerung. Es belebt, bringt Lebensfreude und muntert auf, spiegelt den Status quo, reflektiert und wehrt ab.

Was hat der Lichtkörper des Menschen mit der Farbe des Steins zu tun?

Wenn Sie das Bedürfnis haben, fast alle Steine (egal welche anderen Merkmale sie haben) ausschließlich nach ihrer Farbe auszusuchen, deutet dies darauf hin, daß die Farbfrequenz der ausgesuchten Steine einen Ausgleich eines Defizits beispielsweise in Ihrem Lichtkörper bewerkstelligen soll. Jeder feinstoffliche Körper kann bevorzugt eine Energie-(Farb-)Frequenz aufnehmen. Ist ihm diese Möglichkeit verwehrt oder wenig effektiv, teilt er dies ihrem Unterbewußtsein mit und läßt Sie die von ihm benötigte Energiefrequenz als Steinfarbe (oder Aurafarbe des Steins) wählen. Es korrespondieren:

Chakren und Farbzuordnungen

FeinstofflicherKörper/Chakra*	Farbe
1. Wurzel (Basis/Muladhara)	rot, schwarz
2. Sakral (Kreuz/Svadhistana)	orange
3. Solarplexus (Manipura/Milz)	gelb
4. Herz (Anahata)	rosa, grün, goldfarben
5. Hals (Kehl/Vishuddha)	blau
6. Stirn (Ajna), Drittes Auge	indigo, violett
7. Kronen (Sahasrara), Scheitelzentrum	weiß, goldfarben

* auf die Chakren wird in Kapitel 4 – »Energiezentren« näher eingegangen

Aurafarben

Sowohl der von Ihnen ausgesuchte Stein als auch Sie selbst haben eine mit dem bloßen Auge nicht ohne weiteres sichtbare Farbausstrahlung (Aura), die beim Menschen und auch beim Mineral aus mehreren Einzelfarben zusammengesetzt sein kann. Beim Stein wird diese Aurafarbe durch seinen inneren Aufbau, seine Gitterstruktur, mit beeinflußt. Aurafarbe (feinstofflich!) und Steinfarbe (grobstofflich!) stimmen selten überein: Die Aurafarbe kann als Ausdruck des Heilsteinenergiegehalts auf feinstofflicher Ebene, seiner eigentlichen Potenz, angesehen werden, während die sichtbare Farbe einfach durch die farbgebenden Elemente im Stein erzeugt wird.

Es sollte Sie also nicht irritieren, wenn Sie einmal nicht das Bedürfnis haben, einen zum Beispiel blauen Stein auf Ihr Halschakra, dem traditionell die Farbe »blau« zugeordnet ist, zu legen, sondern woanders hin. Vielleicht liegt es ja an der Aurafarbe, die Sie intuitiv erfaßt haben und die Sie automatisch zum richtigen Auflagepunkt dirigiert. Vertrauen Sie also ruhig Ihrer »ersten Eingebung« (in Kapitel 6 – »Szenario-Steine« sind einige Steine mit ihren Aurafarben erwähnt).

Je nach Gefühlslage ist in Ihrer Aura eine bestimmte Farbe vorherrschend. Sie wechselt fließend, wenn sich die Stimmungslage verändert. Sind Sie zum Beispiel erst gutgelaunt und erhalten dann eine Hiobsbotschaft, ändern sich sowohl die Farbe als auch der Energiefluß (wird langsamer) durch die Aura.

Gerade bei »Großwetterlagen«-Wechsel können Sie durch eine geeignete Steinauswahl temporäre Defizite abfangen oder Stabilisierungsphasen beschleunigt herbeiziehen. Bei Sinn- und Lebensfragen wird die Farbe des Mentalkörpers verändert. Er behält in der Regel seine Grundfarbe(n) längerfristiger bei, ist aber für Lichtgaben (transparente blaue, gelbe, goldene, violette oder klarweiße Steine), die seine Grundschwingung anheben oder Eintrübungen auflösen können, sehr dankbar. Man ist dann besser in der Lage, Probleme als solche zu erkennen und verzettelt sich nicht so schnell in (kräftezehrenden) Übersprungshandlungen.

Der physische (grobstoffliche) Körper profitiert natürlich davon, wenn er nicht mehr Haß, Ekel oder Trotz auf sein schwächstes Glied abladen muß (zum Beispiel »Ihr« Paradebußorgan Magen, der Ihre Stimmungen immer verarbeiten muß), sondern die durch Steine geläuterten (energetisch gehaltvollen) Energien im Mentalbereich für neue Lebenspläne und Perspektiven behalten darf. Gehen ihm auf Dauer viele Energien ab, wird der Mensch krank – aber wir haben ja zum Glück unsere Steinchen ...

Transparenz

Es ist ein Unterschied, ob Sie das Bedürfnis hatten, sich unabhängig von der Grundfarbe opake, also undurchsichtige, Steine auszusuchen oder durchscheinend wasserklare.

Transparenz steht für das Bewußtsein, daß es Lichtkräfte gibt, die so stark sind, daß sie unsere dichte Materie durchdringen können und mittels ihrer erlösenden und transformierenden Eigenschaften alle Schatten auflösen. Fast alle klassischen sogenannten »New-Age«-Steine sind klare, nicht Schatten werfende, »erlöste« Energien, die in Form von Heilsteinen unseren Lichtkörper mit ihren transformatorischen Energien läutern und anreichern sollen.

Transparenz steht also für »Durchblick«, den Blick in eine andere, höhere Dimension, die wir mit unseren grobstofflichen, physischen Sinnen (Gehör, Geschmack, Sehen, Fühlen, Riechen) nicht erfassen (»begreifen«) können, von der wir aber wissen, daß sie existent ist, und mit der wir beispielsweise durch unsere Gebete Kontakt halten und spirituelle Kraft schöpfen.

Opake Steine richten den Blick auf das Irdische, also unseren grobstofflichen physischen Körper, nicht auf Seele und Geist wie die transparenten. Sie vermitteln Abgrenzung und geben Schutz. Opake Steine kümmern sich um alle körperlichen Probleme und stöbern Problemzonen auf. Sie schirmen meist gleichzeitig vor weiteren Belastungen ab oder beginnen selbsttätig mit der Heilung beziehungsweise dem Problemausgleich. Sie können also Krankheitsschwingungen mit ihrer Frequenz löschen, reflektieren, absorbieren, um den Körper herumleiten oder dem Träger bewußt machen. Meist haben sie auch ein hohes spezifisches Gewicht und eine schwammigere, porösere und/oder geschichtete Struktur: Sie haben geringere Mohshärten. Wegen des Aufsaugeffekts und ihrer Beschaffenheit sollte man sie oft reinigen und nicht zu kleine oder qualitativ minderwertige kaufen (siehe auch Seite 26 - 30).

Düfte und Töne – bei Steinen?

Es sollte Sie nicht irritieren, wenn Ihnen, sobald Sie den Stein in der Hand halten, Düfte oder Töne in den Sinn kommen. Bei sensitiven, nicht in erster Linie visuell ausgerichteten Menschen ist dies oft der Fall – und dann untrüglicher als die Auswahl »mit dem Auge«. Das ist zwar unser Hauptsinn, als Augenmensch läßt man sich aber auch viel leichter ablenken. Meist erfassen Sie dabei intuitiv die Aurafarbe des Steines. Die augenfällige Farbe und die Farbe der Duftassoziation können deshalb durchaus unterschiedlich sein. Manche Menschen verwenden beim Steinauflegen auch eine nach dem Farb-Duft-Stern (siehe Abbildung 2) zu ermittelnde Gegenfarbe als ätherisches Öl oder Räucherung während der Anwendung oder beim Aussuchen zur Klärung und Hervorhebung des Problems.

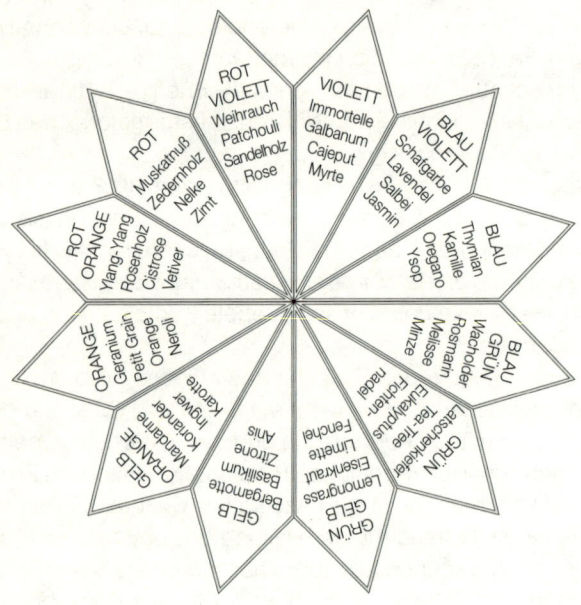

Abbildung 2: Der Farb-Duft-Stern – Zuordnung von Farben und Düften (nach W.-M. HULKE »Das Farben-Energie-Buch«, 1992).

Form und Größe des Steines

Es ist natürlich kein Zufall, wenn Ihnen ausgerechnet nur runde Steine gefallen, oder wenn Ihnen kein Rohbrocken und keine Stufe groß genug erscheint. Grundsätzlich läßt sich sagen, daß die (ungebohrte) **Kugelform** ihre Energiefrequenz am schonendsten in die menschliche Aura einzuspeisen vermag, unabhängig von der Kugelgröße. Die Kugelform (Erdform) ist für irdische Geschöpfe die sanfteste und beste Energiespenderin. Besonders Rosenquarzkugeln trösten ein geschocktes Gemüt durch ihre relativ langsame, aber stetige Energieeinspeisung. Selbst der heftig wirkende Obsidian ist in Kugelform gemütlicher.

Kugelketten sind schön, weil sie in Höhe des Halschakras, unserem Kommunikationszentrum mit der Umwelt, genau richtig »vor Ort« hängen. Viele kleine Kugeln speisen Heilfrequenzen beständig, aber mit Anfangsverzögerung ein. Vorteil: Narrensicher selbst beim sensibelsten Verwender. Nachteil: Es dauert oft Wochen, bis man »etwas merkt«. Ungeduldige nehmen daher aus diesem Grund gern ihre Ketten zu früh ab, ehe die überhaupt eine Chance hatten, zu wirken.

Doch zurück zu den **Rohbrocken**: Hier wird die spezifische Steinfrequenz über seine vielen kleinen Kanten, Kraterchen, Kerben, Risse in sich reflektiert und kraftvoller in die Aura gedrückt (gut nach Erschöpfungszuständen) als bei beschliffenen Steinen. Ein großer Rohbrocken energetisiert ein Zimmer auch immer schneller als eine Kugel. Der Energieumsatz ist pulsierend fühlbar (Hände direkt über dem Brocken) und in Form von vermehrtem Staubansatz gegenüber großen Kugeln auch für jeden gut sichtbar.

Splitterketten vereinen die Vorteile von Rohstück und beschliffener Kugel. Sie versprühen mit etwas mehr Nachdruck ihre Energien um sich, speisen sie auch in die Aura, aber nicht ausschließlich wie bei Kugelketten.

Große blickdichte Steine, egal ob mit Mittelloch oder ohne, schirmen besonders im Brust- und Solarplexusbereich gut ab und machen ihre Arbeit nah an unserem Hauptzentrum fürs Physische (dem 3. Chakra), das heißt, ihre Energie ist vor Ort direkt verfügbar und kann beständig eingespeist werden.

Bei einem Edelstein mit **Baguette- oder Diamantschliff** wird die Steinenergie weit über die Schliffkanten regelrecht in die Aura geschleudert. Im Halsbereich kann es zu Engegefühlen kommen, wenn die ruckartig eingeschleuste Energie nicht sofort assimiliert werden kann. Im Kopfbereich (Diadem, Ohrringe, Stirnband) können Kopfschmerzen oder Gesichtsschwitzen auftreten. Meist gibt sich das bei Dauerverwendung. Die feinstofflichen Körper stellen sich sehr schnell auf Heilenergien ein (ihr Lieblingsfutter). Aber als Anfänger sollte man nicht direkt im Kopfbereich arbeiten, schon gar nicht bei anderen. Gerade geschliffene, reich facettierte Steine sind in unterversorgten oder blockierten Bereichen energetisch gesehen kleine Sprengsätze.

Spitzen: Egal, ob Naturspitze oder nicht (also nachträglich beschliffen), jede Spitze konzentriert die Steinenergie vom größeren Körper auf eine kleine punktförmige Fläche. Dadurch wird die Energie potenziert und erscheint durch die Ausrichtung im Bereich der Spitze oft sehr schneidend. Jeder Stein läßt sich also durch eine Spitze eine Richtung für seine Energie eingeben beziehungsweise aufdrängen. Nicht dafür geeignete Steine gehen beim Dauereinsatz als Heilstein auf diese Weise kaputt. Durch den potenzierten Energiefluß ist jedoch immer eine bessere und schnellere Auflösung von dichteren Frequenzen möglich – bitte nicht auf Kosten des Patienten oder in der Selbstbehandlung.

Gezielte, unverhältnismäßig schneidende Frequenzen führen zu einer allgemeinen energetischen Verschiebung (Schutzreaktion), das heißt seitliche Verschiebung oder Überpolarisierung einiger Chakren, manchmal recht dauerhaft über Wochen, mit entsprechenden psychischen Reaktionen. Der genaue Energiefluß durch einen makrokristallinen Quarz wird in den nachfolgenden Abschnitten eingehend erläutert.

Wie kommt der Stein zu seiner (Natur-)Form?

Edelsteine, Halbedelsteine und andere Mineralien spiegeln in ihrer Naturform und Größe, abgesehen natürlich von ihrer Zusammensetzung, genau ihren Entstehungsprozeß wider. Ungewöhnliche Farbvarianten oder selten vorkommende Formen deuten also immer eine außergewöhnliche Entstehungsweise an. Wählen Sie gerade einen an und für sich »untypischen« Stein aus, hat das seinen Sinn. Es nützt Ihnen nur nichts, wenn Ihnen niemand die normale »Standard-«Entstehungsweise erklären kann und Sie eine Sonderform gar nicht als solche erkennen.

Allgemein kann man Heilsteine nach ihrer Entstehung in *kristallbildende* und in *gesteinsbildende Mineralien* einteilen (von den Muscheln, Perlen und Korallen jetzt mal abgesehen). Bei den Kristallbildnern können die Kristalle so winzig klein im Mineral »versteckt« sein, daß man sie mit bloßem Auge nicht sehen kann. Man nennt diese Steine dann *krypto-* oder *mikrokristallin*. Mineralien, die große Kristalle ausbilden konnten, die man ohne eine Lupe direkt sieht und deren Spitzen man deutlich erkennt, heißen *makrokristalline* Mineralien. In der Regel sind das meist Quarze, wie zum Beispiel der Bergkristall und der Rauchquarz. Die Spitze kann einseitig ausgebildet sein (Einender) oder der Kristall kann an beiden Enden je eine Spitze ausgebildet haben (Doppelender). Dazu muß er frei liegend gewachsen sein, also ohne Unterlage. Dies ist relativ selten, weil es in der Regel nur in Sand (Korngröße: 50 - 250 µm), Schluff (2-50 µm) oder Tonerde (< 2 µm) möglich ist.

Ob nun Einender oder Doppelender – in jedem Fall mußte ein Hohlraum vorhanden gewesen sein, in den der Kristall wachsen konnte. Hat er keinen, kann er nur wie ein gesteinsbildendes Mineral massiv als Block, Fels oder Schichtgestein wachsen. Wenn der Hohlraum schön groß ist und reichlich Bildungsmaterial vorhanden ist, zum Beispiel flüssiges Siliziumdioxid, können bei langfristig gleichbleibender, konstanter

Umgebungstemperatur eher wenige sehr große, bei Temperaturschwankungen eher viele und kleine Bergkristalle entstehen. Oft sind sie wie Pilze unten miteinander verwachsen. Dann entstehen kleine Stufen (Gruppen, Cluster, Gruppierungen).

Belegt eine siliziumdioxidhaltige, mit anderen Substanzen vermischte Entstehungslösung das Höhlengestein wie eine Decke in schichtweisen Einzellagen, dann entstehen Achate. Sie können einen Hohlraum komplett ausfüllen (Achatmandel). Jahre oder Jahrtausende später können natürlich auch andere, zum Beispiel gasförmige Bestandteile auf die bereits vorhandenen Bergkristalle in einem Hohlraum auskristallisieren: Im Handel finden Sie oft dekorative Stufen mit Turmalin auf beziehungsweise halb oder ganz in Bergkristall, Kalzit auf Amethyst und andere.

Die Form- und Bildekräfte der gesteinsbildenden Mineralien sind nicht so stark wie die der makrokristallinen Mineralien. Oft entstehen Massivlagen durch tektonische Verschiebungen der Kontinentalplatten, oder aus Vulkanen geschleudertes Magma erstarrt entweder schnell (dann als Obsidian) oder sehr langsam (dann wird es Tuff oder Basalt). Durch Wiederabsinken von tektonisch ehemals angehobenen Gesteinsschichten können durch den enormen Druck und die Hitze in der Gesteinsschicht einzelne Bestandteile gezielt herausgelöst oder verändert werden, denn die große Hitze verflüssigt regelrecht das Gestein (es wird »plastisch«): sogenannte metamorphe Heilsteine wie Smaragde, Olivin, Serpentin, Charoit oder die Korunde entstehen durch solche Gesteinsmetamorphosen (das heißt »tertiär«, aus zwei bereits »fertigen«, sich wieder neu zusammenfügenden Gesteinsarten).

Manchmal werden zum Beispiel kupferhaltige Gesteine durch Verwitterung (Hitze, Regen, Frost) angegriffen und das Kupfer ausgewaschen. Mit säurehaltigen Entstehungslösungen wird das Kupfer zum Türkis, mit basischen zum Beispiel zum Chrysokoll. Beide sind sekundär entstandene Heilsteine.

Die meisten Heilmineralien entstehen jedoch primär, das heißt durch ihr direktes Abscheiden aus bestimmten, dünnflüssigeren Magmabestandteilen. Magma kann oberirdisch oder unterirdisch aus dem Erdinneren aus Vulkanschloten, Grabenbruchstellen (da, wo sich die Kontinentalplatten gegeneinander verschieben) und anderen Stellen an der Erdoberfläche austreten. Mit entweichende Gase können ebenfalls auskristallisieren (Hämatit, Schwefel). Aus kalk- oder mineralhaltigen (Heil-)Thermen können sich Steine in rosetten- oder knollenform auskristallisieren (zum Beispiel Rosettenchalzedon).

Die natürlich vorkommenden Formen im Überblick

Stufe: Ein Stück Muttergestein, von Fingernagelgröße bis Wohnzimmerformat, auf dem sich ein Mineral oder mehrere Mineralsorten auskristallisiert haben

Gruppe: Wie Stufe, meist sind es makrokristalline Quarze derselben Sorte, die auf dem Muttergestein wachsen, oft in verschiedene Richtungen, mit Spitzen unterschiedlicher Größe.

Geode (Dom, Kathedrale): Der Hohlraum, in den Quarze (oder andere Mineralien) hineingewachsen sind, ist komplett oder in großen Teilen, die seine Form noch gut erkennen lassen, erhalten. Kleinere Stücke einer Geode (leicht gekrümmt) heißen *Geoden-Bruchstücke.*

Aggregat: Das ist meist eine etwas größere Stufe (siehe oben). Meist ist es eine Mineraliensorte, die von anderen überzogen ist, beherbergt also nicht nur eine Sorte, wie die Gruppe.

Druse: Das Muttergestein ist gewölbt (meist konvex), und die Mineralien (meist nur eine Sorte, oft makrokristalline Quarze) wachsen traubenförmig auf ihr.

Mandel: Der Hohlraum, in den hinein sich Mineralien abgeschieden haben, ist massiv ausgefüllt. Er kann eine im Lava verbliebene Blase oder ein Riß sein, wie er sich beim Abkühlen (= Zusammenziehen) des Muttergesteins bildet.

Cluster: Wird aus dem Englischen für »Stufe, Gruppe, Aggregat« unübersetzt stehengelassen.

Makro- und mikrokristallin

Unter optimalen, typischen Entstehungsbedingungen wachsen Mineralien, je nach Art, immer in einer für sie typischen Art und Weise. *Makrokristallin* werden alle Mineralien genannt, die einen mit dem bloßen Auge sichtbaren »Körper« bilden, der meistens in Form einer Spitze oder einer Tafel endet mit allen denkbaren Ausformungen des Mineral»kopfes« stufenlos dazwischen. Das heißt: Es gibt Bergkristall mit der optimalen, klassischen Sechs-Facetten-Spitze, aber auch verzerrt mit einer Dreier-Endung oder tafelartig flach, fast wie ein Smaragdende, oder gefurchte, eingekerbt wirkende Doppelspitzen (Artischockenquarz) oder massive Brocken, wie sonst nur beim Rosenquarz. Beispiele für makrokristalline Mineralien: Bergkristall, Zirkon, Granate, Berylle, Topase, Korunde (Saphir, Rubin, Padparadscha), Apatit.

Mikro- oder kryptokristallin werden die Mineralien genannt, deren Kristallform nur unter dem Mikroskop erkennbar ist. Beispiele für mikro- oder kryptokristalline Minerale: Chalzedone, Achate, Jaspis-Arten, Feuerstein (Flint).

Traubige, nierige Aggregate bilden zum Beispiel Hämatit und Türkis. Wie die Strahlen einer Sonne können Pyrit, Platin und andere aussehen, wie gekautes Kaugummi *(Nuggets):* Türkis, Gold, Silber, wie *Asbestnadeln:* Krokoit und Disthen. Ein Heilstein ist am schönsten, wenn er Ihnen gefällt. Meist fasziniert die klassische Form das Auge, seltener eine Sonderform.

Einender

Mineralien, die als makrokristalline Ausformungen aus Siliziumdioxid (SiO_2), Silikaten, Phosphaten oder anderem entstehen, haben gewöhnlich einen Körper (beispielsweise rund, sechseckig, dreieckig, platt), der mit einer oder mehreren Endungen auskristallisiert. Diese Endung kann tafelig abgeflacht sein (Smaragd, Aquamarin), unregelmäßig dreieckig spitz (Turmaline, Topase) oder über sechs Facetten konisch spitz punktförmig zulaufen (Bergkristall). Normalerweise werden alle natürlich gewachsenen makrokristallinen Mineralien als Einender bezeichnet, die auf ihrem Muttergestein auskristallisiert sind und in die Höhe wachsen unter Ausbildung einer wie auch immer gearteten Endung. Es gibt aber auch Mineralien, die eine Spitze durch Beschleifen vom Edelsteinschleifer erhalten haben. Diese Spitze kann der Naturendung nachempfunden sein (ist verträglicher für die Steinenergie) oder eben nicht. Im letzteren Fall kann, besonders bei kurzen, sehr schräg und spitz zulaufenden Kunstspitzen (besonders bei weicheren Mineralien) der Stein sehr schnell bröselig werden, matt erscheinen, Farbwechsel oder Trübungen zeigen, wenn sie als Heilstein verwendet werden. Also gerade diese Steine immer gut im Licht aufladen und öfter in Meersalz »auf Kur« schicken.

Doppelender

So nennt man alle Mineralien, die statt Fuß, Körper und Spitze (Endung) zwei Endungen haben, oft mit einem recht kurzen Körper dazwischen (oder gar keinem). Natürlich kommen solche Doppelender zum Beispiel beim Bergkristall, Amethyst, Citrin, Rauchquarz relativ häufig vor. Sie kristallisierten bei ihrer Entstehung nicht auf hartem Muttergestein aus, sondern in weichem Ton, Sand oder Schluff. Es werden fast alle Steinarten, die hart genug sind, vom Edelsteinschleifer auf Wunsch als Doppelender beschliffen.

Doppelender überbrücken ideal verwandte Steinfrequenzen anderer Nicht-Einender, Einender oder Trommelsteine. Wenn Ihnen aber der künstliche Beschliff generell widerstrebt, kann man genauso gut zum Überbrücken (Turmalin-(Schörl-)Stäbchen (ohne Enden) nehmen. Doppelender laden sich extrem schnell auf Drusen beziehungsweise im Licht auf, sind also im Winter (bei Tagsteinen: Citrin) oder bei vielen hintereinander folgenden Auflegebehandlungen vorteilhaft.

Wenn Sie einen Einender oder Doppelender erwerben möchten, fragen Sie also immer, ob es sich um einen naturbelassenen, einen nachgeschliffenen (oft beim Doppelender) oder einen synthetischen Stein (meist ideal geformte Einender, aus einer Lösung, wie sie in der Natur vorkommt, aber von Menschenhand angerührt, gezogen) handelt.

So wirken die verschiedenen Steinformen

Einender

Die Form der Einender symbolisiert den Körper des Menschen: auf festem Boden, unserem Urvertrauen, wächst gerichtet ein Körper nach einem festen Bauplan dem Licht entgegen. Die 6 Facetten eines Bergkristalls symbolisieren die ersten 6 Hauptchakren, die Spitze das Kronenchakra (Sahasrara, Scheitelzentrum), das für das Wiedererreichen der Einheit mit dem Göttlichen, aus dem alles entstanden ist, steht. Durch den Schöpfungsplan ist das Eine, das Göttliche, in eine unendliche Vielfalt (den Kosmos, die Natur, alle Geschöpfe und Wesen, grobstofflicher und feinstofflicher Art) aufgeteilt, gewissermaßen verbraucht worden, bei der Erschaffung dieser unerhörten Vielfalt.

Andererseits hat dadurch jedes erschaffene Ding und Wesen einen göttlichen Entstehungsfunken in sich erhalten, denn daraus sind wir geschaffen worden. Unsere Aufgabe ist es nun, uns als göttliche Wesen zu erkennen, auch alles Erschaffene als Ausdruck des Göttlichen zu erkennen, zu bewahren und zu würdigen. Jeder Kristall trägt diese Botschaft in sich – und an uns heran. Wenn Sie in einer Phase sind, in der Sie zum ersten Mal massiv Einender auswählen, ist für Sie die Zeit gekommen, sich mit den berühmten Fragen »Woher kommen wir, wohin gehen wir?« ernsthaft zu beschäftigen.

Doppelender

Die Ausrichtung, das »Sich-selbst-Ausrichten« und die Konzentration auf ein gerichtetes Wachstum, das nach einem uns nicht bewußten Plan verläuft, ist hier schon im Gange und wird gesehen. Doppelender verstrahlen ihre Energie, lösen auf. Das heißt: Die Angst, sich selbst einer Aufgabe hinzugeben und dabei womöglich »alles zu verlieren«, ist hier nicht mehr groß. Sie verstehen, daß Geben (ohne Buchführung oder spezifische Absicht) auf Dauer mehr bringt als Nehmen. Erwartet wird wenig, weil man nicht mehr auf Selbstbestätigung im Sinne von

Lob, Dank, Schmeichelei aus ist, sondern sich den Luxus leistet, nach den eigenen ethischen Prinzipien in voller Selbstverantwortung zu handeln. Gerade beim Doppelender ist das Phänomen häufig, daß man einen kauft, ohne recht zu wissen, warum. Er dient dann (in Sichtweite oder als Meditationsobjekt) oft als Schrittmacher oder als »sweet remembrancer« à la Shakespeare.

Rohbrocken

Wenn Sie einen Rohbrocken oder einen Trommelstein gewählt haben, brauchen Sie in erster Linie deren Energiefrequenzen. Jeder (Edel)-Stein ist eine energetische Einheit, sozusagen ein Päckchen mit einer Information, die Sie benötigen. Die geordnete Form, die Ein- und Doppelender repräsentieren, spielt dabei erst einmal eine untergeordnete Rolle. Sie ist also sekundär, wobei es natürlich von Bedeutung ist, wie groß der Trommelstein oder Rohbrocken ist. Generell ist auch die energetische Ausstrahlung eines Rohbrockens kräftiger als die eines Trommelsteins, weil er über viele Kanten und Risse verfügt, über die energetische Informationen weiter und machtvoller gestreut werden als beim abgerundeten, glatten, oft die Energie in sich reflektierenden Trommelstein.

Die im Stein repräsentierte, im Stein »verpackte« Energie spielt also die Hauptrolle. Diese Energie lockt Sie als Käufer oder Selbstbehandler in erster Linie über die Farbe an. Dies ist relativ unspezifisch (sonst wäre dieses Buch wesentlich dünner). Daher kann es sein, daß Sie gleich mehrere auf einmal aussuchen möchten. Das ist in Ordnung und hat nichts mit mangelnder Sensibilität oder Unentschlossenheit zu tun. Die meisten gesundheitlichen Probleme sind vielschichtig: Meist muß man, um fehlende Energien zu erhalten, einen Stein wählen und dann, um diese fehlende Energie zu fixieren, einen weiteren. Oft muß man Tage (oder schon Stunden) später nochmals welche nehmen, um das neue Gleichgewicht zu stabilisieren oder zu integrieren. Als Faustregel gilt: Je mehr Rohbrocken Sie wählen, und besonders, wenn sie gar nicht groß genug sein können, desto drängender ist das Problem.

Sie können die kraftvolle Rohbrockenenergie jedoch prima vertragen (der Körper lechzt ja nicht umsonst danach), eben weil Sie diese Steine aussuchen. Meist sind es opake (undurchsichtige) Steine. Das deutet auf in erster Linie physische Probleme, also zum Beispiel akute Bronchitis, Entzündungen in den Gelenken, im Magen-Darm-Trakt, Nieren-/Blasen-/Darm-Spasmen, Blutverluste (okkult oder durch Operationen, Schnittwunden etc.) hin.

Aber auch Anlagen, die erblich bedingt sind und durch akuten Streß nun durchzuschlagen drohen, muß man bei einer derartigen Steinauswahl überdenken. Bei Kummer (Streit, Todesfälle), Streß, schlechten Arbeitsbedingungen (»Mobbing«), Partnerschaftsproblemen ist das Tragen eines Rohbrockens Ihrer Wahl als Anhänger und die Aufladung der Wohnung mit Rohbrockenenergie anzuraten.

Trommelsteine

Sie ergänzen, harmonisieren, stabilisieren oder verfeinern vorhandene Energien über die Interaktion Steinfrequenz – Auraenergie. Sie spenden oder ersetzen aber auch vorschnell verbrauchte beziehungsweise fehlende Energien aller Art. Als Anhänger getragen, schirmen sie zum Beispiel unerwünschte Frequenzen ab und ziehen erwünschte an, die sie gegebenfalls verstärken beziehungsweise versuchen, in die Aura zu integrieren. Trommelsteine sind oft Splitter und Bruchstücke von größeren, massiven, felsartigen Gesteinsbildnern, Restteile, die bei der Verarbeitung von Statuen etc. anfallen, oder sie sind qualitativ nicht gut genug, um als Cabochon oder ähnliches bearbeitet werden zu können.

In einem Trommelrührgerät werden diese Rohsteine unter Zugabe von Sand über Tage oder Wochen langsam in ständiger, drehender Bewegung gehalten. Der Sand bewirkt einen Schmirgeleffekt, der die Steine in der Trommel allmählich abrundet. Der Sand wird, je nach Steinsorte verschieden häufig gegen immer feinkörnigeres Material ausgetauscht.

Auf diese Weise wird eine Steinform künstlich erzielt, die der natürlichen Steinform, zum Beispiel bei Fundstellen im Meer, in einem Fluß oder in einem alten Flußbett (Seifenlagerstätte) sehr nahe kommt und die gut in der Hand liegt. Manchmal werden diese Steine auch »Handschmeichler« genannt. Echte Handschmeichler sind allerdings relativ große, mit einem gewissen Aufwand meist bikonkav oder mit einer Mittelkuhle (für die Finger) beschliffene Steine.

Kugeln (Sphären)

Fast jeder Stein läßt sich in jede beliebige Form umschleifen beziehungsweise beschleifen. Gute Heilsteinhändler nehmen Spezialaufträge nach Ihren individuellen Wünschen an. Als Raumschmuck, Meditationsobjekt, zur Kristallschau und zur Auflage auf die Energiezentren oder Akupunkturpunkte des Körpers werden gern Kugeln verwendet.

Die Kugel symbolisiert die perfekte, harmonische Form, ist Sinnbild für unsere Erde, kommt in der Natur in fast allen existierenden, vor allem grobstofflichen Dingen vor (Atom, Planeten, Sonnen) und ist deshalb für einen Heilstein eine zwar künstlich geschaffene, aber akzeptable Form.

Die Steinfrequenzen, die in sanften Spiralen aus der Kugelform abgegeben werden, können sich besonders sanft, aber effektiv in die feinstofflichen Körperenergien mischen. Das Prinzip erinnert an steifgeschlagenes Eiweiß, das Sie unter eine Käsekuchenmasse heben: Die Masse wird lockerer, im Falle der Aura wird sie lichtdurchlässiger, und alle Eintrübungen (sogenannte »Schatten« oder »Löcher«) werden durch den erhöhten Lichteinfall besser lokalisierbar und behandelbar.

Ketten
Für Kugelketten muß man den Stein leider durchbohren, jedoch macht die Kugelform das wieder wett. Manche Steine werden so auch erst bezahlbar und tragbar als Heilstein – wer kann sich schon eine 2-Pfund-Sphäre Smaragd oder ähnliches leisten?

Die Perlenenergien summieren sich, strahlen, besonders in Halshöhe schon über eine gewisse Breite in die Aura ein und füttern ihre Frequenz sanft ein.

Splitterketten führen wegen der kantigen Oberfläche ihre Energie etwas vehementer zu. Meist ist die Qualität eines Einzelsplitters jedoch so minderwertig (viel Muttergestein oder Quarzadern drin), daß das kaum als störend oder zu aggressiv empfunden wird. Es empfiehlt sich ohnehin, mehrreihige Splitterketten oder eine Kugel- und eine Splitterkette desselben Materials gleichzeitig zu tragen.

Alle Kettenenergien sind sanft, so supersanft, daß man sie kaum bemerkt, lassen sich daher über mehrere Wochen tagsüber sehr gut tragen (Faustregel: Nach zwei Monaten Dauertragen sollten programmierte Ketten wirken beziehungsweise Wirkung gezeigt haben).

Discs
Das sind flache, runde, quer durchbohrte Perlen. Sie geben der Steinenergie etwas mehr Drall und Kraft als die Rundkugel, sind qualitativ besser als Splitter.

Sehr gut sind auch Zylinder bei Fluorit oder Lapislazuli. Die Energie kommt dann spiralig aus den Enden und fließt um den Stein herum, speist die Aura also genauso wie ein Disc über eine größere Oberfläche. Experimentieren Sie ruhig mit Halsreifenteilen oder Perlen aller Art, die Sie immer auf Seide fädeln – und unbedingt vom Schleiftrauma befreien!

Donut
Donuts sind scheibenförmig geschliffene Steine, die meist opak sind und zentral oder leicht verschoben ein rundes, ovales oder eckiges Loch (für das Aufhängeband) haben. Sie wirken durch ihre Masse. Die Scheibenform erzeugt eine relativ große Oberfläche, die daher viel abgeben, viel abschirmen (absorbieren) oder viel Steinenergie abstrah-

len beziehungsweise die gewünschte Energie anziehen kann. Zur Herstellung von Talismanen oder Amuletten sind sie daher gut geeignet, denn der gelochte Stein symbolisiert einen doppelten Schutzkreis: Kreise kann von außen niemand betreten, weil sie keinen Anfang und kein Ende haben. Negatives wird durch das zentrale Loch geschickt und dort gefangen, kann nicht mehr heraus, oder beim Durchtreten des Loches auf der anderen Seite gebannt – so oder so gibt es kein Entrinnen und keinen Angriffspunkt mehr.

Andere Formen

Auf dem Markt gibt es Körbchen, Sterne, Würfel und andere Formen. Im Prinzip wählen Sie nie falsch aus, wenn Sie beherzigen, daß jede Kante ein Energiesprungbrett ist, jede runde Fläche ein (schmeichelnder) Reflektor oder Energiezufütterer und daß die Masse bei großen Donuts, Massivwürfeln und so weiter den gewünschten Effekt schneller hervorruft als bei vielen winzig kleinen kurzen Perlenkettchen oder kleinen Ringen mit großem Loch und wenig Steinmasse drum herum.

Welche Rolle spielt die Größe?

Je mehr der Stein wiegt und je größer er ist, desto schneller bewirkt er die gewünschten Effekte. Ein kleiner Stein speichert weniger Energie. Je reiner die Steinmatrix ist, das heißt, je klarer die Energiefrequenz abgegeben werden kann, desto deutlicher spüren Sie die Effekte. Ein Karat (ct) entspricht 0,2 g. Ein 10-ct-Stein kann also durchaus besser und klarer arbeiten als ein 1000-ct-Rohbrocken, der voller Muttergestein oder mit Quarzadern durchzogen ist.

Beim Testen eines qualitativ minderwertigen Steines werden Sie nie seine »wahre« typische Wirkung erfahren können, weil alle Fremdanteile die eigentliche Steinfrequenz überlagern. Dadurch wird sie in jedem Fall verändert (modifiziert), je nach Fremdanteil sogar völlig geschluckt, weil zu wenig »eigentliche« frequenztragende Steinmatrix existiert.

Als Mittelweg bietet sich die Arbeit mit Cabochons an. Das sind auf der Oberseite halbrund (mugelig) glatt polierte Steine, die Unterseite ist plan (gerade). Viele etwas minderwertigere Steine, die als Trommelsteine aber zu schade sind, werden zum Cabochon geschliffen. Das bringt Licht in den Stein. Er wird »transparenter«, das erhöht seine Qualität und macht den relativ geringen »Verunreinigungsanteil« (Muttergestein, Quarz, Feldspat) wett. Besonders bei Saphir, Rubin, Mondstein, Rhodochrosit und Karneol klappt das gut.

Die Zusammensetzung des Minerals

So wirkt der metallische Anteil im Mineral

Aluminium (Al)

Im Periodensystem der Elemente (D. Mendelejew, J. L. Meyer, 1869) hat Aluminium die Ordnungszahl 13, Gruppe IIIa. Alle derselben Gruppe zugehörigen Elemente haben ähnliche chemische Eigenschaften. Auch in der Chemie gilt das Gesetz der Periodizität! Zur Gruppe IIIa gehören außer Aluminium noch Bor, Gallium, Indium und Thallium.

Aluminium fördert den basischen Stoffwechsel, hilft bei übersäuertem Magen und hat allgemein beruhigende Eigenschaften. Nach M. Gienger (siehe »Literaturverzeichnis«) fördert es den Wunsch nach Abwechslung und Veränderung. Meinem persönlichen Empfinden nach trifft dies zu. Aluminium bewirkt dies aber auf sanfte Art und Weise, das heißt nicht so radikal wie Charoit, Lapislazuli und Obsidian – jedoch am besten gediegen (rein) als dünne Aluminiumplatte, also nicht in Steinform.

Aluminiumhaltige Steine finden Sie in der Granat-Farbfamilie (Pyrop, Rhodolith, Almandin, Spessartin, Grossular, Hessonit, Tsavorit, Demantoid, Topazolith), bei den Feldspaten (Amazonit, Mondstein, Sonnenstein, Labradorit) und den Korunden (Rubin, Saphir, Padparadscha und andere Farbvarietäten). Weitere Beispiele sind Analcim-Katzenauge, Heliotrop, Dumortierit, Jade, Kunzit, Sodalith, Staurolith, Topas und Türkis. Aluminiumhaltige Steine mit natürlicher Strahlungssignatur sind Rauch- und Rosenquarz.

Korunde und Granate sind tertiär, also metamorph entstanden, jedoch sind Korunde Oxide (Sauerstoffderivate) und Granate Silikatderivate (Abkömmlinge). Daher ist die Aluminiumwirkung bei beiden Gruppen trotz derselben Entstehungsweise anders getönt (siehe Kapitel 2 – »Die Entstehung der Steine«) vom unterschiedlichen Gittersystem mal ganz abgesehen. Beachten Sie zur perfekten Auswahl auch immer die Mineralklassen (siehe Kapitel 2 – »Das Geheimnis der Mineralklassen«) und die Synonyme (siehe Kapitel 6 – »Synonyme Mineralien und große Steinfamilien«).

Jede Mineralklasse drückt dem Metall also einen etwas anderen Stempel auf, ähnlich wie in der Astrologie jeder Planet durch die Aspektierungen und das jeweilige Zeichen, in dem er sich befindet, im Grundthema variiert wird. Im Falle des Aluminiums dynamisiert die hohe Gitterspannung im Granat (weniger im Korund) die Aluminiumeffekte, während sie in den Feldspaten sehr behutsam und sanft vermittelt werden. Weitere

Aluminium-»Tönungen«: im Chrysoberyll mit Beryllium als Oxid, im Aquamarin mit Eisen in geordneten Silikatringen, also keine Silikatwürfel und nicht metamorph wie beim Granat, sondern Aquamarin entsteht primär (meist) aus magmatischer Lösung während der sogenannten Restkristallisationsphase mit hexagonalem Gitter (Granat: kubisch).

Je mehr Sie über Gitter, Formel, Entstehung wissen, desto genauer können Sie also Klienten beraten und die in Frage kommenden Steine unter Berücksichtigung aller Aspekte zum Beispiel als Vorauswahl für Leute zusammenstellen, die von einer Unzahl Steine vor der Nase nur verwirrt würden.

Beryllium (Be)

Beryllium ist ein Erdalkalimetall mit der Ordnungszahl 4, Gruppe IIa. Es hat verwandte chemische Eigenschaften mit Magnesium, Kalzium, Strontium, Barium, Radium.

Beryllium wirkt gegen Allergien, Ekzeme, Geschwüre und Rheumatismus. Beryllium fördert Konzentration, Disziplin, Zielsetzung und Strenge. Im Aquamarin, der aus übereinander gestapelten Silikatringen besteht, an die Aluminium- und Berylliumionen angelagert werden, ist die farbgebende Substanz Eisen (zwei- und dreiwertiges). Daher wirkt Aquamarin stärkend durch das Eisen, blutbildend durch das Eisen, beruhigend durch das Aluminium, durch die blaugrüne Farbe aufs Kehlchakra (5. Chakra) und macht bei Meditationen visionär, denn die Ringstapelung der Silikate richtet die Energie besonders bei Meditationen nach innen, fördert deshalb die Hellsicht und inspiriert. Weitere Berylle: siehe Beryll-Farbfamilie, namentlich außer Aquamarin noch: Beryll, Bixbit, Goldberyll, Goshenit, Heliodor, Morganit, Smaragd, Worobjewit.

Beim Smaragd unterstreicht der (farbgebende) Chromgehalt und die metamorphe Entstehung die als besonders befreiend und wohltuend (Aluminiumeffekt) empfundene Heilsteinwirkung auf Herz (Farbe!) und Gemüt. Ein weiterer berylliumhaltiger Heilstein ist Chrysoberyll, ein Oxid, also anders getönt als alle eben genannten Ringsilikate.

Bei der Allergiebehandlung mit Aquamarin ist es besonders sinnvoll, im Laufe der Behandlung nach Tagen oder Wochen noch einmal Steine auszuwählen, weil sich hier am Anfang oft schnell etwas ändert. Dagegen kann Prasem während der ganzen Allergiebehandlung gut getragen werden. Mit dem Tragen von Aquamarinanhängern können insbesondere Männer Pollenallergien vorbeugen. Im Anschluß an Allergietherapien sollten systematisch alle sekundär entstandenen Steine zur Körperauflage oder als Hosentaschenstein genommen werden, denn sie fördern das Akzeptieren eines (längst fälligen?!) Wertewandels, der dem Klienten den Umgang mit der Krankheit (in der nächsten Pollensaison) sehr erleichtern kann. Bei der Selbstbehandlung gilt natürlich dasselbe.

Kalzium (Ca)

Kalzium gehört, wie Beryllium, der Erdalkaligruppe (IIa) des Periodensystems der Elemente an, daher hat es »Beryll«-Qualitäten in sich, aber durch die Stellung im Periodensystem (Ordnungszahl 20), also »mehr Gewicht und Masse«, sind die vermittelten Effekte nicht so flüchtig und zart wie im superleichten Beryllium.

Kalzium wirkt antiallergisch, fördert das Wachstum und den Knochenstoffwechsel. Steine mit Kalziumanteil sind auch gut bei und/oder nach Knochenbrüchen und Osteoporose sowie Nebenschilddrüsenproblemen. Kalzium fördert den Antrieb und die Vitalität und wirkt stabilisierend. Es ist gut bei Verspannungen, Spasmen, (Muskel-)Krämpfen und bei Erkältungsgefahr.

Beispiele für kalziumhaltige Steine: Aragonit (rhombisches Gittersystem), alle plagioklasen Feldspate (Labradorit, Sonnenstein), viele Achate, einige Granate (Grossular, Hessonit, Tsavorit, Andradit, Demantoid, Topazolith, Melanit, Uwarowit), alle Perlen und Korallen, Charoit, Kalzit (Kalkspat), viele Turmaline, Tansanit, Apatit, Dolomit, Kalkstein und Gips (Ca-Sulfat) beziehungsweise Selenit (Marienglas), Fluorit (CaF_2), Riverstone, Nephrit.

Je nachdem, ob Entsäuerung (mit Türkis), Knochenaufbau (außer Korallen noch Apatit dabei) oder Krämpfe (ausschließlich mit Dolomit beginnen) im Vordergrund stehen oder mehr mentale Aspekte (zum Beispiel Charoit oder Indigolith), sollten Sie kalziumhaltige Steine immer mit geeigneten Partnern kombinieren beziehungsweise nach Gefühl intuitiv mehrere aus einer Vorauswahl nehmen und gleichzeitig auflegen.

Chrom (Cr)

Chrom hat die Ordnungszahl 24 im Periodensystem, Gruppe VIb; mit Molybdän und Wolfram bildet es eine Gruppe. Bei Chrom denken die meisten sofort an das einmalige Smaragdgrün.

Chrom hilft gegen Kopfschmerzen, Erkrankungen der Nase und der Nebenhöhlen. Es fördert die Individualität und hilft gegen das Gefühl, unter Druck zu stehen.

Chromhaltige Heilsteine sind zum Beispiel Smaragd (den immer zuerst), Uwarowit, Tsavorit, Krokoit.

Kupfer (Cu)

Kupfer bildet mit Silber und Gold als noble Verwandtschaft die Gruppe Ib. Es hat die Ordnungszahl 29, ist also das bisher schwerste besprochene Element.

Kupfer wird dem Planeten Venus zugeordnet. Kupferhaltige Steine wirken daher besonders günstig auf Nieren, Blase und weibliche Geschlechtsorgane, auch reine (gediegene) Kupferplättchen oder -stäbchen beziehungsweise kupferhaltige Salben. Kupfer fördert die Blutbildung, die Leber- und Gehirnaktivität, wirkt sehr stark entgiftend auf den Stoffwechsel (durch die Leberwirkung). Mental und seelisch bringt Kupfer rege Traumtätigkeit (»entgiftet« also die Psyche) und geistige Wachheit. Durch das Venusprinzip gleicht Kupfer aus, schafft eine gewisse Neutralität (läßt über den Dingen stehen), fördert aber auch Emotionen und Gefühlsausdruck.

Je nach Oxidationsstufe kommt Kupfer in Heilsteinen zweifach, dreifach oder vierfach oxidiert (Cu^{2+}, Cu^{3+}, Cu^{4+}) vor. Das wirkt sich auf die Farbe aus. Im basischen Stein ist Kupfer meist leuchtend smaragdartig grün (Malachit), im saurerem royalblau (Azurit). Weil meist verschiedene Oxidationsstufen innerhalb eines Steines und verschiedene Milieus zugleich möglich sind, ergibt sich eine babyblau-türkise Mischfarbe (Türkis, Chrysokoll, Howlith). Weitere kupferhaltige Steine sind Azurit-Malachit, Dioptas (»smaragdgrün«, wasserhaltig), Morganit, Chalkopyrit, Amazonit.

Kalium (K)

Kalium gehört der Alkaligruppe (Ia) des Periodensystems an. Weitere Ia-Elemente sind Wasserstoff, Lithium, Natrium, Rubidium, Cäsium, Francium. Die Ordnungszahl ist 19.

Kalium regt die Nierenfunktion an, wirkt entwässernd und auf den Blutdruck regulierend. Es stärkt die (Herz-)Muskulatur, fördert die Darmfunktion, wirkt lösend, beruhigend und befreiend, gegen Melancholie und Ängste.

Kaliumhaltige Steine sind Mondstein, Charoit, Amazonit, Glimmer, Hermanover Kugeln, Lepidolith.

Eisen (Fe)

Eisen hat die Ordnungszahl 26, bildet zusammen mit Ruthenium und Osmium die Gruppe VIIIb.

Je nach Oxidationsstufe und dem pH-Wert (basisch, neutral oder eher sauer) des Steines kann es gelb, rot, schwarz, grün, hellblau, anthrazit metallisch glänzend oder rostigmatt schwarz erscheinen. Die riesige

Farbauswahl dieses Chamäleon-Metalls sollte man nutzen! Eisen ist Baustein der roten Blutkörperchen (Erythrozyten), wird im Blut selber an Globuline gebunden als Eisen (III) (Fe^{3+}) transportiert. In Heilsteinen kommt es meist als Fe^{2+} oder Fe^{3+} vor, im Aquamarin und Morganit (beides Berylle) sogar als Fe^{2+} und Fe^{3+}.

Eisen wirkt auf die Blutbildung, stärkt das Immunsystem, wirkt anregend, kräftigend, belebend. Es verleiht Antriebskraft, Elan, Initiative, Begeisterungsfähigkeit, stärkt die Willenskraft (besonders Silex, der rote Jaspis) und das Durchhaltevermögen. Mental anregend wirken *Spuren* von Eisen wie im Saphir, Amethyst und Ametrin sowie Citrin.

Eisenhaltige Heilsteine sind Obsidian (hoher Hämatit- und Magnetitanteil), Hämatit, Magnetit, Heliotrop, alle Jaspis-Arten, viele Achate, Sonnenstein, Goldfluß, Pyrit, viele Granate (Rhodolith, Almandin, Andradit, Demantoid, Topazolith, Melanit), Oolith, Pyritsonne, Tigerauge, Peridot, Aquamarin, Morganit, Bergkristall mit sogenannten»Chlorit«-Einschlüssen, Eisenkiesel, Silex, Indigolith, Eisen-Nickel-Meteorit, Tigereisen, Nephrit, Rubellit, Verdelith, Schörl, Aventurin, Prasem, Karneol.

Wenn Sie gern den Eiseneffekt vermittelt bekommen möchten, Ihnen aber beispielsweise das Marsrot im Silex zu knallig erscheint, dann nehmen Sie Hämatit oder den beruhigenden grünen Jaspis, den aufmunternden Citrin oder den Leopardenjaspis.

Lithium (Li)

Lithium ist ein Alkalimetall und gehört wie Wasserstoff, Natrium, Kalium, Rubidium, Cäsium und Francium zur Gruppe Ia mit der Ordnungszahl 3 (leichter sind nur noch der Wasserstoff und das Helium).

Lithium wirkt gegen Nervenschmerzen ganz hervorragend, und zwar unabhängig von deren Ursache (Zosterschmerzen, Nervenentzündungen, Quetschungen, Druck von sogenannten»verschlissenen Bandscheiben«, Trigeminusneuralgien, Migräne etc.) Auch bei Rheumatismus, Gicht und Nierenbeschwerden, mit denen ja auch oft Schmerzen verbunden sind, wirkt Lithium.

Außerdem beruhigt es, ist antidepressiv, verbessert das Erinnerungsvermögen und wirkt Fremdbeeinflussungen entgegen. Lithium ruft eine Rot- bis Rosatönung hervor. Es ist farbgebend unter anderem in Bixbit (ein Beryll) und Worobjewit (mehr rosa Beryll, Bixbit ist dunkelrot), am schönsten in Kunzit, der jedoch mit der Zeit gern verblassen kann. Seine Farbe ist beständiger in rotem Turmalin (Rubellit), der eine Ringsilikatschichtung hat (Kunzit hat Silikatketten). Sowohl Kunzit als auch Rubellit sind anspruchsvolle Steine, die nicht für jeden geeignet sind. Ein Schutzstein mit Lithium ist Lepidolith.

Magnesium (Mg)

Magnesium, Ordnungszahl 12, bildet mit Beryllium, Calcium, Strontium, Barium und Radium die Erdalkaligruppe (IIa).

Magnesium löst Muskelkrämpfe auf, wirkt Gefäßverkalkungen entgegen und lindert Hautkrankheiten. Es ist in der Atmungskette (in jeder Körperzelle) sowie in einigen Enzymen enthalten und wirkt daher allgemein regenerierend. Mental ist es sehr beruhigend und entspannend, gibt ein friedliches Gemüt, Großzügigkeit und Vertrauen.

Magnesiumhaltige Heilsteine sind etliche, zum Beispiel Heliotrop, Bergkristall mit Chloriteinschlüssen, die beiden Granate Pyrop und Rhodolith, viele Jaspis-Arten, Serpentin, Peridot, viele Turmaline, Spinell (Mg-Al-Oxid), Dolomit, Iolith (Wassersaphir), Magnesit, Hermanover Kugeln.

Mangan (Mn)

Mangan bildet mit Technetium (synthetisch) und Rhenium die Nebengruppe VIIb, Ordnungszahl: 25.

Mangan gibt Steinen einen Rosa-Lila-Ton, ähnlich dem Lithium. Es wirkt bei allen (funktionellen) Herzbeschwerden, fördert die Herztätigkeit (altersschwache Herzen, Infarkte) und die Fruchtbarkeit, außerdem nervenstärkend und »antidepressiv«.

Manganhaltige Steine sind Dendritenachat (als Einschluß), Rosenquarz, Rhodonit, Rhodochrosit, einige Turmaline, der Granat Spessartin, der sogenannte Andenopal, wenn er rosa ist.

Blei (Pb)

Blei hat die Ordnungszahl 82, Kabbalisten, aufgepaßt, denn es ist die Quersumme 10. Über die leichteren, das organische Leben schlechthin aufbauenden Vertreter Kohlenstoff (C) und Silizium (Si) dieser Hauptgruppe gehen wir über das lebensstärkende in der Mitte stehende Germanium (Ge), über das Zinn (Sn) und landen am Ende dieser Reise beim statischsten, schwersten, dichtesten und stofflichsten Element: Blei.

Blei, das saturnigste aller Metalle, das Symbol für den Tod, gibt Schwere, schirmt (selbst harte Strahlung) ab, beschirmt aber auch das Leben. Blei (Tod) ist der Gegenpol des Kohlenstoffs (Leben). Blei gibt deshalb als Steinbestandteil Schwere, Festigkeit und allen anderen Anteilen mehr Gewicht und allen Nichtmetallanteilen mehr Durchsetzungskraft und Beständigkeit. Wichtigster Vertreter der bleihaltigen Steine ist der nadelig asbestartig wirkende, opake Krokoit ($PbCrO_4$), der ein Widerspruch in sich ist, lebensbejahend rot, dennoch bleihaltig mit spannungsförderndem Chrom. Sein Nichtmetallanteil ist ein Oxid, das dem Blei entgegenwirkt. Diesen Stein sollten Sie mal bei Liebeskummer ausprobieren!

Antimon (Sb)

Antimon gehört zur Gruppe Va, zusammen mit Stickstoff (N), Phosphor (P), Arsen (As) und Wismut (Bi), mit der Ordnungszahl 51 (schwerer als Silber).

Laut M. GIENGER wirkt der Antimonanteil in Heilsteinen blutreinigend und das Immunsystem stärkend, gegen Tumore und auch gut gegen Ekzeme. Mental fördert es Selbstverwirklichung, Selbstvertrauen, Denk- und Kritikfähigkeit, Urteilskraft und Unterscheidungsfähigkeit. Ich habe bis jetzt noch keine antimonhaltigen Steine getestet, weil sie mich nicht ansprechen.

Beispiele für Heilsteine sind alle sogenannten »Antimonide« (so heißen sie auch manchmal in guten Mineralienhandlungen), ansonsten bekannt als Antimon (Surma). Oft enthalten in oder als Überzug auf Stibnit (Grauspießglanz) beziehungsweise Pyrit (Eisen-/Schwefelkies), Galenit (Bleiglanz im Mineralienhandel) und in vielen Arsenikmineralien (alles mit »As« in der Formel) – bitte beachten Sie dazu Seite 22 »Giftigkeit«.

Natrium (Na)

Natrium hat die Ordnungszahl 11 im Periodensystem der Elemente und ist ein Alkalimetall (Gruppe Ia), zusammen mit Wasserstoff, Lithium, Kalium, Rubidium, Cäsium und Francium.

Es regt die Nierenfunktion und den Blutdruck an, wirkt kräftigend und gegen Jähzorn, Sorgen, Pessimismus, Zerstreuung und Depressionen. Seelisch-geistig fördert es das Bewahren innerer Bilder und gibt ein besseres Verständnis für die Dinge und Notwendigkeiten, denen wir unterworfen sind.

Halit (Steinsalz) ist ein stark mental wirkender natriumhaltiger Heilstein (siehe auch Seite 18 und 22). Andere sind Sodalith (Schutz), Labradorit, Lapislazuli, Charoit, Jade, Mond- und Sonnenstein, der Granat Melanit, viele Turmaline, Brasilianit, Ulexit, Analcim-Katzenauge, Saphirquarz.

Silizium (Si)

Ordnungszahl 14, Hauptgruppe IVa, mit Kohlenstoff (C), Germanium (Ge), Zinn (Sn) und Blei (Pb).

Silizium kommt vor in Glas, (Quarz-)Sand und allen siliziumdioxidhaltigen makro- und mikrokristallinen Quarzen: Bergkristall, Citrin, Rauchquarz, Amethyst; in Chalzedonen, Achaten, Jaspis-Arten; auch in Schichtsilikaten wie Serpentin, Charoit, Tiger-/Falken-/Ochsenauge, in Topasen, Turmalinen (als Ringsilikat), Staurolith, Opalen (amorph), Beryllen (Ringsilikat), allen Granaten und Feldspaten und vielen anderen mehr.

Silizium ist gut für Haare, Haut, Fingernägel, Drüsen, Knochen, alle Schleimhäute. Gut bei Überempfindlichkeiten und Erschöpfung, gibt Stabilität und Sicherheit.

Titan (Ti)

Titan hat die Ordnungszahl 22 und bildet die Nebengruppe IVb zusammen mit Zirkon (Zr), Hafnium (Hf) und Kurtschatovium (Ku). Ti ist in Heilsteinen meist vierwertig (Ti^{4+}).

Es wirkt gegen Erkrankungen der Bronchien, gegen Enge, Einschränkung und Angst. Es muntert auf – ist also bei Neuanfängen aller Art ein idealer Begleiter. Seelisch-geistig vermittelt Titan Unabhängigkeit, schärft den Geist und setzt dadurch alte Muster außer Kraft. Der Stein der Wahl ist natürlich der Saphir. In Bergkristallen gibt es Titan oft in Form von Titanoxidnadeln, also als schöner, goldglänzender faseriger Einschluß. Diese Steine heißen dann meist Rutilquarz.

Auch in Sternrubin, Sternsaphir und Blauquarz gibt es titanhaltige, faserige Einschlüsse, die im sogenannten »Cabochon«-Schliff sternförmig (Hagall) erscheinen. Im Rosenquarz sind sie ungeordnet als winzige Rutilfäserchen enthalten. Titan hat ein Erinnerungsvermögen – Brillengestelle aus Titan biegen sich in ihre Ursprungsform zurück.

Zirkon (Zr)

Zirkon hat die Ordnungszahl 40 und ist, wie Titan (siehe oben) in der Gruppe IVb.

Zirkon hilft gegen Krämpfe, besonders Menstruationsbeschwerden, löst materielle Verhaftungen, übersteigertes Festhalten und ist erkenntnisfördernd. Das Tragen eines Zirkons, des einzigen zirkonhaltigen Heilsteines, den ich Ihnen nennen kann, soll dem Träger helfen, erfahrenes Leid zu vergessen, Harmonie bringen und beruhigend wirken. Er hilft auch bei Leberleiden (gelber bis gelboranger Zirkon [Hyazinth]); blauer Zirkon ist ein Schutzstein für den »Schützen«, Hyazinth soll dem »Stier« seelisches Gleichgewicht bringen. Roter Zirkon hilft bei der Verbesserung der Blutqualität.

Für den »Löwen« ist Zirkon ein Glücksstein: Blaue Zirkone sind bestrahlt (erhitzt), magisch wirksam sind nur die arabischen. Angeblich soll der Träger eines Zirkons auch anderen Frieden und Harmonie bringen – also im Büro tragen, wenn Ihnen einer gefällt, aber keine synthetischen. Echte Zirkone sind oft miniklein, sehr teuer und relativ gelbstichig bis tief dunkelbraun trüb, farblose sind feurig und durchaus mit dem Diamanten vergleichbar. Am besten am Finger (Ringfinger), im Armband oder auf dem Herzen (4. Chakra) tragen, die Braunen zum Auflegen aufs 1. und 2. Chakra.

Zink (Zn)

Zink hat die Ordnungszahl 30, mit Cadmium (Cd) und Quecksilber (Hg) bildet es die Nebengruppe IIb.

Steine: Smithsonit = Galmei = Zinkspat ($ZnCO_3$) und Zinkblende (ZnS). Wirkung: siehe JANE ANN DOWS neues Buch; ansonsten: entgiftend, bei Ausschlag (vergleiche Seite 266 »Zinkblende« in »Meine persönlichen Erfahrungen«).

Das Geheimnis der Mineralklassen

Die Mineralklassen sind chemisch entsprechend dem vorherrschenden Nicht-Metall im Stein eingeteilt. Nach M. GIENGER zeigen sich folgende Zusammenhänge mit der menschlichen Lebensführung:

Oxide

Die Mineralien aus der Klasse der Oxide (Sauerstoff-Abkömmlinge) wirken umwandelnd und überführen instabile in stabile Zustände. Beispiele: Magnetit (Fe_3O_4), Hämatit (Fe_2O_3), die Korunde, Spinelle und der Chrysoberyll (Al_2BeO_4), Bergkristall (SiO_2).

Phosphate

Die Mineralien dieser Klasse sind Abkömmlinge der Phosphorsäure. Sie setzen Energiereserven frei und fördern das Wachstum. Am bekanntesten sind: Türkis, Apatit, Brasilianit, Variszit.

Halogenide

Die Mineralien aus der Klasse der Halogenide (Abkömmlinge der Flußsäure und der Salzsäure) wirken auflösend und helfen, Verbindungen und Verhaftungen zu beenden (also gut bei Umorientierungsphasen, Neubeginn). Als Salz der Schwefelsäure: Halit. Flußsäure: Fluorit (Flußspat). Bei beiden Mineralen sind starke mentale Reaktionen möglich.

Karbonate

Sie sind Abkömmlinge (Derivate) der Kohlensäure H_2CO_3, wirken stabilisierend, beschleunigen eine zu langsame (Malachit!) oder bremsen zu schnelle Entwicklungen. Beispiele: Malachit $Cu_2[(OH)_2|CO_3]$, Azurit $Cu_3[(OH)|CO_3]_2$, Dolomit $CaCO_3 \cdot MgCO_3$, Kalkstein $CaCO_3$, Magnesit $CaCO_3$.

Sulfate

Diese Mineralien (Schwefelsäurederivate) wirken hemmend und energetisch stark saugend, als Heilsteine sind sie nur etwas für den Könner. Beispiele: Selenit (Gips) $CaSO_4 \cdot 2H_2O$, Coelestin $SrSO_4$. Beide Steine sind ideale Meditationssteine, die geistige Botschaften ansaugen, ja aufsaugen und kaum physisch wirken, sondern auf seelisch-geistiger Ebene.

Sulfide

Die Mineralien aus dieser Klasse sind Schwefelabkömmlinge. Sie helfen, Verborgenes aufzudecken und Unklarheiten zu beseitigen. Beispiele: Pyrit FeS_2 (Narrengold), Markasit: formelgleich mit Pyrit, jedoch mit anderem Gittersystem (rhombisch, wie zum Beispiel die Topase auch), Chalkopyrit $CuFeS_2$, Realgar AsS.

Silikate

Die Mineralien aus der Klasse der Silikate (Kieselsäurederivate) besitzen unterschiedlichste Gittersysteme, so daß eine weitere Unterscheidung unabdingbar ist.

Gruppen- und Kettensilikate: Das Kristallgitter beinhaltet paarweise oder zu Ketten (zum Beispiel Doppelketten, die dann »Bänder« genannt werden) beziehungsweise Strängen gruppierte Silikat-$(SiO_4)^{4-}$-Einheiten in Tetraederform (pyramidenartig). Man kann sich diese Silikat-Tetraeder vorstellen wie endlos aneinandergereihte Lego-Steinchen, die sich auch zum Ring schließen können (Ringsilikat) oder als Kette, Band oder noch breiterer Lage dreidimensional als Gerüststruktur aneinander und übereinander lagern können. Beispiele: Kunzit, Jade, Rhodonit, Hiddenit.

Ringsilikate: Das Kristallgitter besteht aus ringförmigen Silikateinheiten. Genau übereinander gestapelt ergeben sich Ringstapel, die wie eine Röhre den Energiefluß leiten: alle Turmaline, alle Berylle (Smaragd, Aquamarin), Dioptas. Als ungeordnete Ringe (nur kleine, gegeneinander verschobene Stapel oder Einzelringe) wirken sie stark absorbierend wie zum Beispiel im Chrysokoll.

Schichtsilikate: Hier sind die Silikateinheiten wie bei einem Baumkuchen in einzelnen, übereinander gestapelten Lagen schichtweise angeordnet. Diese Anordnung wirkt schützend (siehe auch Kapitel 6 – »Alles Wissenswerte über Schutzsteine«) und stärkt die Abgrenzung nach außen. Beispiele: Serpentin, Charoit, Labradorit, Amazonit, Katzenauge.

Gerüstsilikate: Hier bilden die Silikattetraeder dreidimensionale, große

Gerüste und wirken daher entweder stark absorbierend oder als Filter, der nur Bestimmtes hereinläßt und anderes herausfiltert (oder reflektiert). Beispiele: Lapislazuli, Mondstein, Sodalith.

Inselsilikate: Das Kristallgitter beinhaltet einzelne, verstreut liegende Tetraeder oder kleine Nester. Inselsilikate fördern die Widerstandskraft und den Wunsch, das Leben nach eigenen Vorstellungen zu gestalten. Beispiele: alle Granate, Topase, Olivin (Peridot).

Alle makro-, mikro- und kryptokristallinen Quarze bestehen aus Tetraederbausteinen: 4 Sauerstoffatome umgeben 1 Siliziumatom. Die Formel »SiO_2« ergibt sich, weil jedes der 4 Sauerstoffatome eines Tetraeders zwei Nachbartetraedern im dreidimensionalen Gerüst mit angehört.

Natürliche Elemente

Die Mineralien aus der Klasse der Natürlichen Elemente bestehen nur aus einem einzigen Mineralstoff. In der Chemie nennt man das ein »gediegenes« Element. Diese Mineralien fördern oder entdecken das eigene, innere Wesen oder helfen, zu vereinen, zu vereinfachen oder zu vereinheitlichen. Gediegen kommen Platin, Gold und Silber vor, Kohlenstoff als Diamant (reiner Kohlenstoff, nicht in Mineralform: Ruß), aber auch Schwefel (wird als Elementarschwefel »$S°$« ausgedrückt). Kristalliner Schwefel wirkt aufbauend auf den physischen Körper.

Diamant

Hier handelt es sich um eine Kohlenstoff (C–C), der im Diamantkristall auf typische Weise dreidimensionsal würfelartig (kubisch) miteinander verbunden ist. Die »Verzahnung« ist hier nicht besonders groß – nur jedes zweite Kohlenstoffatom (C-Atom) hat eine Bindung zum Nachbarn. Dennoch ist der Diamant mit seiner Mohshärte (10) das härteste Mineral. Das liegt an der Art der Kohlenstoff-Kohlenstoff-Bindungen. Ihre Energie ist nicht wie in Metallen gerichtet, und die Reichweite der Bindungsenergien ist beim Diamanten sehr weit. Es sind echte, sehr starke sogenannte Valenzbindungen mit hoher Reichweite, während bei vielen Metallen nur Dipolbindungen mit geringer Reichweite vorherrschen.

Um Diamanten überhaupt spalten zu können, muß man sie längs der Oktaederfläche in der Schleiferei bearbeiten. Würfel lassen sich nur in Kantenrichtung gut spalten. Eine Diagonalspaltung läßt sich kaum bewerkstelligen.

Gold (Au) und Silber (Ag)

Als typische Edelmetalle sind sie formbar (»weich«), elektrisch leitend und wärmeleitend, denn in ihrem Gitter umkreist eine gemeinschaftliche (delokalisierte) Elektronenwolke die Atomrümpfe. Die Bindungsenergie ist schwächer als beim Diamanten (Dipolbindung) und reicht nicht so weit.

Schwefel (S°)

Reine Schwefelkristalle entstehen meistens in Vulkannähe (Sizilien) und haben eine gelbgrüne (giftig gelbe) Farbe. Als typisches Nichtmetall leitet er keinen Strom wie der Diamant, ist auch spröde wie der Diamant, er hat aber ein anderes Gittersystem: entweder ein rhombisches oder monoklines Gittersystem, bei beiden Kristallformen aus 8 ringförmig geschlossenen, kronenartig gefalteten Schwefelmolekülen aufgebaut (S_8-Einheiten). Die Struktur des S_8-Moleküls ist eine absolute Besonderheit: Die Kristalle entstehen dann durch Stapelung dieser Grundeinheit, durch einfache kovalente Bindungen miteinander verbunden.

Was bedeutet ein Muster im Stein?

Ganz allgemein

Wenn Sie bevorzugt Steine mit Mustern ausgewählt haben, kann das verschiedene Ursachen haben. Der Farbe und Musterform entspricht die seelische Verfassung. Grundsätzlich ist jeder Stein mit einem Muster, egal ob es Punkte, Wellen oder Spiralen sind, ein Individuum. Er ist unverwechselbar und typisch.

Bei Identitätskrisen bevorzugt man meistens so einen Stein »mit Persönlichkeit«. Besonders bei der Achatwahl ist dies der Fall. Im Prinzip ist jeder Achat ein Individuum. Die unterschiedlichsten Mineralien können bei ihm in Schichten übereinander gelagert sein und spiegeln den Zustand zur Zeit der Steinentstehung genau wider. Der Stein lehrt uns, jede Erfahrung annehmen und darauf vertrauen zu können, daß die Gesamtheit aller Erfahrungen, so unterschiedlich sie auch sein mögen, stets ein typisches, harmonisch erscheinendes Ganzes hervorbringt.

Je gleichmäßiger die Lagen im Stein (als tortenartige Schichten oder sanfte Wellen) Ihrer Wahl sind, desto eher sind Sie bereit, die Dinge und Zustände, die sich dem verstandesmäßigen Zustand oft entziehen, zu akzeptieren, zu erfassen und sich bewußt zu machen.

Je zackiger und unruhiger die Musterung im ausgewählten Stein erscheint, desto eher wollen Sie alles willentlich (über den Verstand) abwickeln und akzeptieren nur (die eigenen) Taten und Fakten. Unruhige Muster deuten immer auf Dynamik hin – die entweder fehlt oder im Übermaß vorhanden ist. Dies kann durchaus erwünscht sein beim Angehen neuer Taten und Projekte oder als Hilfe zur Beendung alter, belastender Gewohnheiten und Lebensumstände. Achten Sie hier auch auf die Farbe (viel Rot und Gelb unterstützen diese Aussage).

Bestimmte Muster

Spiralen, Wellen, die wie das Meer aussehen, oder Signaturen, die wie Berge und Seen, Wüsten oder Galaxien aussehen, zeigen Phantasie und Kreativität der Person an, die derart gemusterte Steine wählt. Eine lebhafte Phantasie, Einfühlungsvermögen, manchmal auch eine gewisse Realitätsflucht sind vorhanden.

Ähnelt das Muster im Stein einem Organ (nierenförmige Flecken, herzförmige Muster oder Formen wie Muskelzellen oder Nervenstränge etc.) oder bestimmten Gewebetypen, dann ist dieser Stein ideal zum Auflegen auf genau dieses Organ. Jaspis hat oft augenhafte Flecken oder »Nerven«, Achat oft Schichten, die wie eine Darm- oder Blasenwand aussehen. Dann sollten Sie auf die (geschwollenen, müden) Augen, schmerzenden Nerven (Herpes!), Reizcolon oder bei Blasenentzündung (Cystitis) oder Reizblase lokal den passenden Stein auflegen.

Zeigt der Stein verschlungene Bänder, spiegelt dies unausgegorene, noch nicht verbal artikulierbare Gedankengänge wider. Parallele Bänder bedeuten, daß Dynamik, Fluß, inneres Gleichgewicht und geordnete (zum Ziel führende) Gedankengänge vorhanden sind.

Einschlüsse und an- und aufgelagerte Mineralien

Jeder Einschluß, jede Auflagerung verändert den Energiefluß durch ein Mineral. Aus Kirlianfotografien unterschiedlicher Mineralien (vergleiche hierzu RA BONEWITZ, »Der Kosmos der Kristalle«, Seite 123 – 126) kann man entnehmen, daß jeder Kristall einen bestimmten Energiefluß hat. Bei gleichbleibenden Aufnahmebedingungen auch bei mehrmaligem Fotografieren produziert jeder Kristall ein identisches, nur für ihn typisches Energiebild, unabhängig davon, ob er Einschlüsse in Form von Blasen oder anderen Mineralien enthält oder nicht.

Typischerweise hat ein Bergkristalleinender ein dichtes ringförmiges

Energiefeld um den eigentlichen Stein herum, während beim Fluorit eine dichte Energiewolke sowohl im als auch gleichmäßig über die äußere Abgrenzung des Steines sternförmig hinausstrahlt.

Sind nun zum Beispiel im Bergkristall Chloriteinschlüsse, kommt es zu einer starken lokal konzentrierten Energieanhäufung außerhalb des Steines, also nicht notwendigerweise an der Spitze. Bei Einschlüssen im Fluorit (meist Pyrit) konzentriert sich die Steinenergie ebenfalls lokal noch einmal besonders in der Nähe des Einschlusses. Turmalin- oder Rutilnadeln im Bergkristall lenken die Energie meist noch extremer von der Spitze des Bergkristalls weg, und die Steinaura wirkt stark verzerrt. Daher können bei Einendern mit Einschlüssen auch andere Stellen als die Einenderspitze die Energie sehr stark gebündelt abgeben.

Bei Bergkristalleinendern kann die konzentrierteste Energieabstrahlung sogar rechts oder links vom Stein unterhalb der Spitze erfolgen. Daher muß bei Steinen mit Einschlüssen getestet werden, ob die stärkste Energieabstrahlung wirklich aus der Spitze erfolgt, oder ob man den Stein drehen muß. Die Spitze »zielt« dann zwar nicht genau auf die Stelle oder das Organ, das man energetisieren will, dennoch strahlt der Stein, für das bloße Auge unsichtbar, die stärkste Energie genau auf die Stelle beziehungsweise das Organ. Wundern Sie sich also nicht, wenn Steine mit Einschlüssen relativ kreuz und quer gelegt erscheinen – das ist schon so richtig.

Mit etwas Erfahrung können Sie den Energiefluß selbst recht bald erfühlen. Am besten üben Sie mit Bergkristallen mit Rutil- oder Turmalinnadeln, die alle in eine Richtung, aber nicht in Richtung der Spitze zeigen. Man spürt die Stelle mit der am dichtesten austretenden Energie immer 2 – 3 cm neben dem Bergkristallkörper. Das kann ein Wärmeempfinden oder Schwitzgefühl am Finger sein. Sie legen den Stein ab, am besten auf den Tisch, und formen mit der linken Hand eine Art Dach ca. 2 – 3 cm oberhalb des Steines, um den Fluß zu testen.

In einen wachsenden Quarzkristall kann prinzipiell jede andere Mineralienart (die am Entstehungsort bereits vorhanden war und/oder als Kristallisationskeim für die SiO_2-Lösung herhalten mußte) oder auch andere Quarzkristalle unvollständig oder vollständig eingeschlossen werden. Manchmal werden auch Flüssigkeiten oder Gase mit eingeschlossen.

Vor dem Wachstum des Quarzes bereits vorhandene Mineralarten sind meist: Epidot, Aktinolith, Turmalin oder nadeliger Rutil. Sich gleichzeitig, also während des Quarzwachstums, bildende Mineralien sind zum Beispiel: Turmalinhaare (feine Nädelchen), Rutilhaare, Hämatit, Chlorit oder Antimon- beziehungsweise Wismut-Schwefelsalze. Wenn diese Mineralien, weil sie dieselben Wachstumstemperaturen wie der Quarz brauchen, etwas langsamer als der Quarz wachsen, können sie vollständig vom Quarz (meist Bergkristall) umwachsen werden und scheinen in ihm zu schweben. Werden sie nur unvollständig umwachsen, können sie im Laufe der Zeit aus dem Kristallkörper ausgespült oder durch Gase aufgelöst werden: Es verbleibt dann ihr Negativ-Abdruck im Quarz.

Phantome

Im Inneren eines klaren Quarzes (meist Bergkristall) sind die ehemaligen Wachstumskonturen der Jugendform des Kristalls durch Fremdstoffeinschlüsse markiert und sichtbar. Chlorit, Glimmer, Kohle oder Nachbargesteinspartikelchen lagern sich bei Wachstumsunterbrechungen des Bergkristalls auf. Wird wieder genügend Siliziumdioxidgel verfügbar, wächst der Kristall weiter, die Fremdstoffe werden dabei einfach mit eingeschlossen. Wiederholt sich dieser Prozeß mehrfach, kann man sogar mehrere übereinanderliegende Phantome im Quarz erkennen. Besonders bei Bergkristalleinendern mit Phantomen lohnt es sich, die Prismenflächen etwas polieren oder beschleifen zu lassen, um das Phantom gut und deutlich sehen zu können. Die Wirkungen finden Sie ausführlich beschrieben auf Seite 151 »Meine persönlichen Erfahrungen«.

Rutil- und Turmalin-Fäserchen im Bergkristall

Unsichtbare, unter 200 nm kleine, gleichmäßig im Quarz feinstverteilte Rutil-(Turmalin-)fasern oder Gasblasen streuen das einfallende weiße Licht (sogenannter »Tyndall-Effekt«). Das austretende Licht, blaues Streulicht, läßt den Quarz blaugrün erscheinen. Man nennt ihn dann Blauquarz. Haben Sie sich einen Blauquarz ausgesucht, dann haben Sie die ausgleichenden und beruhigenden Quarzeigenschaften, angereichert um die warme, aufheiternde Rutilenergie, nötig.

Im Bergkristall eingeschlossene Turmalinfasern betonen und verstärken die energieleitenden Eigenschaften des reinen Bergkristalls (siehe »Turmalinquarz« auf Seite 263 »Meine persönlichen Erfahrungen«).

Sichtbare Rutil- oder Titannadeln

Die Einschlüsse dynamisieren die Effekte des reinen Quarzes (meist Bergkristall). Der Energiefluß durch den Quarz wird beschleunigt, die Leitfähigkeit des reinen Bergkristalls noch verbessert, die typische

Quarzwirkung wird durch die Einschlüsse schneller, ja »aggressiver« vermittelt. Dies kann nötig sein bei starken Blockaden oder Einspeisung von Energie in stark verarmte Gebiete (Schmerzen, vor allem akute). Falls Einender verwendet werden (natur oder beschliffen), sollten Sie immer prüfen, ob die Hauptenergieflußachse (normalerweise vom »Fuß« zur »Spitze«) durch die Einschlüsse abgelenkt wird. Die Wirkung zeigt sich oft binnen Minuten als Wärme und Schwitzen unter der Spitze in Richtung des blockierten Gebietes. Dann abnehmen und andere Heilsteine (ausgleichende reine Bergkristalle, Karneol etc.) auf das energetisch unterversorgte Gebiet auflegen.

»Chlorit«einschlüsse

Chlorit ist keine chlorhaltige Verbindung, sondern ein Silikat mit Eisen-Magnesium-Aluminium-Anteilen.

Daher unterstreicht Chlorit eher die ausgleichenden Bergkristalleigenschaften (siehe auch »So wirkt der metallische Anteil im Mineral«). Der Energiefluß ist ruhiger als im einschlußfreien Quarz, dafür wirkt er aber nachhaltiger, kräftiger. Natürlich sind Einender mit Chloriteinschlüssen daher nicht so aufputschend und »brutal« spürbar wie Einender mit Turmalin-, Rutil- oder Titannadeln, die allesamt dem Energiefluß eine gewisse Schärfe verleihen, aber immer noch viel belebender als einschlußfreier Quarz.

Wasser- und Gasblasen

Phantasievollere Zeitgenossen nennen sie auch Nebel oder Galaxien. Sehr kleine Risse im Quarzkörper führen auch zu buntem Schillern (als Interferenzerscheinung, ähnlich einem Tropfen Benzin auf einer Wasserpfütze), wenn die Risse fein und gleichmäßig verteilt sind. Gröbere Risse entstehen nach dem Wachstum zum Beispiel bei tektonischen Verschiebungen des Muttergesteines oder bei Temperatursprüngen oder auch während des Wachstums, wobei sie dann meist wieder verheilen können, oder bei starken Spannungen im Kristall. Auch diese können wieder verheilen, bleiben aber als innerer Riß oder Schliere sichtbar. Wasser kann im Quarz erhalten bleiben (andere Brechung und andere Farben als bei Gasbläschen), diverse Gase ebenfalls.

Bei der Bevorzugung von Einschlußeinendern können mehrere Motive eine Rolle spielen. Meist sind eine lebhafte Phantasie, aber auch durchaus Realitätssinn, eigene Wertvorstellungen und Maßstäbe vorhanden. Dann ist der Person jedoch alles, was im heutigen, gängigen Sinne als

»schön« bezeichnet wird, zu platt und durchstandardisiert, sprich – einfach zu langweilig. Idealmaß ist Gleichmaß – und das ist für eine Person, die grundsätzlich jede Information von außen, jedes Thema, jeden Film etc. anregend findet, solange sie einen inneren Bezug zum Thema aufbauen kann, schon fast eine Zumutung.

In der Regel sind Sie kein Asket, kein Eiferer und gehen mit Ihren Meinungen auch nicht hausieren, wenn Sie Einschlußsteine bevorzugen, aber anderen Personen erscheinen Sie oft schwer zugänglich. Gehen Sie also ruhig aus sich heraus – geradewegs auf andere zu. Ihre Phantasie und Ihr Einfühlungsvermögen wird auf diese Weise von vielen erkannt und gern in Anspruch genommen – und Sie haben die Anregungen, nach denen Sie immer lechzen, frei Haus geliefert. Auffällig viele Leute, die Einschlußsteine wählen, würden gern (dauerhaft) in einer anderen Epoche leben.

Glimmer- und Pyrit-Auflagerungen

Nachdem ein Mineral gewachsen ist, können sich auch noch andere, die sich in der Entstehungslösung befanden, denen es aber noch zu warm war oder die als Gase über der Entstehungslösung schwebten und das Mineral als Kristallisationskeim zum Auskristallisieren benutzten, abscheiden. Glimmer und Pyrit sind aluminium-, silizium- beziehungsweise eisenhaltig, ihr silbriger beziehungsweise goldener Glanz unterstreicht sozusagen noch die typischen Eigenschaften des Minerals, das sie bedecken: Sie sind ein manifestiertes Ausrufezeichen.

Glimmer auf Turmalin gibt dem Turmalin mehr Wärme (dem rosafarbigen noch mehr), Pyrit auf Rauchquarz ebenfalls. Lithiumglimmer hat einen stark tröstenden Effekt, der die Wirkung sanfter Steine (Rosenquarz) noch unterstreicht. Pyrit gibt mehr seelisch-mental wirkenden Steinen noch einen gewissen physischen Touch.

So wirkt das Kristallgitter auf die Lebensführung

Die Mehrzahl der als Heilsteine verwendeten Mineralien sind Kristalle. Kristallisation heißt jedes Abscheiden eines vorher gelösten Stoffes aus einer Lösung. Dies ist meistens wegen Überschreitung ihres Aufnahmevermögens für diesen Stoff der Fall (Übersättigung der Lösung). Die häufigste Entstehungsart ist das Absetzen (Auskristallisieren) von geladenen Teilchen (Ionen), Atomen oder Molekülen aus einer meist wäßrigen oder sehr heißen, flüssigen Kieselsäurelösung, aus einem Gasgemisch, aus flüssiger Lava oder aus Magma, Thermalquellen oder Geysiren.

Jede Lösung hat, abhängig von ihrer Zusammensetzung (ob beispielsweise Eisen enthalten ist oder nicht, wenig oder viel Kieselsäure beziehungsweise Wasser), der Temperatur und den Druckverhältnissen, eine andere Aufnahmekapazität für die einzelnen Stoffe, die in ihr gelöst sind. Wird diese Aufnahmekapazität (durch Druckabfall, Beimengungen von Säuren oder basischen Stoffen oder Temperaturänderungen) überschritten, setzen sich ihre Bestandteile je nach Löslichkeit im Laufe der Zeit unterschiedlich schnell ab. Es bilden sich dann große oder kleine Kristalle oder unterschiedlich breite Lagen und Schichten mikrokristalliner Kristalle (Achat, Chalzedon, Jaspis), die manchmal auch lagenweise vorhandene Hohlräume im Gestein ausfüllen (Opal, Chalzedon, Achatgeode, -mandel).

Jetzt wissen wir, wie ein Mineral entsteht, aber was ist es denn nun? Die Antwort ist verblüffend einfach: Schwingung und eine besondere Struktur. Mehr nicht. Die Struktur eines Heilsteines, also die innere Anordnung der Atome oder Ionen und Moleküle, die sich aus einer Mutterlösung abgesetzt haben, bedingt:

– Farbe
– Form
– Klang
– Glanz
– (Mohs-)Härte
– Sprödigkeit
– Transparenz
– Oberflächenbeschaffenheit
– spezifisches Gewicht (Dichte)
– elektrische Leitfähigkeit
– piezoelektrische Eigenschaften
– maximal erreichbare Größe
– Wärmekapazität

Mit einem Wort: alles, was den Stein an sich ausmacht.

Diese innere Anordnung der Kristallbestandteile heißt Kristallgitter. Es gibt verschiedene Gittersysteme, nach denen die Mineralien klassifiziert werden. In den relativ wenig geordneten, unteren Gittersystemklassen haben die Atome, Ionen oder Moleküle noch eine recht hohe Bewegungsfreiheit. In den hochgeordneten Gitterklassen nur noch eine ganz geringe. Die Einteilung nach dem Kristallgittersystem hat Vorrang gegenüber der chemischen Einteilung, so entscheidend und wichtig für das typische Aussehen und die Vermittlung der Heilfrequenzeffekte eines Minerals ist sie.

Beispiele: Kalzit (Kalkspat) und Aragonit haben eine identische chemische Summenformel – es ist also das Gleiche darin enthalten, dennoch ähneln sie sich aufgrund des unterschiedlichen Kristallgitters (ihrer »inneren« Ordnung) nur bedingt. Ebenso verhält es sich mit Pyrit (Schwefelkies) und Markasit. Eine chemische Analyse ergäbe identische Bestandteile, eine Gitteranalyse nicht. Die vermittelten Heilsteinqualitäten unterscheiden sich daher auch bei solchen Steinen, und deshalb quäle ich Sie auch mit all den vielen Angaben zur chemischen Formel, zur inneren Struktur und zur Gitterklassenzugehörigkeit. Der inneren Struktur der Mineralien kann nach M. GIENGER, ein spezifisches menschliches Charakterbild gleichgesetzt werden.

Die *ungeordnetste* Struktur, also *Steine ohne Gitter,* heißen *amorphe Steine.* Sie werden nur der Vollständigkeit halber erwähnt, weil viele als Heilsteine seit altersher Verwendung finden. Beispiele: Opal, Bernstein, vulkanisches Glas (Mount St. Helens), Glasmeteorite (Moldavit), Obsidian.

Lebensführung, Charakterbild: Spontan, nicht festgelegt, frei, unabhängig, in den Tag hinein lebend, undurchschaubar.

Die Kristallgitter werden in der Mineralogie nach dem geometrischen Grundmuster in aufsteigendem Ordnungsgrad so eingeteilt:

- triklin
- monoklin
- rhombisch
- tetragonal
- trigonal
- hexagonal
- kubisch

Insofern ist der höchste erreichbare Ordnungsgrad das kubische Gittersystem: Diamant. Ohne dieses Gittersystem wäre der Kohlenstoff weich wie Ruß, den Sie zwischen den Fingern zermahlen können. Beide Stoffe bestehen aus Kohlenstoff (C), der Diamant hat ein Kristallgitter, der Ruß nicht.

Trikline Gitterstruktur – *Grundstruktur:* Das Trapez
Lebensführung: Veränderlich, sich in Extremen bewegend, sehr emotional und impulsiv.
Monoklines Gittersystem – *Grundstruktur:* Das Parallelogramm
Lebensführung: Bewegt, sich ständig wandelnd, schnell entwickelnd und dynamisch.
Rhombisches Gittersystem – *Grundstruktur:* Die Raute
Lebensführung: Ruhig, angepaßt, unauffällig, jedoch von plötzlichen Wechseln und Wandlungen bestimmt.

Tetragonales Gittersystem – *Grundstruktur:* Das Rechteck
Lebensführung: Ungeduldig, forschend, neugierig und nur oberfläch-
lich geregelt.

Trigonales Gittersystem – *Grundstruktur:* Das Dreieck
Lebensführung: Einfach, schlicht, in sich ruhend, bequem und geduldig.

Hexagonales Gittersystem – *Grundstruktur:* Das Sechseck
Lebensführung: Zielstrebig, leistungsorientiert, konsequent, ausdauernd.

Kubisches Gittersystem – *Grundstruktur:* Das Quadrat
Lebensführung: Stark strukturiert, geregelt, geplant, gesichert und
geordnet.

Steinbeispiele für die 7 verschiedenen Gittersysteme

triklin	monoklin	rhombisch	tetragonal
Türkis	Azurit	Olivin	Zirkon
Amazonit	Chrysokoll	Topase	Rutil
Sonnenstein	Mondstein	Chiastolith	Chalkopyrit
Disthen	Charoit	Markasit	Apophyllit
Rhodonit	Jade	Aragonit	
Labradorit	Kunzit	Chrysoberyll	
	Malachit	Coelestin	
	Nephrit	Iolith	
	Serpentin	Tansanit	
	Brasilianit	Variszit	
	Krokoit		
	Staurolith		

trigonal	hexagonal	kubisch
Citrin	Berylle	alle Granate
Bergkristall	Apatit	Diamant
Amethyst	Sugilith	Lapislazuli
Dioptas		Pyrit
Rauchquarz		Sodalith
Rhodochrosit		Fluorit
Rosenquarz		Magnetit
Kalzite		Halit
Korunde		
Turmaline		
Tigerauge		
Moosachat		
Aventurin		

Erdungsgrad

Amorph: erdet nicht (bei Behandlung unbedingt berücksichtigen).

Hexagonal, trigonal: erdet gut, ist aber oft dem Materiellen sehr verhaftet, daher nicht nur Mentalkörpersteine auflegen, auch physisch wirksame, denn der Körper wird oft vernachlässigt, ist nur »Maschine«, die gefälligst reibungslos funktionieren soll.

Die Entstehung der Steine

Primäre Entstehung

Wie bereits in »Einschlüsse und an- und aufgelagerte Mineralien« beschrieben, können sich Mineralien direkt aus der Lava oder bestimmten Magmafraktionen, die in der Mineralogie hydrothermale Lösungen genannt werden, abscheiden. Dies nennt man primäre Entstehung. Die so entstandenen Mineralien fördern ganz allgemein alle Lernprozesse und die Entwicklung bestimmter Eigenschaften in uns.

Beispiele: Amethyst, Citrin, Bergkristall, Rauchquarz, Rosenquarz, Chalzedon, Feldspate, Hämatit, Heliotrop, Obsidian(e), alle Berylle außer Smaragd (tertiär entstandener Beryll), Turmaline

Sekundäre Entstehung

Alle Steine, die sekundär entstanden sind, machen uns die Ursachen geistiger Muster bewußter. Sie helfen uns, diese Muster gegebenenfalls bewußt zu verändern. Es gibt auch körperliche Muster und Prägungen, zum Beispiel in bestimmten Situationen mit Wut oder Appetitlosigkeit zu reagieren, bei denen durch Verwitterungsprozesse entstandene Steine helfen, diese eingefahrenen Reaktionen zu entlarven und zu verändern. Oft sind uns frühkindliche Muster (»Dazu bist du noch zu klein.« »Du bist aber doch ein Mädchen.« »Ein gutes Kind sieht man, aber hört man nicht.« »Du mußt brav sein.« und so weiter) nicht mehr bewußt, wir reagieren aber immer noch prompt nach diesen Vorgaben.

Im Zusammenhang mit seelischen Prägungsmustern, die wir ebenfalls mit sekundär entstandenen Mineralien verändern können, da sie uns auch immer durch ihre physische Auswirkungen ein Bein stellen (Krankheitsneigung, hohe Rezidivneigung, Chronifizierung von Leiden, alle körperlichen »Notbremsungen« als Reaktion auf seelische Beeinträchtigungen), kann man auch mit tertiär entstandenen Steinen im Anschluß an Auflage von Sekundärmineralien arbeiten. Seelische Muster und Prägungen können mit Sekundärmineralien bewußt gemacht und verändert werden. Transformation beziehungsweise der dann fällige Wertewandel läßt sich durch Tertiärmineralien (metamorphe) unterstützen.

Beispiele: Chrysokoll (sehr ausgleichend), Dioptas (supertröstend), Malachit (macht robust), Azurit (eher mit tertiären Steinen zusammen), Türkis (immer gut), einige Achate (nach Gefühl wählen), einige Chalzedone (besonders im Zusammenhang mit witterungsbedingten Schmerzen oder Stimmungsschwankungen)

Tertiäre Entstehung

Diese Steine sind durch innere Umwandlungsprozesse (Metamorphosen) entstanden. Meist haben das Ursprungsgestein vor der Verwandlung und das Endprodukt, der tertiär entstandene Stein, völlig andere Farben, Strukturen und Eigenschaften. Oft wird eine Gesteinsschicht durch hohen Druck wieder verformbar (plastisch, das heißt wie Knetgummi halbfest) und tauscht mit einer anderen, ebenfalls plastisch verformten Gesteinsschicht oder Gasen, die durch sie hindurchziehen, Metall- und/oder Nichtmetallbestandteile aus. Daher bewirken tertiär entstandene Heilsteine beim Menschen Wertewandel, innere Transformation und Annähern beziehungsweise das Erkennen unseres eigentlichen inneren Wesenskerns.

Beispiele: Korundmineralgruppe (also Saphir, Rubin, Padparadscha), Smaragd (als einziger Beryll), Charoit (in allen Umbruchsphasen dienlich), alle Granate (intuitiv, nach Gefallen, auswählen und länger tragen), Staurolith, Disthen (Cyanit)

Gerade metamorphe (tertiär entstandene) Steine sind mit Bergkristall und mit allen sekundär entstandenen ideal kombinierbar, müssen aber über Wochen (Monate) wirken dürfen.

Die Intensität der Wirkung

Wir wissen bereits aus vorangegangenen Abschnitten, daß Heilsteine aus einem metallischen und einem nichtmetallischen Anteil bestehen – sofern sie nicht sowieso gediegen, als natürliches Element (Gold und so weiter) vorkommen. Man unterscheidet:

- Hauptbestandteile
- in geringen Mengen vorkommende Stoffe
- Spurenelemente (an der Nachweisgrenze) im Stein

Für diesen Abschnitt sind nur die metallischen Bestandteile interessant. Je nach Metallmenge und Verteilung, das heißt, ob als Hauptbestandteil, als Mitanteil oder als Spurenelement, ist die Wirkung des Metalls zunächst vorrangig auf körperlicher, seelischer oder geistiger Ebene spürbar.

Beispiel Eisen (Fe): Es hat vorrangig *körperliche Wirkung,* wenn es den Großteil der Steinmasse ausmacht. Es ist dann auch immer in der chemischen Strukturformel (Massenformel, Summenformel) aufgeführt, wie im Hämatit. Die Wirkung ist vorrangig *seelisch* (verbunden mit emotionalen Reaktionen), wenn das Eisen zwar nicht mehr in der chemischen Summenformel erscheint, aber gut nachweisbar ist, wie zum Beispiel in vielen Jaspis-Arten (als Eisenhydroxid und/oder Eisenoxihydroxid).

Das Eisen hat vorrangig *geistige Wirkung,* wenn es nur noch mit aufwendigeren Analysemethoden nachweisbar ist. Meist ist es farbgebend (vor allem in sonst wasserklaren Steinen, wie zum Beispiel Ametrin, Citrin). Dann erfolgt die Eisenwirkung auf der geistigen Ebene durch Veränderung der Gedanken-, Lebens-, Verhaltensmuster, der geistigen Strukturen und des Charakters.

Homöopathie-Prinzip
Trotz der vom Hämatit (körperlich) über Jaspis (seelisch) bis zum Citrin (geistig) abnehmenden Eisenmenge ist der Einfluß gerade beim Citrin und Ametrin am durchgreifendsten vermittelbar, weil sie auf unseren Geist wirkt. Alle Resonanzen, die sich auf dieser Ebene hervorrufen lassen, wirken am zuverlässigsten (leider nicht am schnellsten) auf den physischen Körper unter Einbeziehung der seelischen Ebene.

Diese Wirkung erinnert an Potenzierungseffekte (stufenweise Verdünnung mit energetischer Anreicherung durch Verschütteln), die Sie vielleicht aus der Homöopathie oder von Ihren homöopathischen Medikamenten her kennen. Bei akuten, vorrangig körperlichen Beschwerden (Schmerzen), bietet sich also ein Auflageschema an, bei dem erst der in Frage kommende Mineralanteil nach Masse in einem geeigneten Stein aufgelegt wird. Nach Abklingen der Beschwerden sollten Steine verwendet werden, in denen der gleiche Mineralanteil nur in geringen Anteilen vorkommt. Zum Behandlungsende hin werden Steine, die das Metall lediglich nur noch in Spuren enthalten, aufgelegt.

Es kristallisieren sich meist zwei Kliententypen heraus. Der eine Teil will schon nach der ersten oder zweiten Behandlung ganz andere Steine, weil sich die energetische Lage und das Gleichgewicht gleich zu Behandlungsbeginn durchgreifend ändert (und oft labil bleibt!), der andere Teil fliegt geradezu immer wieder auf dieselben Steine, über mehrere Behandlungssitzungen hinweg, und weist andere Steine, die Sie ihm mal zeigen, immer wieder zurück. Man muß das an sich selbst oft genug erlebt haben, um sich die Behandlung anderer zuzutrauen. Häufig ist es auch völlig gleichgültig, ob das Leiden frisch ist oder jahrelang bestand. Der eine will immer dieselben Steine, der andere am liebsten jedesmal andere.

Auswahlmotiv weiterhin schleierhaft

Sie haben sich einen Stein ausgesucht, bis jetzt durchgehalten und alle möglichen Erklärungen für das Auswahlmotiv durchgelesen. Aber befriedigt sind Sie immer noch nicht?

Möglichkeit a): Weiterlesen und hoffen, daß Sie noch fündig werden.

Möglichkeit b): Dieser Stein hat jetzt schon den Weg zu Ihnen gefunden, weil Sie zwar momentan noch nichts mit ihm anfangen können, dies aber die einzige Gelegenheit für ihn ist, von Ihnen gekauft oder getauscht zu werden. Früher oder später werden Sie ihn also doch brauchen. Legen Sie ihn ruhig erst mal – nach der üblichen Reinigungsprozedur – zur Seite. Sie, Ihr Besuch oder einer Ihrer Klienten, der sonst nie die Möglichkeit gehabt hätte, genau diesen Stein zu ergattern, werden sich früher oder später doch eingehend mit ihm befassen. Erfahrungsgemäß ist das gerade bei großen Bergkristall-Einendern eher die Regel als die Ausnahme.

Natürlich ist das auch *die* ideale Ausrede, bei jeder Ausstellung und Messe hemmungslos zuzuschlagen, denn im Grunde sind alle Steine schön und man hat bei jedem Stein das Gefühl, er will gekauft werden und macht auf sich aufmerksam.

Also: den Kreativstein Karneol aufs 2. Chakra legen und andere Ausreden erfinden, damit Sie diese Standardausrede nicht allzu inflationär anwenden.

Kapitel 3

DIE BEHANDLUNG

Die Auswahl des Steins

Intuition

Dank der Instruktionen in Kapitel 1 haben Sie nun Salz, Wasser, Seife, Gefäße und ein gutes Reinigungsritual parat. Sie brauchen jetzt also nur noch »Ihren« Stein. Wie wählt man den passenden aus?

Beim nächsten Spaziergang können Sie sich ein paar schöne Kieselsteine am Strand oder Ihren Spazierwegen selbst aussuchen. Erlaubt ist, was gefällt, Sie anspricht, was Sie »anmacht«, fasziniert, belustigt oder ins Auge springt. Jede Form, jedes Muster, jede Farbe, die Sie mögen, darf Ihr neuer Wegbegleiter haben.

Sie können natürlich auch ein einschlägiges Geschäft, in dem Halbedelsteine und Mineralien aller Art angeboten werden, aufsuchen und sich dort Ihren Stein kaufen.

Der Mensch ist in erster Linie ein »Augentier«, daher suchen sich die meisten Menschen einfach einen oder mehrere Steine aus, die ihnen spontan ins Auge springen. Die einfachste Methode ist oft die beste. An der Aussucherei ist also gar nichts groß Geheimnisvolles.

Wenn Sie gerade ein gesundheitliches Problem haben, das bei Ihrem Arzt abgeklärt worden ist, das heißt, Sie haben Ihre Medikamente erhalten, dann können Sie sich gern zusätzlich zur Beseitigung oder Linderung der Gesundheitsstörung, aber auch zur Vorbeugung immer wiederkehrender Krankheiten, einen oder einige Steine aussuchen.

Die einfachste Möglichkeit: Sie halten sich Ihr Gesundheitsproblem beständig vor Augen und nehmen den Stein, der Ihnen auffällt. Es ist günstig, sich die Krankheit ständig zu vergegenwärtigen (fühlen Sie sich so richtig schön ein), das bewahrt Sie davor, die Steine zu nehmen, die Sie möglicherweise sonst aus ästhetischen Gründen schöner gefunden und dann auch gekauft hätten.

Lassen Sie sich nicht ablenken von Lieblingsfarben oder anderen Vorlieben, sondern fühlen Sie sich in das Problem ein. Dadurch verändert sich Ihre Aura insofern, als sie unter den im Laden befindlichen Steinfrequenzen nach derjenigen fahndet, die sie braucht. Das kann eine Schwingung sein, die ihr fehlt (Ersatzprinzip), es kann eine Gegenfrequenz sein, die eine Schadschwingung löscht (Löschprinzip), es kann aber auch sein, daß Sie automatisch zu dem Stein greifen werden, der eine zwar vorhandene, aber zu schwache Aurafrequenz verstärkt (positives Resonanzprinzip).

Wissen und Intuition

Sie haben schon gewisse Vorkenntnisse und suchen unter den Steinen, die für Ihr Problem als günstig wirkend (aus persönlicher Erfahrung, von Seminaren, aus Büchern oder durch Tips von Freunden) bewährt sind, den geeignetsten aus. Es muß nicht der teuerste Stein sein, sondern ausschließlich der, der Sie anspricht.

Beispiel Blutarmut: Es könnte für Sie ein Jaspis, ein roter Granat, ein Rubin, Hämatit, ein roter Eisenkiesel oder ein Heliotrop in Frage kommen. Lassen Sie sich alle sechs einfach vorlegen und nehmen Sie den, der »ins Auge springt«, oder denjenigen, mit dem Sie am schnellsten »warm« werden: Fassen Sie die Steine einfach alle an (der Reihe nach), und mit wem Sie das beste Gefühl haben oder wer zuerst warm ist, den kaufen Sie.

Seien Sie unbesorgt bei fehlender Intuition. Bei dieser Vorgehensweise brauchen Sie keine besondere Intuition. Wenn Sie es schon fertiggebracht haben, daß sich eine schwer traumatisierte Beinahe-Steinleiche noch für Sie erwärmt, dann wird sich dieser Stein, wenn er erst einmal gereinigt und programmiert ist, erst recht für Sie einsetzen und gut für Sie sein.

Pendel

Nachts zu pendeln gilt als obsolet, denn man zieht Negatives an – und das bleibt da. Dennoch, sehr beliebt ist das Auswählen von Heilsteinen für das jeweilige Problem oder Problemchen mittels einer Pendeltafel. Eine Anzahl Steine sind aufgeführt, trifft der richtige Stein zu, schlägt das Pendel über dem Namen aus. Wer pendeln kann und seinen Test »ja«, »nein«, »unentschieden« beziehungsweise »Fehler« in jeder beliebigen Umgebung in jedem beliebigen Krankheits- beziehungsweise Gesundheitszustand fehlerfrei auszuführen vermag – Respekt, der möge es tun.

In der einschlägigen Literatur finden sich meist Pendeltafeln, die man aus dem Buch vergrößert kopieren muß, um eine einigermaßen saubere Trennung zwischen allen aufgeführten Möglichkeiten zu erreichen. Bei

Steinpendeltafeln muß man wegen der großen Anzahl an Heilsteinen oft mehrere Tafeln abpendeln.

Häufig sind sie zu klein, es sind Steine aufgelistet, die man gar nicht zur Verfügung hat, und mit dem Pendelausschlag »unentschieden« beziehungsweise »Fehler« gehen viele Leute äußerst lässig um. Steine bieten über ihre Farbe und Form, gekoppelt mit ihrer Größe und der Transparenz, einem an Befindlichkeitsstörungen leidenden Pendler mehr Informationen als die drei oder vier Tafeln, über die er dann einen Stein auspendelt. Daß Pendeln energetisch schwächt, dürfte ja allgemein bekannt sein. Wer viel Übung im Pendeln und einen festen Platz dazu hat, braucht eventuell gar keine Tafeln.

Oft klappt die Auswahl gar nicht, wenn der Körper energetisch geschwächt ist, zum Beispiel bei einer Krankheit. Und in anderen Situationen (Meditation) ist der Bewußtseinszustand ebenfalls verändert, man pendelt andere Steine aus als die benötigten. Mit fremden Pendeln oder in Anwesenheit anderer können die meisten Leute sowieso nicht anständig arbeiten, dann also lieber ohne Pendel intuitiv Steine wählen.

Meditation

Eine andere Möglichkeit ist die Meditation über Ihr Problem mit anschließendem Auspendeln über entsprechenden Pendeltafeln. Den so ermittelten Stein kaufen Sie dann später im Laden.

Sie können auch über den richtigen Stein meditieren, der Ihnen dann erscheint. Beide Methoden sind insofern nicht unbedingt das Richtige, weil Ihnen durch Meditation und Pendeln Energie abgezogen wird, die Sie ja dringend zur Beseitigung Ihres (Gesundheits-)Problems benötigen.

Energiefluß (vereinfacht dargestellt)

Der Kristall

Die geordnete Gitterstruktur und die relativ hohe Reinheit des Materials bewirken eine Beeinflussung der Umgebung, genauer gesagt, eine Wechselwirkung mit den Energiemustern in mittelbarer und unmittelbarer Umgebung eines jeden Steines.

Die Atome beziehungsweise Moleküle in einem Kristallgittersystem haben so gut wie keine individuelle Bewegungsmöglichkeit. Die »Rümpfe« (Protonen und Neutronen) eines jeden Atoms oder Moleküls benutzen die Elektronen gemeinschaftlich. Sie sind von einer Elektronenwolke

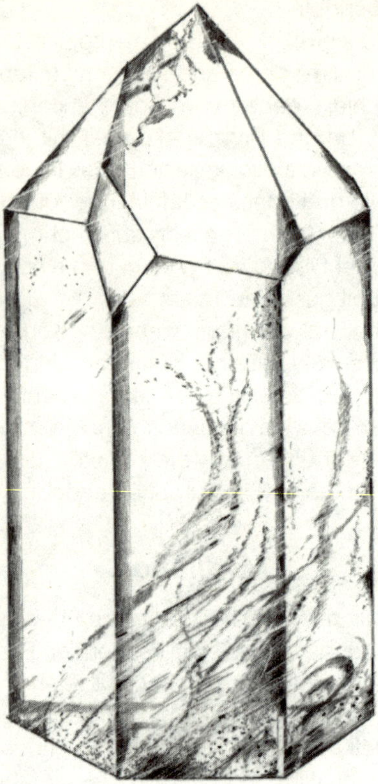

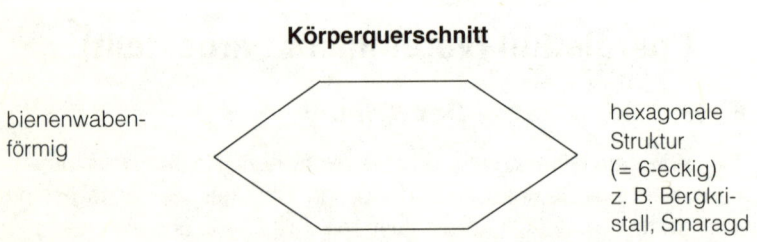

»Spitze«

Endung mit
Facetten
(Pyramiden-
flächen)

(Kristall)
»Körper«

Prismenfläche

»Fuß«
Muttergestein

Basis, oft trüb,
nach oben hin
klarer

Körperquerschnitt

bienenwaben-
förmig

hexagonale
Struktur
(= 6-eckig)
z. B. Bergkri-
stall, Smaragd

*Abbildung 3: Bergkristall und Querschnitt durch einen Bergkristallkörper
(hexagonal = bienenwabenförmig).*

umgeben. Die Elektronen lassen sich gar nicht mehr so streng jedem einzelnen Atom zuordnen, wie in anderen Materialien, sondern sie sind mehr oder weniger (je nach Bindungstyp) delokalisiert. Da die Bindung zwischen Proton/Neutron einerseits und den sie diffus umschwirrenden Elektronen andererseits so locker und lose ist, dringen natürlich auch von außen kommende Lichtphotonen und Elektronen beständig von allen Seiten in diese »lockere Gemeinschaftselektronenwolke« ein, und würden theoretisch diese Wolke an jeder beliebigen Stelle wieder verlassen können.

Durch die wie eine Zwangsjacke wirkende, rigide Gitterstruktur müssen sie sich aber den geringen Bewegungsmöglichkeiten im Gitter unterwerfen und werden gerichtet und geordnet entlang den Protonenrümpfen weitergeschleust. So entsteht eine hohe Energieausrichtung in jedem Stein, besonders stark in jedem hochkarätigen, also chemisch reinen und »typischen« Stein.

Wenn der Stein darüber hinaus noch eine Endung besitzt, wird der Energiefluß noch geordneter und noch gezielter als zum Beispiel bei einem ovalen oder eckigen Stein ohne Spitze. Die Elektronen aus der Umgebung fließen dann bevorzugt an der Basis und an den Prismenflächen in den Einender ein, werden durch das Gitter geordnet und in bestimmte Bahnen geleitet und Richtung Spitze weitergeleitet. Hier verlassen sie den Kristall bevorzugt wieder. Der Fluß von einer größeren Resorptionsfläche (der Basis, dem Körper) auf eine kleine Spitzenendung bewirkt natürlich auch eine Konzentrierung und Elektronenverdichtung, weil die Abgabefläche ja viel kleiner ist. Daher ist es auch so wichtig, Heilsteine mit schönen, nicht abgesplitterten oder angeschlagenen Spitzen zu verwenden.

Sollte Ihnen die Einenderenergie also mal zu massiv erscheinen, es aber unbedingt diese Steinsorte sein muß, verwenden Sie eben runde, ovale oder andere Formen ohne Endung. Dann ist der Energiefluß diffuser, Elektronen treten über die Gesamtfläche beständig ein und aus, ohne sich auf eine Stelle zu konzentrieren. Eine Teilkonzentration läßt sich durch trapezförmige Steine erzielen. Bei Metallen, wo die Elektronenwolke extrem delokalisiert die Atomrümpfe umgibt und die Elektronen den Metallrumpf besonders leicht verlassen können, ist der Sammel- und Ausrichteffekt einer Spitze besonders gut zu fühlen (Kupferpyramide, Silberkegelchen etc.). Nicht nur durch Steine fließen beständig Energien ein, hindurch und wieder aus. Auch unsere Erde ist ein großer Energieumwandler. Sie ist sozusagen das Vorbild für ihre Geschöpfe, die Steine (Pflanzen, Tiere, Menschen).

Die Erde als Energiewandler

Kosmische Strahlung, die einen hohen Teil der Gesamtenergie des Weltalls darstellt, trifft beständig auf unsere Erdoberfläche auf. Sie beeinflußt daher alles Leben auf der Erdoberfläche und »verbindet« uns mit dem kosmischen Gesamtgeschehen ganz real und praktisch meßbar: Im Mittel wird 1 cm^2 der Erdoberfläche pro Sekunde von einem Proton getroffen. Dadurch erfolgt eine positive Aufladung der Erde.

Den Ladungsausgleich bewirkt unser Zentralgestirn, die Sonne. Die Erde wird beständig vom sogenannten »Sonnenwind«, dem Sonnenplasma, das aus negativ geladenen Elektronen besteht, bombardiert. Dieser ist in manchen Jahren wegen der unregelmäßigen Sonnenaktivität höher beziehungsweise stärker, auch die kosmische Strahlung variiert. Der Gesamtladungsausgleich erfolgt daher einfach durch die Abgabe von Ionen in den Weltraum.

Diese Energien sind beständig vorhanden, uns sind die Dimensionen aber meist völlig unbewußt: Sonnenflecken haben im Schnitt einen Durchmesser von 50 000 km. Solarkonstante: 1 400 Watt pro Quadratmeter. Wir leben auf der Erde also auch auf einem großen, fast kugelförmigen Körper, den beständig Energien durchziehen, in und auf dem Energien aufgenommen, abgegeben oder reflektiert werden, so wie in jedem Heilstein.

Der Heilstein als hochgeordneter Körper in einem Meer ungeordneter, ungerichteter Energien verliert keine Masse, das heißt, er wird nicht ständig kleiner durch den Energieverlust (Massenverlust) wie zum Beispiel ein Stern, weil er in der Lage ist, den Verlust durch Aufnahme von Umgebungsenergie zu ersetzen. Ist diese auch noch harmonisch (qualitativ hochwertig), kann er sich selbst noch weiter transformieren und veredeln. Ist die Umgebungsenergie disharmonisch, kann er sie durch den beständigen Fluß, durch sich selbst hindurch, bis auf mindestens sein energetisches Niveau anheben. Ist er zu klein für diese Aufgabe oder minderkarätig, transformiert er, solange er kann (bis er kaputtgeht).

Bei seiner Arbeit kann man jeden Stein unterstützen durch das Anbieten der Energie, die er bevorzugt »bei der Ausübung seines Jobs« verbraucht, also Sonnen- oder Mondlichtenergie (siehe auch Seite 18 »Welcher Stein braucht welches Licht?«). Bitte benutzen Sie daher zur Raumenergetisierung auch nur entsprechend große Mineralien, die Sie entsprechend oft aufladen müßten, um positives planetares Bewußtsein zu erzeugen (sprich: Lichtarbeiter zu sein).

Raumenergetisierung

Wie im Großen, so im Kleinen (wie oben, so auch unten). Im Prinzip trifft alles, was bis jetzt für einen Kristallenergiefluß oder den Erdenergiefluß vereinfacht im letzten Abschnitt beschrieben worden ist, auch auf den Energiefluß in einem Zimmer zu.

Durch Erdstrahlung, kosmische Strahlung, durch das Fenster einfallende Lichtphotonen, Erdverwerfungen, Wasseradern, Energiereflexionen an Beton (Wände, Estrich, Zwischendecken, Nachbargebäude), Ziegeln (Wände, Dach), Verkabelungen (TV, Elektrosystem des Zimmers, Hauses, Straßensystems) und vieles andere mehr erhält jeder Raum sein typisches energetisches Muster. Dies kann harmonisch sein oder nicht (bei den Chinesen gibt es spezielle Berater für diese Probleme). Wird letzteres spürbar oder vermutet, können Sie durch entsprechende Plazierung eines geeigneten Minerals diese unerwünschten Effekte beeinflussen.

Durch den Lichteinfall in Räumen mit Fenstern entsteht die Hauptaustauschzone automatisch im Fenster- und Balkontürbereich. Blumen vor dem Fenster oder im Raum saugen schon viel Negativ-Energie auf, gedeihen aber meist nicht so recht dabei (also sind nicht immer mangelnde gärtnerische Fähigkeiten bei dahinkümmernden Pflanzen schuld). Plazieren Sie in der Blumenerde draußen (damit die Steine nicht gestohlen werden, verbuddeln im Kübel oder Blumenkasten) oder drinnen, auf der Fensterbank, zwischen Ihren Pflanzen oder Ihrem Nippes große Rohbrocken (Sodalith, Rosenquarz, Karneol, Bergkristall, Amethyst sind bezahlbar). Diese Stellen sind dann gut mit Steinenergien, die sich genau am benötigten Platz konzentrieren, versorgt.

Andoro Stollen sind Regale, unsichtbar auf Schränken (bitte nicht in Schränken, auch dann nicht, wenn es ein Nachtstein ist), im Flur (als Eintrittspforte für alles mögliche) und direkt an oder neben Türen (Telefontischchen, Garderobe, Schuhschrank vor der Tür), gern auch über der Tür angebracht oder in Amulettform aufgehängt (der Besuch läßt Negatives vor der Tür und nimmt es hinterher wieder mit).

Wohnzimmer: Hier eignet sich der Couchtisch besonders gut zum Aufstellen einer großen Stufe mit vielen, in alle Richtungen weisenden Spitzen, aber auch Regale, Beistelltische etc.

Schlafzimmer: Störzonen (Elektrowecker, Hauptsicherungskästen an der Gegenwand, Fenster Richtung Straße, Krankenhaus, Arzt, Notar, Rechtsanwalt, allen Geschäften, die mit Kummer und Leid zu tun haben, wie Beerdigungsinstitute, Kneipen und so weiter) können Sie mit Schutzsteinen übersteigern und löschen. Das kann geschehen durch

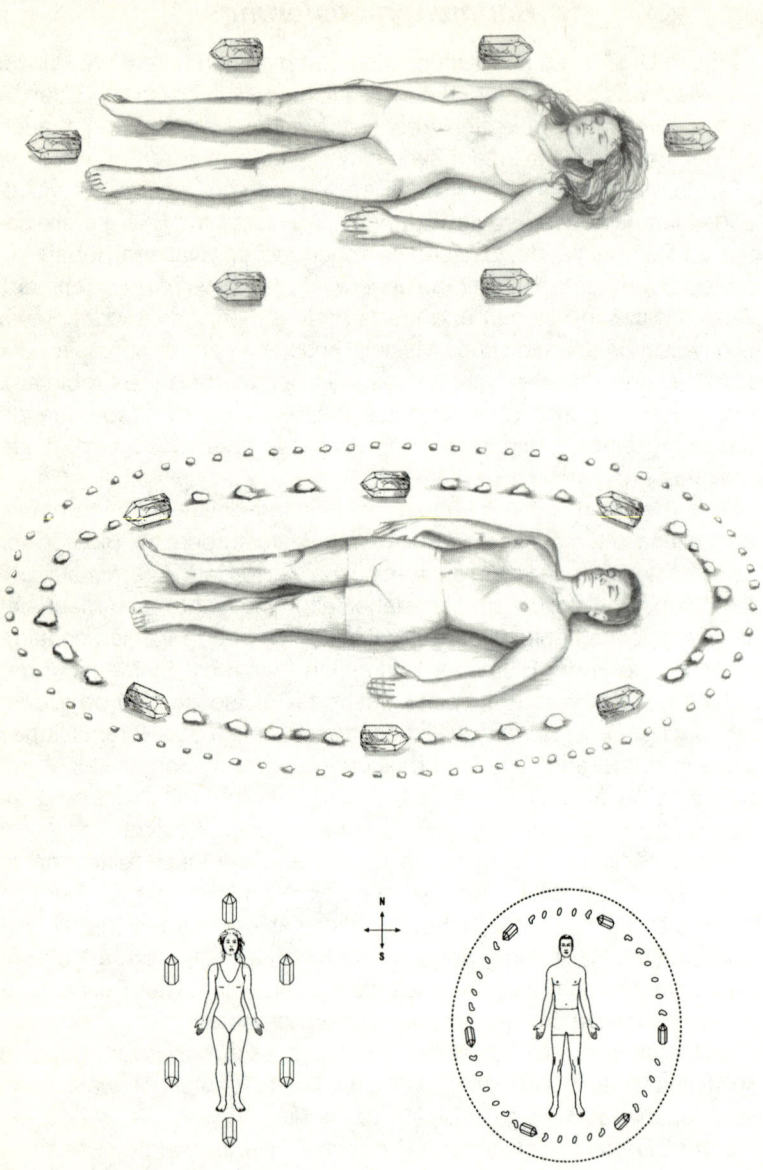

Abbildung 4 und 5: Zwei Kraftfeld-Typen (Steinkreis oder »Ei« aus Spitzen/ Trommelsteinen).

einen Amethyst-Rohbrocken oder eine -Stufe, die am Fenster, vor der Tür (innen oder außen), unter dem Bett plaziert wird, oder durch Abschirmen mit Hilfe des Legens einer Steinreihe auf dem Fensterbrett (unauffällig zwischen Blumen oder Nippes) oder um das Bett – geeignet sind wegen der Menge alle Sorten. Entsprechendes gilt für Kinder- und Krankenzimmer.

Steinkreis oder »Ei«

Als Schutzkreis oder zum Aufladen des Körpers mit Steinfrequenzen sind ovale oder hexagonale Kraftfelder, die auf den Boden gelegt werden, geeignet. Man kann in einem solchen Kreis auch arbeiten, meditieren oder schlafen (siehe Seite Abbildung 80 »Kraftfeld-Typen«). Vorteile:

O Man hat eine freiere Beweglichkeit, weil man die Steine nicht direkt auf den Körper aufzulegen braucht.
O Die Stärke des Kraftfeldes ist durch Anzahl und Lage der Steine variabel.
O Man kann den Kreis auch liegenlassen und am Folgetag oder mehrmals täglich aufsuchen, und hat genau gleiche Energieflüsse (wichtig beim »Selbertesten« von unbekannten Steinen).

Man kann auch Pflanzen oder Käfigtiere behandeln, oder erst selbst den Kreis nutzen und hinterher Pflanzen hineinstellen, die sowohl Negatives absaugen als auch sich von der im Kraftfeld herrschenden Energie aufladen lassen (Pflanzen lieben Rosenquarz und Karneol). Am wirtschaftlichsten ist ein hexagonales Legemuster (siehe Seite 76, Abbildung 3 »Querschnittschema«) mit 6 etwa gleich großen (Bergkristall-) Einendern, wobei jeder mehr als 100 g wiegen sollte.

Aber zum Beruhigen oder zur Gesundheitsbeeinflussung kann man auch 3 Amethyst-Einender (obere »Hälfte«) und 3 Bergkristall-Einender (untere »Hälfte« nehmen) oder Citrin-/Rauchquarzeinender und so weiter (Wirkung siehe Kapitel 6 »Meine persönlichen Erfahrungen« sowie E. LOPEZ).

Ansonsten legen Sie einen ovalen Kreis aus allen Steinen, die Sie für gut befunden haben. Er sollte so groß sein, daß Sie bequem ausgestreckt darin liegen können mit noch gut 2 bis 3 Handbreit Platz zwischen Ihnen und den Steinen. Sie können die Steine nah aneinander oder auf Abstand legen. Auch mehrere Kreise ineinander gelegt (aus je einer Steinsorte oder gemischt), also konzentrisch, wirken gut. Sie dürfen auch ruhig Einender dazwischenlegen. Diese sollten alle rechts oder

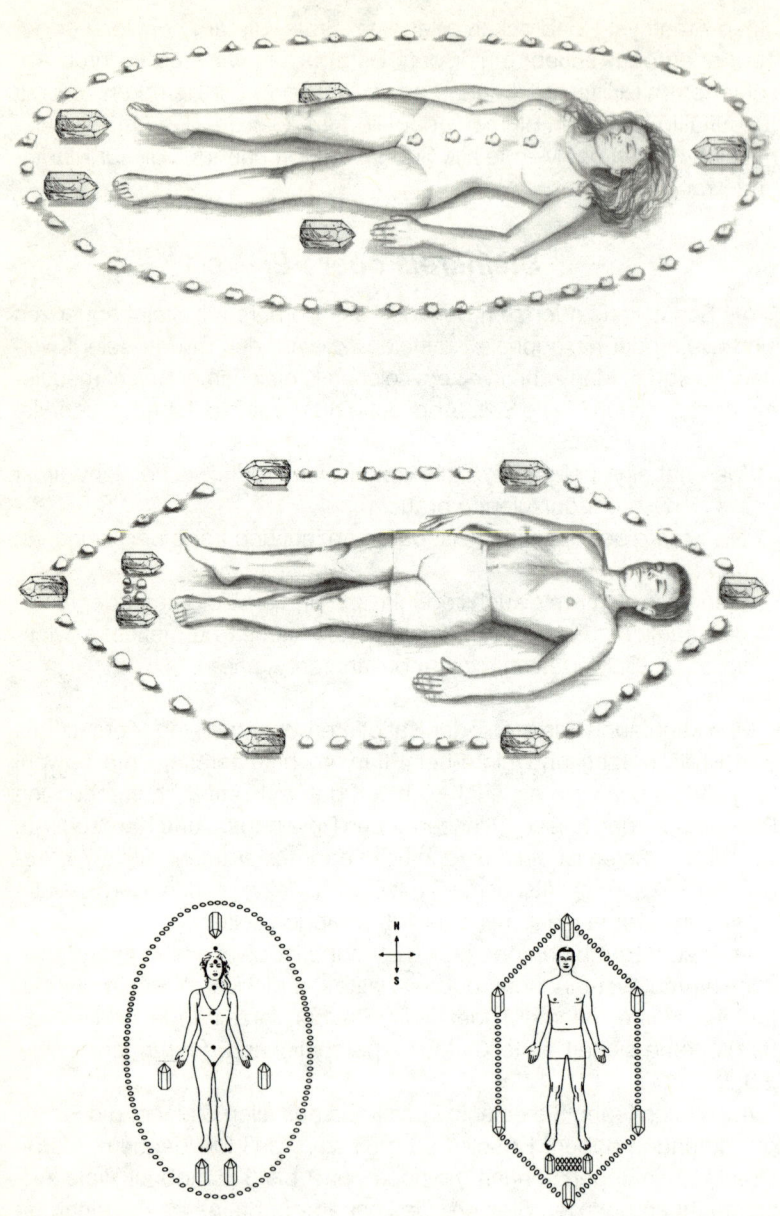

Abbildung 6 : Steinkreis Version A und B.

links herum (nur eine Richtung) oder zum Körper hin zeigen (Energie wird von außen in den Kreis gezogen und von den Steinen mit der typischen Steineenergie eingestrahlt) beziehungsweise vom Körper weg (bei Fieber und so weiter, also aller Art von Energieüberschüssen oder um Fremdenergie [Engramme] abzuleiten).

Legemuster

Die Basis für die beiden Legemuster auf Seite 82 in Abbildung 6 sind die auf Seite 30 empfohlenen Einsteigersets (Version A und B). Jedes Legemuster, bei oder nach dem Sie sich wohlfühlen, ist richtig. Wenn Sie mit Version B arbeiten, können Sie alle Lücken mit beliebigen Trommelsteinen oder Kiloware auffüllen und anstatt der beiden Spitzen unter den Füßen erdendes Holz nehmen.

O Sie, einfach pur, ohne Stein, oder mit einem Stein zum Meditieren auf dem 3. oder 6. Chakra, im Kreis
O Sie, mit einem Magnesit in jeder Hand (20 DM/Stück), im Kreis liegend
O Sie, mit je einem Trommelstein oder Cabochon auf jedem Chakra, 2 Spitzen oder Holz oder eine zusätzliche Lage Trommelsteine unter Ihren Füßen
O Sie, mit je einem Stein auf einem Hauptchakra, je eine Bergkristallspitze in jeder Hand (Spitze zu sich zeigend), etwas zum Erden (Holz) unter den Füßen
O Sie, mit einer Menge kleiner Spitzen, geschenkten Steinchen, Muscheln und anderem auf dem Bauch: Sie versuchen, alles blind so zu legen, bis Sie meinen, jede Spitze zeigt in die »richtige« Richtung und jeder Stein »sitzt«.

Fußbereich im Kreis

O Je eine größere Rauchquarzspitze (Spitze Richtung Kopf zeigend) unter jedem Fuß.
O Kleine Holz-/Achat-/Onyx-Trommelsteinware (5 bis 30 DM/Stück) zu Füßen gehäuft
Verwenden Sie immer reichlich Ketten:
O Je eine Kette nach Lust und Laune ausgesucht, auf je ein Hauptchakra gehäuft.
O 7 Bergkristallkugelketten, 80 cm lang, je eine auf jedes Chakra, erdende Steine unter den Füßen.
O Je eine farblich »passende« Kette plus erdende Spitzen, je eine unter jedem Fuß:
    1. Chakra: 1 Onyxkugelkette (Kugeln 1 cm)

2. Chakra: 1 Karneolkugelkette
3. Chakra: 1 Citrin-Splitterkette + 1 Citrin auf den Nabel
4. Chakra: 1 Rosenquarzkugelkette (Kugeln 1 cm)
5. Chakra: 1 Türkis-/Indigolith-/Aquamarinkette
6. Chakra: 1 Amethystkugelkette, wie ein Stirnband
7. Chakra: 1 Bergkristallkugelkette (Kugeln: 1 cm)

Entgiften und Löschen negativer Energien

Massieren Sie sich im Kreis mit einem Amethystgeodenbruchstück oder Einender (nichts aus Brasilien) mit kleinen, ruhigen Rechtskreisen, anschließend nehmen Sie einen Magnesit in jede Hand (Massage: 5 Minuten, Entgiftung: 15 Minuten; wenn die Steine sehr heiß werden, gegebenenfalls eher aufhören oder mit 2 anderen weiter entgiften: Magnesite sind unglaublich effektiv).

Sie können alle Auflagevorschläge auch ohne Kreis durchführen, indem Sie einfach bequem auf dem Sofa oder auf einer Meditationsmatte liegen. Für den Anfänger sind die Energien jedoch nicht so gut spürbar. Im Kreis halten sie sich besser und wirken korrigierend.

Energiefluß durch den Körper des Menschen

Der physische Körper wird über die Nahrung und das Wasser mit Nährstoffen versorgt. Der Sauerstoff, der zur Verbrennung der Nahrung notwendig ist, wird über die Atmung aufgenommen. Luft hat gleichzeitig auch immer einen Anteil feinstofflicher Energien, die gleichzeitig mit dem Luftsauerstoff eingeatmet werden.

Diese feinstofflichen Energien aus der Luft werden, wie der Sauerstoff, vom Körper assimiliert (aufgenommen) und über Energiekanäle gleichmäßig verteilt, damit jede Körperzelle die benötigten feinstofflichen Energien zur Verfügung hat, die sie zum Leben – genauso wie Sauerstoff, Zucker, Vitamine und anderes – benötigt. Die über den Atem und die Hautporen aufgenommenen feinstofflichen Energien sind als Prana, Chi, Ka, Meridianenergie bekannt und benannt worden.

Eine gute Versorgungs- und Verteilungssituation im Körper mit diesen Lebensenergien fällt uns an einem Individuum als positive Ausstrahlung (Überschüsse werden abgegeben), »Vitalität« oder charismatische, persönliche Ausstrahlung auf. Im physischen Körper braucht jede Zelle diese aufgenommenen Lebensenergien für optimales Gedeihen. Die feinstofflichen Energien einer bestimmten Qualität fließen als Meridianenergien (in Kirlianfotografien sichtbar) in und durch den grobstofflichen Körper hindurch. Überschüsse werden fadenartig ausgerichtet über die physische Begrenzung (also über die Haut hinaus) abgegeben. Stockt der Fluß, kommt es zu Mangel- und Unterversorgung in anderen Körperteilen. Diese Blockaden können durch »Überbrückungsenergien« beseitigt werden (zum Beispiel mit Turmalin als Überbrückungskabel). Energetisch stark ausgelaugte Regionen können mit einer Heilsteinenergie derselben Qualität durch zum Beispiel lokales Auflegen des Steines auf die energetisch unterversorgte Region (das Organ) aufgefüllt werden. Das Problem liegt meistens darin, Überschußreaktionen nach Lösen von energetischen Blockaden mit den richtigen Steinen abzumildern oder die Energie in den nun wieder mit Energie wohlversorgten Organen zu integrieren, und zwar möglichst dauerhaft.

Meist verschiebt sich bei Energiezufuhr oder qualitativ veränderter Energie noch einmal der Bedarf. Das heißt, man wählt gleich anschließend an eine Erstverbesserung oder -verschlimmerung noch einmal andere, neue Steine aus beziehungsweise läßt den Behandler die erfahrungsgemäß geeignetsten dafür auflegen.

Der physische und der Ätherkörper bedingen einander recht innig, sie haben einen fast identischen Frequenzbedarf, denn der Ätherkörper ist die Vorlage, die Matrix, die »Blaupause« für das grobstoffliche Körpergeschehen. Die Zellen wachsen sozusagen »in ihn hinein«. Die anderen feinstofflichen Körper bevorzugen, je nach ihrer Arbeitsweise und ihrer Aufgabe, andere feinstoffliche Anteile ätherischer Energien, die auch aus der Erde, dem Kosmos (und anderen Quellen als der Atemluft) kommen können. Sie nehmen die von ihnen bevorzugte energetische Qualität über ein bestimmtes Zentrum, ein Aufnahmetor (Chakra) auf, das diese Energie vorrangig in den zugehörigen feinstofflichen Körper wirbelt, aber auch in jeden anderen Energiekörper.

Energien aller Art (leider auch unerwünschte Qualitäten) werden also über den Kosmos, die Erde, aus den Auraabstrahlungen anderer Menschen, der Atemluft, den Hautporen und anderen Versorgungsquellen auf unseren physischen Körper und auf unsere feinstofflichen Körper eintreffen. Die Tore unserer Energiekörper, die Chakren, nehmen die Energieanteile, die ihrer Schwingungsfrequenz und Aufnahmequalität am besten entsprechen, auf und verteilen sie im jeweiligen feinstofflichen Körper, für den sie tätig sind.

Durch schnelleres Rotieren oder vermehrtes Öffnen oder Schließen beziehungsweise Verlangsamung der Rotationsgeschwindigkeit haben die Chakren großen Einfluß darauf, wie schnell wieviel feinstoffliche Energie aufgenommen wird beziehungsweise maximal verarbeitet werden kann. Das System beinhaltet also lebensnotwendige Aufnahme von

Energie, Kontrolle über die aufgenommene Menge und hat einen Über-lastungsschutz über Verlangsamung der Rotation beziehungsweise des Durchmessers des Aufnahmechakras.

Vermehrter Einfluß oder Energieabzug in einem feinstofflichen Körper verschiebt immer die Gleichgewichtslage aller feinstofflicher Körper und führt zu (vorübergehenden) anderen energetischen Ansprüchen im gesamten Organismus. Das System ist komplex geschaltet, über Akti-vierung bestimmter inaktiver Energiekanäle (Ida-, Pingala-, Kundalini-Energien) sehr stark modifizierbar und dauerhaft veränderbar (ruinier-bar!), also lieber zuwenig als zuviel experimentieren.

Veränderungen im Verhalten und der Wahrnehmungsqualitäten sind für ahnungslose Opfer von Heilsteinauflagemustern »nach Gutsherren-art« gar nicht so toll, vor allem, wenn sie vom Behandler weder erwünscht noch angekündigt werden. Kommen Sie erst einmal selber mit Umver-teilungsproblemen klar, ehe Sie sie anderen zumuten.

In der Regel erfolgt eine gute energetische Speisung des untersten Chakras (Muladhara) über Erdenergien, die über Fußsohlen-, Unter-schenkel-, Knie-, Oberschenkelnebenchakren problemlos (!!!) als Rot-schwingung assimiliert wurden. Sie erden und geben Urvertrauen und Lebensfreude. Wenn es da schon Probleme geben sollte – vergessen Sie alle Hauptchakren, die noch höherfrequente Energien assimilieren, um damit Emotional-, Mental- und Kausalkörper zu versorgen. Sie wehren sich durch Überpolungen, die dann die Aufnahmetätigkeit des 1. Chakras vollends aus dem Takt bringen.

Wieviele Steine sind optimal?

Die Anzahl der Steine in einem Kraftfeld oder die Anzahl je Chakra verdichtet das Energieangebot. Beim Auflegen auf Chakren macht auch das Muster (Kreuz, Ring, Linie) etwas aus, vor allem, wenn Muster mit Spitzen gelegt werden.

Auf die Hauptproblemzone sollte man betont viele Steine einer Sorte legen. Bei den anderen, übrigen Chakren genügt es, nur je einen Stein als Ausgleichsstein aufzulegen.

Behandelt man obere Chakren (ab Anahata, das 4. Chakra, aufwärts), stets unter jede Fußsohle einen großen erdenden Stein legen, gern auch in jeder Hand einen, der Ihnen spontan zusagt. Ideal sind opake unter die Fußsohlen und transparente Steine in die Hände. Vorsichtige kön-nen aber auch nur Holz und Türkis nehmen.

Behandelt man Probleme im Bereich der unteren Hauptchakren (1. bis 3.), immer aufs Solarplexuschakra oder den Nabel (Hara) einen kleinen Citrin- und/oder Bernsteinkreis (oder was Ihnen gefällt) als Akzent auflegen und etwas Besänftigendes aufs Herzchakra (Anahata): Rosenquarz, Kunzit, denn gerade die Assimilations- und Integrationszentren können sich aus Arbeitsgründen nicht viel Schutz leisten und müssen energetisch immer »aufmachen«. Hier ist ein Gegenzug allein, wie zum Beispiel erdende Steine unter den Fußsohlen, nicht so effektiv wie eine Bonusenergie, die das Zentrum zusätzlich noch bei der Assimilations- und Integrationsarbeit abrufen kann (die Steine werden dann meist sehr heiß).

Reihenfolge

Legen Sie die Steine immer so, wie Sie spontan meinen, aber am besten von den unteren zu den oberen Hauptchakren hin, wobei Sie wichtige Nebenchakren (Leiste, Schultern, Knie, Fußsohle) immer mit einbeziehen. Gehen Sie dann erst eine Stufe höher – und lassen Sie sich viel Zeit. Werden Sie schläfrig, wenn Sie die Steine fertig gelegt haben, war es meistens von der Auflegegeschwindigkeit her gut und verkraftbar. Das ist eine Faustregel, die aber bei Schocks, Dauerverspannungen oder akuten Schmerzen nicht so stimmt. Da müssen Sie viel testen (Notizen machen) und hochflexibel sein.

Plazierung

Sinnvoll ist es, auf den physischen Körper wirkende Steine mit nur geringen Durchdringungsfrequenzen (Malachit) auf das Organ beziehungsweise den Schmerzpunkt lokal aufzulegen und sie dort warm werden zu lassen (sonst Steinsorte wechseln). Steine in Farben, die mit den Chakren harmonisieren, sollten rein sein, rund, oval (ungern gleich nur Spitzen auflegen) und direkt aufs Chakra aufgelegt werden.

Die Steinfrequenz wird dann vom Chakra zu den Drüsen, die in seinem Zuständigkeitsbereich liegen, optimal weitergeleitet. Ein Durchmesser unter 1 cm/Stein ist aber meist witzlos, es sei denn, Sie legen sie als Ring mit ca. 0,5 cm Innendurchmesser auf, also mehrere Minicabochons einer Sorte. Günstig ist auch die Massage mit einer Spitze (Einender) aller wichtigen Meridianpunkte im Verlaufe des Meridians. Es empfiehlt sich, auch den Nachfolgemeridian an den Punkten zu massieren (sanft auftupfen, kleine Spiralen oder Kreise 1 Minute lang auf die Haut »malen«) oder den Meridian davor. Dauer: 2 Wochen lang mindestens 2 x täglich, Genußgifte meiden.

Bei Schlafstörungen können Sie erdende Steine unten ans Fußende legen oder einen Amethyst unters Kopfkissen, bei Kopfdruck auch einen Charoit dabei.

Steinplazierung innerhalb und außerhalb der Aura

Man kann das Bedürfnis haben, den ausgesuchten Stein (die ausgesuchten Steine) direkt am Körper zu tragen, sie in der Hand zu halten oder auf bestimmte Körperpartien auflegen zu müssen, also innerhalb der Aura zu plazieren. Dies ist besonders sinnvoll bei Steinen, deren Durchdringungskraft nicht hoch ist (zum Beispiel Malachit, Jaspis) oder die Energiefrequenzen überbrücken können, um zum Beispiel bestehende Energiestaus vor Blockaden ableiten zu können (zum Beispiel Turmaline, Bergkristall).

Auch Steine, die energetisch saugen (Selenit) oder einen Schwamm- und Sammeleffekt besitzen (Türkis, Heliotrop), können am besten lokal aufgelegt arbeiten. Bei Ketten ist der Fall klar. Sie treten auf jeden Fall in Wechselwirkung mit dem eigenen, persönlichen, energetischen Gefüge des Trägers, sobald sie angelegt werden.

Es sollte Sie aber nicht irritieren, wenn Sie zwar spontan und gezielt nach einem Stein greifen, dann aber doch das Bedürfnis haben, ihn aus einer gewissen Distanz »nur anzuschauen« oder an bestimmten Plätzen »nur da liegen« zu haben. Diese Steine überstrahlen negative Bereiche in Ihrer Wohnung oder möchten gern als Meditationsobjekte behandelt werden. Manchmal zeigen sie auch an, daß sie zwar die richtige Wahl sind, aber direkt in der Aura zu heftig in Ihrem momentanen Zustand für Sie wären. Dann verdünnt und vermischt sich ihre Wirkung über die Distanz. Sie erhalten die benötigte Heilfrequenz sozusagen »entschärft«.

Fallen Ihnen mehrere verschiedene, kristalline und nicht-kristalline (amorphe) Steine ins Auge und Sie können sich nicht entscheiden, legen Sie am besten ein Kraftfeld (»Ei«), und lassen die nun gemischten Energien wirksam werden, indem Sie sich in den Kreis legen oder ihn betrachten.

Befällt Sie nach der Auswahl von Steinen (verschiedene Sorten, Farben, Größen) eine gewisse Unruhe oder ein Aktivitätsdrang, dann geben Sie diesem nach: Legen Sie sich nicht ruhig in den Kreis, sondern legen Sie solange Muster mit allen von ihnen ausgesuchten Steinen, bis alles »stimmt«. Betrachten Sie das Muster, nehmen Sie es in sich auf – Sie können die Steine auch eine Weile liegen lassen, noch mal umgruppieren, am nächsten Tag eventuell andere hinzunehmen, einzelne immer wieder befühlen, alles, ganz wie Sie meinen.

Es ist keineswegs immer so, daß Sie einen Stein (oder mehrere) aussuchen, ihn irgendwo auf den Körper legen und einfach passiv liegenbleiben müssen. Er muß auch nicht immer unbedingt auf den Körper oder in die Hand genommen werden. Damit berauben Sie sich nur selbst einiger anderer schöner Anwendungsmöglichkeiten. Steine wirken nicht wie ein Saft oder eine Tablette oder eine Fangopackung, das heißt, einfach nehmen und eine gewisse Zeit verharren und hoffen, daß sich irgendeine Wirkung einstellt. Steine wirken immer so raffiniert vielfältig und intelligent, wie es der Verwender ihnen auch zutraut und zuläßt. Nicht umsonst schreibt ja auch jeder Autor etwas anderes über denselben Stein.

Weitere Anwendungsmöglichkeiten

Die Steinfrequenz, das heißt, die Schwingung, die in Wechselwirkung mit den feinstofflichen und unserem physischen Körper tritt, ist auch auf andere belebte und unbelebte Objekte übertragbar. Als Medium sind Wasser und (Kräuter-)Öl sehr gut geeignet. Sie können die schöne, feinabgestimmte Steinfrequenz, die Sie durch das Programmieren der Steine auch noch besonders rein zur Verfügung haben, auf alle wasserhaltigen Objekte (Menschen, Tiere, Pflanzen, Cremes, Masken, Duftöle, Parfüms, Nahrungsmittel, Shampoos etc.) übertragen.

Elixiere und Bäder

Sie können ein Stammelixier herstellen, das Sie unter Zugabe von Alkohol haltbar machen und tropfen- oder literweise Ihrem Bad oder anderen Artikeln zugeben. Einige Firmen stellen Fertigelixiere her (günstig bei teuren Steinen oder auf Reisen).

Sie können das Elixier selber herstellen, indem Sie einen gut gereinigten, vorher im entsprechenden Licht energetisierten Stein über mindestens 3 Stunden in ein Glas Wasser legen. Dann nehmen Sie den Stein heraus, füllen die Flüssigkeit in Flaschen oder setzen sie gleich so (als Badezusatz oder zum Anrühren von Cremes, auf Vorrat verwenden) praktisch ein. Bei Bädern von 2 Stunden Dauer können Sie den Stein auch direkt verwenden. Er gibt innerhalb dieses Zeitraumes genügend Energie an das hochrezeptive Badewasser ab, das die Steinschwingung wiederum auf den im Badewasser Liegenden überträgt.

Sie können auch tropfenweise Elixiere einnehmen (10 bis 20 Tropfen) oder unverdünnt in die Haut einreiben. Das ist vor allem bei Grippe, Fieber und so weiter im Halsbereich günstig. Durch das Husten würden die Steine schnell abfallen oder, wenn man endlich einschläft, nur stören.

Smaragdwasser oder rosa Turmalinwasser kann man im Augenbereich auftupfen, Amethystwasser wie Haarwasser auf die Kopfhaut geben, vor allem bei Kopfdruck, wenn man den schweren Stein nicht gut in Scheitel- oder Schläfenhöhe ertragen könnte.

Bei Bädern sind natürlich auch Teilbäder (Fußbad mit Onyxessenz) möglich, ideal erfrischen zum Beispiel Jaspisessenz mit ein paar Tröpfchen Pfefferminz oder Eukalyptus im Sommer oder mit Amethystessenz und Baldrian als Einschlafhilfe (oder oral eingenommen). Testen Sie einfach alles, was Ihnen so einfällt.

Masken, Cremes und Massageöle

Hier können Sie die verdünnte oder reine gekaufte oder selbsthergestellte Essenz (Elixier) anstatt destilliertem Wasser zugeben. Bei Massageölen können Sie den ganzen Stein hineingeben (mit Alkohol kurz abreiben) und darin lassen, bis die Flasche leer ist, oder ein Stammöl (Mandel, Kokos) mit einem oder mehreren Steinen herstellen und gekaufte Produkte damit strecken.

Zum Relaxen: Amethyst, Rosenquarz, Kunzit, rosa Turmalin, Rhyolith, Zoisit mit Rubin, Saphir, Bergkristall

Zum Tonisieren, Kräftigen: Jaspis, grüner Turmalin, Malachit, Citrin, grüner Kalzit, Rutilquarz.

In Venen-Lotionen: Zur fertigen beziehungsweise fertig gekauften Lotion einen Karneol hinzugeben und darin lassen, bis die Flasche leer ist, danach den Stein reinigen und gegebenenfalls für denselben Zweck wiederverwenden.

Cellulite-Lotionen: Zur selbst hergestellten (am besten mit dem entsprechenden Steinelixier angerührt) oder fertig gekauften Lotion roten Chalzedon mit Rauchquarz oder Amethyst mit Malachit oder Malachit plus Citrin (Jaspis), besonders beim Gefühl »schwerer Beine«, zugeben.

Rosenquarz (siehe »Massageöl«) und Rauchquarz (siehe »Cellulite-Lotion«) vermitteln eine besonders durchdringende Tiefenwirkung. Beide entstehen unter Einwirkung ionisierender (natürlich vom Muttergestein ausgehender) beziehungsweise (natürlicher) radioaktiver Strahlung von Uran, ^{40}K (Kalium) oder Thorium (Rauchquarz), die die Farbzentren dieser beiden Quarze beeinflussen.

Als Anfangsbehandlung mit schneller Wirkung ist daher roter Chalzedon mit Rauchquarz(tiefenwirkung) prima, auch gleichzeitige orale Einnahme von Tropfen der entsprechenden Elixiere (zum Beispiel 3 x täglich 10 bis 20 Tropfen) wäre nicht schlecht. Die Kombination entgiftet (viel trinken) enorm, ohne viel Muskelmasse, zum Beispiel bei einer gleichzeitig ablaufenden Schlankheitsdiät (wäre ja oft sinnvoll) abzubauen. Zudem geben beide Steine Durchhaltewillen (roter Chalzedon) und Zuversicht (Rauchquarz).

Behandlung mit Edelsteinpendeln

Dies ist eine schöne Möglichkeit, sich mit Hilfe von Heilsteinen selbst zu behandeln, ohne eine große Menge oder Anzahl verschiedenster Steine griffbereit haben zu müssen. Die drei bis vier Pendel, die man braucht, lassen sich rasch reinigen und pflegen. Es wird behauptet, sie arbeiten auch ohne Programmierung zuverlässig – ausprobieren! Das Reinigen und Aufladen in Sonnen- beziehungsweise Mondlicht ist aber auch bei Edelsteinpendeln unumgänglich. Da es meist beschliffene, nicht natürliche Spitzen oder Kugeln sind, vor allem immer an das Befreien vom Schleif- und Bearbeitungstrauma denken!

Die Wirkung

Vor allem Kugelpendel wirken harmonisierend im Bereich der 6 (7) Hauptchakren (siehe Kapitel 4 »Energiezentren«). Die Edelsteinschwingung wird, gestützt durch die Kugelform des Steines, sehr schonend in den Bereich der feinstofflichen Energiezentren (Chakren) eingefüttert, die feinstoffliche Körperschwingung wird sanft angeregt und die Schwingungsfrequenz entweder angehoben, ausgeglichen oder unterstützt.

Man läßt das Pendel einfach im Abstand von etwa 5 bis 20 cm (wie es am angenehmsten empfunden wird, keine Gewaltakte bitte) frei direkt über dem betreffenden Energiezentrum schwingen. Als angenehm wird oft die Kreisschwingung oder Lemniskate (y) zu Beginn geschätzt. Eine gewisse »Sättigung« ist erreicht, wenn das Pendel wie von selbst in eine strich- oder eiförmige, langsame Dauerbewegung übergeht. Dann pendeln Sie bitte nicht mehr weiter.

Bei spitzen Pendeln passiert im Prinzip dasselbe, nur wird oft vom Empfinden her die »Sättigung« schneller erreicht, und man muß bei strichförmiger Bewegung ziemlich schnell aufhören, weil alles weitere dann als fast unangenehm empfunden wird (eiförmig geht noch, kann man in strichförmiges Pendeln übergehen lassen und dann aufhören).

In Bezug stehen: 1. und 7. Chakra, 2. + 6. Chakra, 3. + 5. Chakra.

Deshalb sollten Sie immer die korrespondierenden Chakren nacheinander behandeln. Am günstigsten (und angenehmsten) ist das Abpendeln nacheinander vom 1. bis zum 6. Chakra, wobei sich die

Behandlungsdauer immer nach dem Befinden und dem Auftreten von Strich- und Ovalbewegungen orientiert. Gibt es von Anfang an nur »Striche«: Behandlung vertagen.

Lapislazulipendel machen sensibel, wecken Geborgenheitsgefühle.

Jadependel gleichen aus, entspannen sehr stark, wirken vor allem aufs Herzchakra, wo sie harmonisierend wirken und Freude empfinden lassen (gut nach depressiven Phasen oder Erschöpfungszuständen). **Malachitpendel** ist für den Geübten (!) als Diagnosependel in Spitzenform hervorragend geeignet. Malachit stöbert nämlich alle Blockaden auf und kräftigt gleichzeitig den Körper. Das gezielte Abpendeln eines Chakras ist als Start möglich, um Bewegung in den betreffenden feinstofflichen Körper zu bringen. Anschließend sollten Sie Steine auflegen, die die Energie halten und ausgleichen. Systematisches Abpendeln (vom 1. bis zum 6. Chakra) entkrampft ungemein, mental fördert es Erkenntnisprozesse.

Rosenquarzpendel: für alle seelischen Wunden, Traumen, Kummer, vor allem zum Ausgleich über dem 4. Chakra frei schwingen lassen, bis zur Strichbewegung kann es lange dauern ... Zur Förderung der Eigenliebe (besonders bei Magersucht, Bulimie) systematisch vom 1. bis zum 6. alle Chakren durchpendeln.

Amethystpendel: ist ganz was Feines zur Vorbereitung vor rituellen Arbeiten oder (Gruppen-)Meditationen, besonders natürlich für das (2. und) 6. Chakra; systematisches Abpendeln fördert das Auftreten von Ideen und plötzlichen Eingebungen, in Krisenphasen wirkt ein Amethystpendel zusätzlich noch beruhigend und macht zuversichtlich. Über Monate regelmäßig angewendet, fördert das Pendel Kreativität und Erfindungsgabe.

Bergkristallpendel als Kugel: *Das* Pendel zum Ausgleichen, Beruhigen, zur Diagnose, zur Kräftigung des Körpers. Es wirkt aufbauend nach allen intensiven sportlichen Aktivitäten. Hier ist ein Yin-Yang-Ausgleich wie sonst bei keinem Pendel möglich. Als Spitze zeigt das Bergkristallpendel Ungleichgewichtszustände im Chakrenbereich noch sensibler an als das Kugelpendel. Alles wird durch die Energiekonzentration im Spitzenbereich allerdings auch stärker wahrgenommen: Bei prompter Schmerzlinderung ist das angenehm, bei Auftreten von verstärktem Druckgefühl, zum Beispiel im Rahmen einer Nieren- oder Gallenbehandlung (Kolik, Insuffizienz), kann das erst einmal schockierend auf den Klienten wirken.

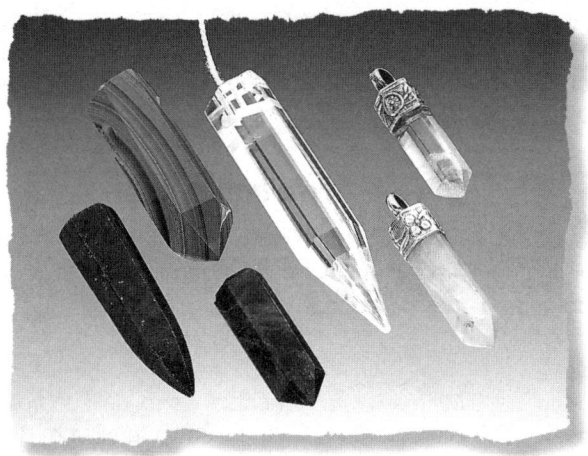

Abbildung 7: Edelsteinpendel aus Lapislazuli, Malachit, Amethyst, Bergkristall und Rosenquarz.

Die berühmte Schweizer Heilerin EMMA KUNZ (1892 – 1963) verwendete für ihre Diagnosen und zur Behandlung eine stabile Pendelkette, an deren Enden je eine Jadekugel und eine Silberkugel als Pendel befestigt waren.

Praktische Tips zum Testen von Mineralien

Am besten ist es, wenn Sie den frisch gereinigten, programmierten, im Salz gewesenen und danach im (Sonnen-/Mond-)Licht aufgeladenen Stein erst einmal zu den anderen Steinen am Daueraufbewahrungsplatz legen (ca. 2 bis 20 Tage). Er muß sich zunächst – wie ein neues Haustier – auf Sie und sein Programm (in Einklang mit der Wohnung und Ihren Lebensumständen) einstimmen dürfen. Erste Farbveränderungen treten meistens in dieser Phase ein. Manche Steine blühen regelrecht auf bei dem Gedanken, unter anderen Heilsteinen bei Ihnen ein Schlemmerleben als Heilstein führen zu dürfen. Steine erscheinen oft klarer und sehen »teurer« aus (man hat den Eindruck eines sichtlichen Qualitätsgewinnes).

Damen sollten ihre Steine etwa für die Dauer von 1 bis 3 Monatszyklen testen, Herren für die Dauer von 1 bis 3 Biorhythmen (à 23 Tage), in beiden Fällen gern länger, gern täglich (!) anfassen, dauernd bei sich tragen, mehrmals täglich anschauen, meditierend in der Hand halten, auflegen, was auch immer Ihnen am besten liegt, oder alles zusammen. Bitte testen Sie während dieser Zeit keinen anderen Stein (Meditationen mit bekannten Steinen, Legemuster, Heilanwendungen etc. sind natürlich wie gehabt weiter möglich).

Bewährte Reihenfolge

Wenn Sie einen neuen Stein testen wollen, dessen Wirkung halbwegs bekannt und in der Literatur schon beschrieben worden ist, können Sie nach der folgenden Methode vorgehen.

Erster Tag

1. Linke Hand, ca. 5 Minuten (wird manchmal warm, heiß und/oder klebrig). Notieren Sie alle Eindrücke in Ihrem schlauen Buch. Bei auftretendem Unwohlsein ist der Test zu Ende.
2. Rechte Hand, ca. 5 Minuten (Notizen: war etwas anders, gleich, nichts gemerkt?).
3. Auf der Stelle auflegen, wo Sie meinen, daß er dort liegen muß (spontan). Hierbei lassen Sie nur Daueramulette und Talismane, die Sie immer tragen, an. Im Zweifelsfall legen Sie den Stein auf das 3. Chakra, machen Notizen. Gegebenenfalls brechen Sie den Test ab bei Unruhe, erzwingen Sie nichts. Sie testen ja lange genug. Blaue Steine können Sie einmal auf das 5. Chakra legen, Mutige auf das 6. (Ajna)Chakra, oder im Wechsel jeden Tag auf das 1., 3., 5. beziehungsweise 3., 5., 6. Chakra.

Zweiter Tag

Reihenfolge: linke Hand, rechte Hand, unter die Fußsohlen (Knie anbeugen, Füße ganz auf den Boden stellen, Stein liegt in der Kuhle zwischen Ballen und Ferse, außer bei Plattfüßen). Dann legen Sie ihn wieder auf ein Chakra, von dem Sie wissen, daß es am 1. Tag reagiert hat (alles ca. 5 Minuten, Notizen machen).

Weitere Tage

Linke Hand (5 Minuten), rechte Hand (5 Minuten), Bauch, Kehle, Drittes Auge, je nachdem, oder 1., 3., 5. beziehungsweise 3., 5., 6. Chakra, Fußsohlen (oder Knie, Leiste).

Das Chakra, das am stärksten reagierte, belegen Sie zum Abschluß kurz noch einmal – das intensiviert den Eindruck enorm, besonders, wenn man gar keine Anhaltspunkte hat.

Den Test abbrechen

Wenn Sie sich unwohl fühlen, sollten Sie den Test immer abbrechen, erdende Erste-Hilfe-Steine (zum Beispiel Holz, Rauchquarz, Dow-Kristall) auf das 1. Chakra, die Knie, die Leiste legen und – ganz wichtig – alles notieren, denn erfahrungsgemäß vergißt man nach kurzer Zeit alles, und ein Jahr später weiß man nicht mehr ganz genau, was gewesen ist, nur vage, und das nützt Ihnen nichts.

Auswertung

Die »Großwetterlage« in Ihrer Testphase (war ich krank, verliebt, gab es Ärger, Druck) sollten Sie unbedingt jedesmal vor Testbeginn eines Steines notieren (notfalls Datum, wann es Streit gab), denn auswerten sollten Sie Ihre Testergebnisse am besten erst nach frühestens einer Woche.

In ihrer Wirkung unbekannte Steine

Wenn Sie neue Steine mit gänzlich unbekannter Wirkung, die auch in der Literatur noch nie beschrieben worden sind, testen, ist die oben beschriebene Prozedur durchzuführen, die Sie aber nach einigen Malen schon als Routine empfinden. Bald ergeben sich Anhaltspunkte, um gezielt an bestimmten Chakren weiterzutesten. Später können Sie dann um so leichter und sicherer Kombinationen mit Ihnen bereits (aus Tests) bekannten Heilsteinfrequenzen testen, weil Sie einen Erfahrungsschatz haben und Ihnen niemand etwas suggerieren kann.

Alle Steine werden bei Ihnen ihr Aussehen verändern, trotz (und gerade wegen) Salzkur und Licht. Durch ihr Programm gehorchen und dienen Steine äußerst präzise und willig. Aufgrund ihres phantastischen Gedächtnisses werden Sie auch nie Probleme haben, wenn die Steine einmal (von Anfang an) liebevoll und gut gepflegt sind.

Besonders Bergkristalle (transparente) bekommen nach längerem Gebrauch kleine, bunte Regenbogenreflexionen. Die entsprechen dem Schnurren einer satten Katze: Dieser Stein liebt Sie, ist optimal bedient bei Ihnen – auch wenn es nur eine »schäbige« 5-DM-Spitze war, über die der Juwelier die Nase rümpft. Das sind natürlich gute Heilsteine, die haben Sie fürs Leben. Statt Regenbögen sieht man bei Bergkristallspitzen auch oft nach einer Weile zum ersten Mal die berühmten Dreiecke (in den Facetten).

Wenn Steine Ihnen schon solche Informationen oder Zustimmungsäußerungen geben, notieren Sie sie bitte, mit exakter Position (ausmessen, wandern auch gern!), Datum, Gebrauch, der in letzter Zeit vorherrschend war, und Ihrer Gefühlslage zu dieser Zeit. Der Stein redet sozusagen so mit Ihnen. Sie können ihn nun auch anspruchsvoller einsetzen (zum Beispiel als Pendel, zur Kristallschau, Freunden zum Aufmuntern mitgeben, was immer Ihnen einfällt, aber am besten, man behält ihn für sich, oft verändert er sich noch weiter, und Sie verpassen das, wenn er mal einen Tag verborgt ist).

Kaputte Steine

Aus Unkenntnis oder Unterschätzung des Frequenzbedarfs habe ich manchmal zu kleine Steine gekauft beziehungsweise aufgelegt, die nach einer oder einigen Körperauflagen zerbrochen oder ganz dunkel wurden. Wird ein Stein total matt und unbrauchbar, können Sie ihn im Garten vergraben oder in den Blumentopf legen. Pflanzen lieben auch kaputte Steine: Mischen Sie Ihre zerbröselten Helfer oder Teilstücke davon unter die Blumenerde beim nächsten Umtopfen. Ein gewisses Ausbleichen bei Amethyst, Kunzit, Hiddenit und Citrin ist eher normal. Deshalb braucht man diese Heilsteine nicht auszumustern.

Kapitel 4

ENERGIEZENTREN

Die Körper des Menschen

Nach der östlichen Geheimphilosophie und anderen esoterischen Lehren, die mit der Hippie-Bewegung der 50er und 60er Jahre auch bei uns im Westen populär wurden, besitzt der Mensch außer seinem physischen (grobstofflichen) noch andere subtile (feinstoffliche) Körper, die als Medien (Übermittler und Verteiler sowie Empfängerfunktionen) für die Entwicklung des spirituellen Egos zu betrachten sind.

Diese feinstofflichen Strahlungskörper sind mit den fünf Sinnen nicht ohne weiteres wahrnehmbar und deshalb auch noch nicht wissenschaftlich nachprüfbar gewesen. Hellseher und Aurasichtige der verschiedensten Völker haben über diese Fluidalkörper des Menschen und ihre Tätigkeiten schon von jeher übereinstimmende und merkwürdig ähnliche Erfahrungen gemacht. Zufall? Massenhysterie?

Durch den Umgang mit Heilsteinen erschließen sich die Energieflüsse und Strahlungsqualitäten dieser Körper auch dem Nicht-Aurasichtigen oft erstaunlich schnell. Energieflüsse oder Staus werden als Farbe, Druckabfall beim Abtasten der Aura oder als Wärmegefühl unter Zuhilfenahme einer großen (über 100 g schweren) Bergkristallspitze, in der rechten oder linken Hand gehalten, oder mit dem Pendel (Messing, Kupfer, Mineralspitze) sowohl vom Behandler als auch vom Behandelten schon nach wenig Ubungszeit wahrgenommen.

Am verbreitetsten in der Literatur und auf Seminaren und Workshops ist die Lehre von sieben existierenden Schwingungskörpern. Es gibt auch andere Lehren, die mit 8 oder 10 oder mehr menschlichen Energiekörpern operieren. Um Verwirrungen vorzubeugen, halte ich mich an die sich hier eingebürgerte Lehre von den 7 Schwingungskörpern.

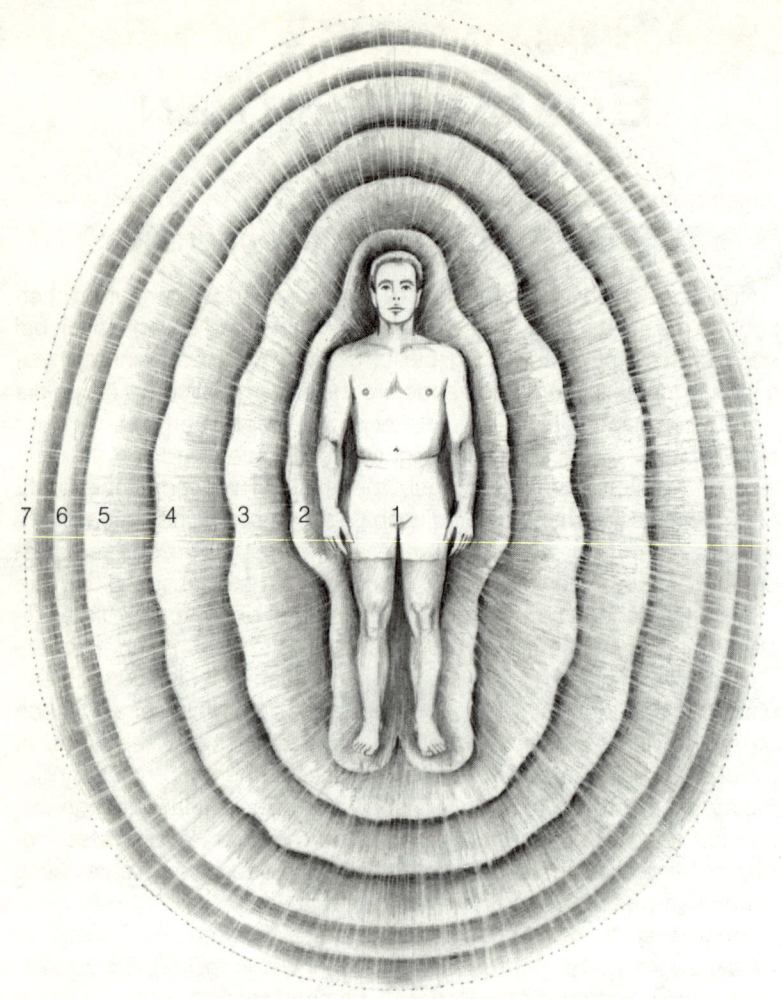

Von niedrigsten und stofflichsten Körper bis zur höchsten feinstofflichen Struktur

1. Der physische Körper
2. Der Ätherkörper
3. Der Astralkörper
4. Der Mentalkörper
5. Der Kausalkörper
6. Höheres Selbst
7. Der unsterbliche Geist – Sein

Abbildung 8: Die sieben Körper des Menschen.

Vom niedrigsten und stofflichsten Körper bis zur höchsten feinstofflichen Struktur

1. Der physische Körper: Er stellt all das dar, was wir sehen und fühlen können, und ist der Erde unterstellt. Im Indischen heißt er auch Stula Sharira, der zusammen mit Linga Sharira, dem Nervenkörper, der dem Mond unterstellt ist, den Körper bildet.

2. Der Ätherkörper: Er heißt auch Od- oder Pranakörper des Menschen und ist ebenso ein mit Sinnen ausgestatteter Organismus wie der grobstoffliche Körper, nur eben von viel feinstofflicherer Natur (indisch: Prana Sharira). Er ist der Sonne (Prana, Lebenskraft) analog.

3. Der Astralkörper: Er heißt auch Emotional- oder Begierdenkörper, da er der Sitz der Triebe, Leidenschaften und Begierden des Menschen ist. Farbschwingungen dieser Aura lassen Rückschlüsse auf die Triebstruktur und Entwicklung des Individuums zu. (Merke: Die Gefühle sitzen außen, um den physischen Körper herum). Indisch: Kama Rupa, umfaßt die Marskräfte.

4. Der Mentalkörper: Er nährt und unterhält die Gedankenwelt. Es werden oft ein sogenannter niederer Mentalkörper (Kama Manas, Merkurkräfte) und ein höherer Mentalkörper (Arupa, Venuskräfte) unterschieden. Arupa enthält die Bewußtseinsinhalte der hinter uns liegenden Inkarnationskette, Kama Manas umfaßt nur die Erfahrungen des einen Lebens, sozusagen die Summe der Lebenserfahrungen einer Inkarnation.

5. Der Kausalkörper: Er heißt auch Seelenkörper: das unvergängliche Ich des Menschen, das sich nach dem Reinkarnationsgesetz immer wieder einkörpert. Er zeigt das eigentliche, wahre Verlangen, und in ihm manifestieren sich Saturnkräfte.

6. Höheres Selbst: Es heißt auch Sonnenengel oder Ego. Hier ist der Wirkungsbereich des Göttlichen, der Sitz des himmlischen Körpers.

7. Der unsterbliche Geist – Sein: Er ist Träger des eigentlichen göttlichen Ich-Bewußtseins, er ist Sitz des ketherischen Körpers, also die Einstrahlung der universellen Weltseele (Buddhi). Er vermittelt den direkten Kontakt mit dem göttlichen Prinzip der Erde und ist die höchste erreichbare Entwicklungsstufe des menschlichen Egos. Die Buddhi-Ebene umfaßt Jupiterkräfte.

Nach dieser Einteilung in sieben Körper des Menschen besteht also unsere Aura aus einem sichtbaren, drei feinstofflichen und drei geistigen Körpern.

sichtbar:	physischer Körper (Gesundheit)
feinstofflich:	Ätherkörper (Vitalität, Lebenskraft)
	Astralkörper (Empfindungen, Gefühlswelt)
	Mentalkörper (Gedankenwelt)
geistig:	Kausalkörper (eigentliches Verlangen)
	Höheres Selbst (Wirkungsbereich des Göttlichen)
	der unsterbliche Geist (Sein)

Sämtliche Körper durchdringen sich, sitzen also nicht wie eine Käseglocke über uns gestülpt über dem Körper, sondern in jeder Körperzelle und auch außerhalb des Körpers, in unserer Aura, ist immer gleichzeitig jeweils ein Anteil zusammen mit allen anderen vorhanden. Natürlich kann dabei ein Lichtkörperanteil zeitweise überwiegen – oder auch fehlen.

Sämtliche Körper sind Bestandteile des gesamten Weltgeschehens, sind Teile der Sonnenaura, der Erdaura und der gesamten Menschheit, die natürlich auch alle Äther-, Mental- und Astralkörper besitzen. Dadurch sind wir wohl oder übel in den allgemeinen Entwicklungsprozeß des Weltgeschehens eingespannt, und deshalb ist eine Aktivierung und Harmonisierung dieser Körper so eminent wichtig.

Die sieben Hauptchakren

Wie werden nun diese Energiekörper untereinander abgestimmt, wie korrespondieren sie untereinander, wie nehmen sie die feinstofflichen Qualitäten, die sie benötigen, auf?

Jeder Energiekörper besitzt ein Tor für den Zustrom von Energie und Leben. Von Hellsichtigen werden diese Tore als wirbelnde Räder, entweder flach drehend wie eine Untertasse, oder wie ein »tiefer Trichter im Wasserstrudel drehend«, beschrieben. »Rad« heißt im Indischen Chakra, und sie werden als Räder des Lichtes beschrieben, weil jedes dieser Energieräder eine andere Farbe hat. Die Farben jedes Chakras sind nicht nur unterschiedlich, sondern sie können auch – je nach Stimmung – wechseln.

Jedes Chakra ist also ein Energietor für »seinen« Energiekörper, mit dem Lebensenergie (Prana) aufgenommen wird und an die Drüsen im Einflußbereich des jeweiligen Energiekörpers weitergeleitet wird. Die Drüsen geben wiederum diese bestimmte, von den Chakren aufgenommene Energiequalität an die umliegenden Organe weiter. So kann man über die Pflege der Chakren die Drüsen reinigen und die Organe gesund halten. Von zentraler Bedeutung für die Gesundheit sind die fein-stofflichen Energien des Ätherkörpers und des Astralkörpers.

Im Ätherkörper finden sich oft die Wunden der Vergangenheit, die als gesundheitsschwächende Muster in den Ätherkörper übergehen. Keine Sorge, es gibt unendlich viele Heilsteine, die gerade diesen Körper kräftigen und beleben, der als Träger und Übermittler der göttlichen Lebensenergie (Prana) so bedeutsam ist.

Im Astralkörper werden alle Energien zentriert, gesammelt und um-verteilt. Assimilationsschwierigkeiten beziehungsweise mangelnde Auf-nahme oder Energieblockaden in diesem feinstofflichen Zentrum wirken sich daher naturgemäß auf die Tätigkeit aller Energiekörper, ihrer Cha-kren und aller Drüsen und Organe aus.

Alle Chakren liegen im Ätherkörper – und nicht im physischen Körper, sie sind aber die Tore für den Zustrom von Energie und Leben in den dichten physischen Körper. Die Lage der Chakren im Verhältnis zum physischen Körper sind in der nachstehenden Tabelle dargestellt.

Lage der Chakren

Chakra-Bezeichnung	Lage des Chakras	Öffnung nach
1. Basis- (Wurzel-/ Muladhara)	zwischen Kreuzbein und Steißbein (Damm)	unten (Erdenergien)
2. Kreuzbein- (Sakral-/ Svadisthana)	zwischen 5. Lendenwirbel und Kreuzbein	vorn
3. Solarplexus- (Manipura)	zwischen 12. Brust- und 1. Lendenwirbel	vorn
4. Herz- (Anahata)	zwischen dem 4. und 5. Brustwirbel	vorn
5. Kehl- (Hals-/ Vishuddha)	zwischen 7. Hals- und 1. Brustwirbel	vorn
6. Stirn- (Drittes Auge/ Ajna)	Stirnmitte zwischen Augen-brauen und Haaransatz	vorn
7. Scheitel- (Kronen-/ Kopf-/Sahasrara)	auf der Scheitelmitte, etwa in Höhe der Fontanelle	oben

Chakra	Endokrine Drüse
Scheitel	Epiphyse
Ajna	Hypophyse
Kehle	Schilddrüse
Herz	Thymus
Solarplexus	Pankreas
Kreuz-bein	Keim-drüsen
Basis	Nebennieren

Lage der Chakren: Sie liegen im Ätherkörper entlang einer Zentralachse, die parallel zur Wirbelsäule des physischen Körpers verläuft.
Energiefluß: Generell aufwärts gerichtet, also von unten nach oben.

Abbildung 9: Die sieben Hauptchakren.

Merke: Alle Chakren wirken als Empfänger, Umwandler und Leiter von Energie. Sie sind Sammel- und Aufnahmestellen für die in der Atmosphäre enthaltene Lebenskraft, die von der näheren Umgebung, den Planeten oder der Sonne herrühren kann. Da die Atmosphäre die Chakren beeinflußt, spielt sie eine bedeutende Rolle für die Gesundheit. Heilsteine können zum Beispiel eine feindliche oder statische Atmosphäre verbessern. Gemäß dem Analogiegesetz wirken sich natürlich auch alle den Planeten oder der Sonne im Energiegehalt analogen Steine auf die Energieantennenfunktion aus (Chakren werden durch Energieantennen gespeist, die sich öffnen oder zurückziehen können).

In einer feindlichen Umgebung bleiben die Antennen natürlich eingezogen – und die zur Erhaltung der Gesundheit notwendige feinstoffliche Energie kann nicht aufgenommen werden. Es gelangt zwar nichts Negatives hinein, aber auch sonst nichts – gar nichts.

Zum tieferen Verständnis des Wesens der Chakrentherapie (und des Unwesens, das mit ihr getrieben wird) bin ich so tief und gründlich in dieses Thema eingestiegen. Sie verstehen jetzt sicher, daß »auf Teufel komm raus« Chakren zu öffnen und zwanghaftes Energieumverteilen gar nichts bringt. Die miserablen Ergebnisse verleiden auch dem Robustesten jeden Spaß am Experimentieren mit Heilsteinen.

Vorsicht auch vor Gruppenzwang (oft subtil) in Workshops. Was Sie nicht mögen, das machen Sie auch nicht, schon gar nicht bei anderen, auch nicht »nur so aus Jux, gucken, wie es wirkt«, oder ähnliches.

Die sieben Hauptchakren

Chakra	Endokrine Drüse	Zugehörige Bereiche
Scheitel	Epiphyse	Großhirn, rechtes Auge
Ajna	Hypophyse	Kleinhirn, linkes Auge, Ohren, Nase, Teil des Nervensystems
Kehle	Schilddrüse	Rachen, Stimmbänder, Luft- und Speisewege, oberer Brustkorb, Arme
Herz	Thymus	Herz, Vagus, Blutkreislauf, untere Lunge
Solarplexus	Pankreas	Magen, Leber, Milz, Gallenblase, Teil des Nervensystems (Prana), Eingeweide
Kreuzbein	Keimdrüsen	Fortpflanzungsorgane, Beine
Basis	Nebennieren	Nieren, Blase, Wirbelsäulenleiden, Teil des NS (Vagus, zusammen mit Herzchakra)

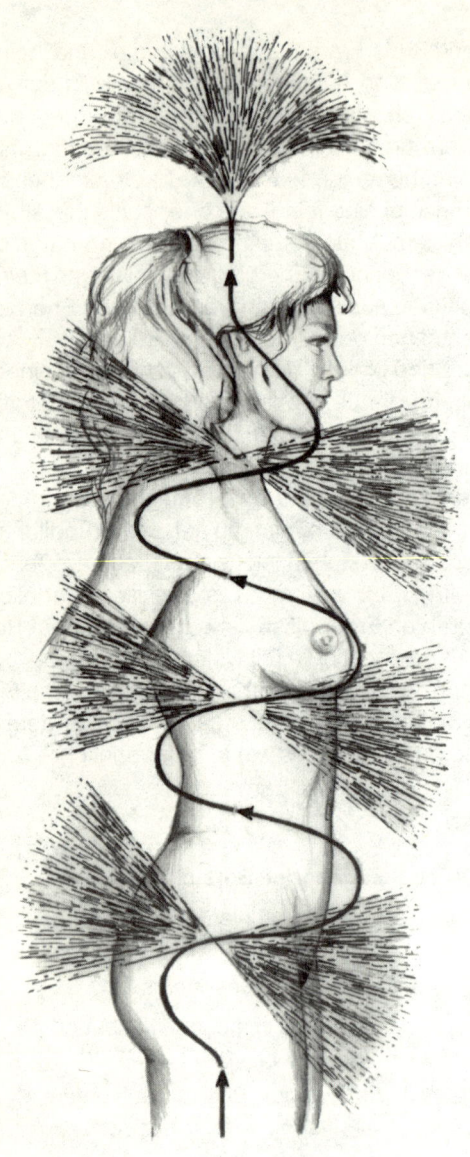

7. Chakra
(Energieabgabe)

5. Chakra
(Energieabgabe)

3. Chakra
(Energieabgabe)

1. Chakra
(Energieabgabe)

| Rücken (WS): Yang (Wille) | Energie | Bauchseite: Yin (Gefühl) | Energieabgabe nach vorne und hinten |

Abbildung 10: Der aufwärts gerichtete Energiefluß in den Chakren (nach R.L. Bruyere »Chakren – Räder des Lichts«.

Und das Ganze noch einmal in der Übersicht

Chakra	Qualität	endokrine Drüse	Organe und Körperbereiche
1. Basis	Selbstbehauptung, (Über-) Lebenswille	Nebennieren	Nieren, Blase, Wirbelsäule
2. Sakral	physische Gestalt, Selbstverewigung	Keimdrüsen	Fortpflanzungsorgane, Beine
3. Solarplexus	vitales Leben des materiellen Universums	Pankreas	Milz, Magen, Leber, Gallenblase
4. Herz	Lebenskräfte, Blut, Zellen, Thymus	Thymusdrüse	Herz, untere Lunge, Blutstrom
5. Kehl	Selbstäußerung, schöpferische Kraft	Schilddrüse	Kehlbereich, obere Lunge, Arme
6. Stirn	Intuition, Denkweise	Hypophyse (Hirnanhangdrüse)	unteres Hirn, linkes Auge, Nase, Wirbelsäule, Ohren, parasympathisches Nervensystem
7. Kronen	Eigenbewußtsein, Wille, Plan	Epiphyse (Zirbeldrüse)	oberes Hirn, rechtes Auge

Die Abbildung 9 auf Seite 102 gibt das tatsächliche Verhalten der Chakren und ihre Art, Energie aufzunehmen und weiterzuleiten beziehungsweise zu verteilen, nur unvollständig wieder. Man muß sich die Chakren als eine Art Pendeltür wie in den Saloons der Westernfilme vorstellen. Sie öffnen sich zwar nach unten (1. Chakra), nach vorn (2. bis 6.) oder nach oben (7. Chakra), aber auch nach hinten. Eine Seitenansicht macht dieses Phänomen deutlich (siehe Seite 104 Abbildung 10).

Energie wird grundsätzlich von unten nach oben weiterbefördert, sozusagen »an der Wirbelsäule entlang« von Chakra zu Chakra hochgezogen. Solange nicht ein Chakra massiv Energie aus dem eingetretenen Energiestrom absorbiert oder aus dem Aurafeld ableitet, verläßt die im untersten Hauptchakra aufgenommene Energie schließlich durch das Kronenchakra wieder den Körper. Als Motor der Aufnahme feinstofflicher Energien dienen in erster Linie die Erde und das Universum (Erd-»Mutter« = weiblich = yin; Kosmos = männlich = yang).

Die Polung der Chakren

Ein Chakra bezieht sich auf verschiedene Weise auf andere Chakren. Eine dieser Beziehungen ist die Polarität. Ein Chakra kann positiv oder negativ geladen sein. Die Chakren, die Energie aus der Vorder- und Rückseite des Körpers austreten lassen, werden Abgabechakren genannt: Sie sind positiv gepolt. Diejenigen, in die Energie hineinfließt, heißen Aufnahmechakren. Sie sind dem negativen Pol zuzuordnen. Jedes positive Chakra ist mit allen anderen positiven verbunden, jedes negative mit allen negativ geladenen Chakren. Beispiel: Fließt Energie ins 4. Chakra, so verbindet sie sich direkt mit der Energie des 2. und 6. Chakras. Das 2., das 4. und das 6. Chakra sind Aufnahmechakren (-), das 1., das 3., das 5. und das 7. Chakra sind Abgabechakren (+).

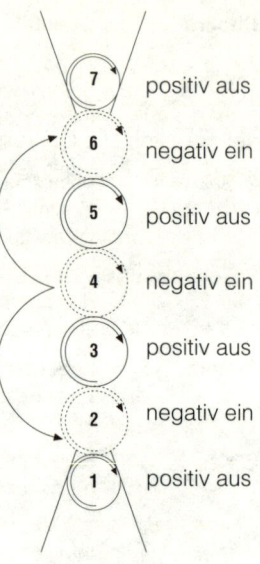

Abbildung 11: Die Polarität der Chakren
(nach R. L. Bʀᴜʏᴇʀᴇ: »Chakras, Räder des Lichtes«).

Chakren und Drehrichung bei Mann und Frau – nach E. Lᴏᴘᴇᴢ

Chakra	Thema	Frau/Spirale	Mann/Spirale
7.	höheres Bewußtsein		
6.	Intuition, Nächstenliebe	aktiv/rechts	passiv/links
5.	Ausdruck, Selbstverwirklichung	passiv/links	aktiv/rechts
4.	Liebesfähigkeit, Harmonie, Reinigung	aktiv/rechts	passiv/links
3.	Selbstwertgefühl, Umweltbewältigung	passiv/links	aktiv/rechts
2.	Beziehungen, Ausscheidungsvermögen	aktiv/rechts	passiv/links
1.	Tatkraft, Selbsterhaltung, Lebenswille	passiv/links	aktiv/rechts

Die Drehrichtung der Chakren

Von einigen Autoren (SHARAMON/BAGINSKI, LOPEZ) wird die unterschiedliche Drehrichtung der Chakren bei Mann und Frau als besonders zu berücksichtigendes Faktum bei einer Heilbehandlung (durch Töne, Düfte, Massagen und auch durch Heilsteine) dargestellt. Nach dieser Vorstellung sind die Chakren der Frau und die des Mannes genau entgegengesetzt in ihrer Drehrichtung. Das hieße praktisch, das 1., das 3. und das 5. Chakra der Frau drehen sich in einer Linksspirale, also gegen den Uhrzeigersinn, das 2., das 4. und das 6. Chakra dagegen in einer Rechtsspirale. Beim Mann soll es genau entgegengesetzt sein: Das 1., das 3. und das 5. Chakra drehen sich im Uhrzeigersinn, das 2., das 4. und das 6. in einer Linksspirale.

Diese Tatsachen habe ich bei Heilbehandlungen nie (bewußt) berücksichtigt, es kann aber bei Ihren Versuchen von Bedeutung sein, auf dieses Phänomen zu achten, denn es akzentuiert die Auslegung »typisch männlicher« und »typisch weiblicher« Verhaltensanlagen und Muster. Etwas verwirrend ist die Aussage, die Rechtsspirale sei »aktiv«, die Linksspirale »passiv«, weil sich das mit den üblichen Polungsbezeichnungen (siehe oben) überschneidet. Grundsätzlich bedeutet jede Energieabgabe aktiv, positiv und aus, jede Energieaufnahme passiv, negativ und ein, unabhängig vom Geschlecht der Person.

Einteilung der Lichtkörper (und Heilsteine) – nach J. A. Dow

Körper	Heilsteine
Physischer Körper	Amazonit, Heliotrop, Chalzodon (blau), Boji, Karneol, Chrysokoll, Krokoit, Granat, Howlith, Jaspis, Lingam, Malachit, Obsidian, Onyx, Olivin, Rhodonit, Rauchquarz, Schwefel, Sonnenstein, Türkis, Variszit
Gefühlskörper	Aventurin, Chalkanthit, Charoit, Citrin, Gem Silica, Larimar, Lepidolith, Tafelrubin, Rosenquarz, Sodalith, Pietersit
Mentalkörper	Amethyst, Azurit, Chrysopras, Halit, Hämatit, Lapislazuli, Mondstein, Opal, Selenit, Smithsonit
Geistkörper	Apophyllit, Coelestin, Dioptas, Herkimer, Phenakit, Rhodochrosit, Skolecit, Tansanit

Die wichtigsten Nebenchakren

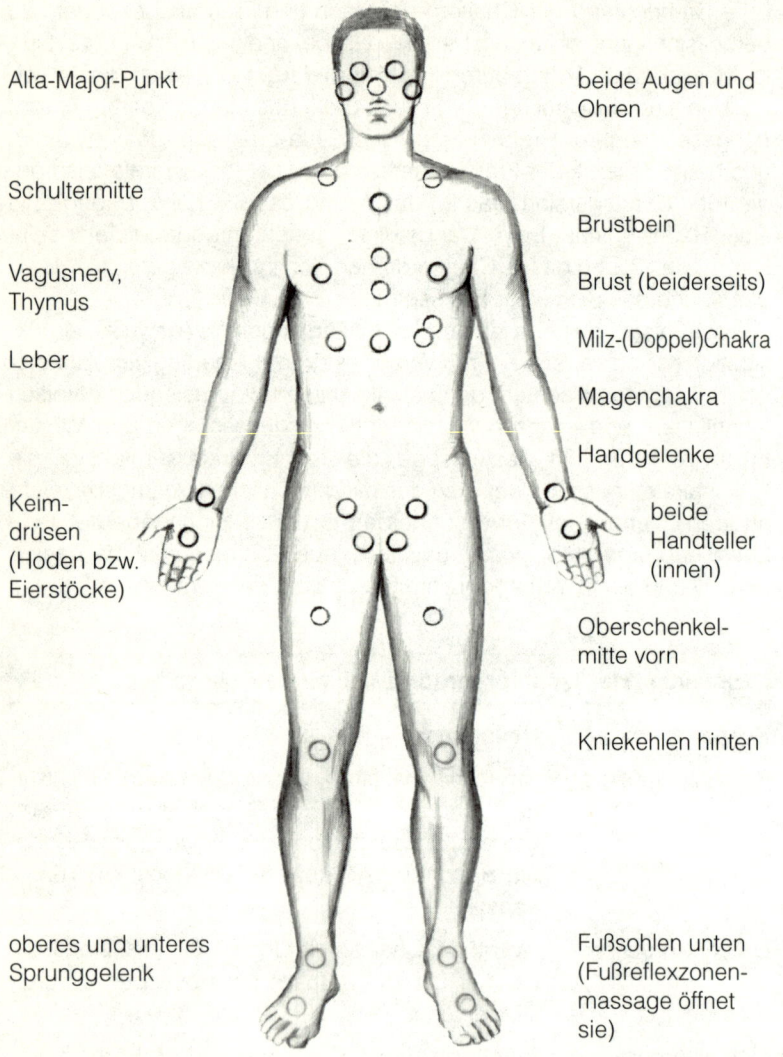

Alta-Major-Punkt

Schultermitte

Vagusnerv,
Thymus

Leber

Keim-
drüsen
(Hoden bzw.
Eierstöcke)

oberes und unteres
Sprunggelenk

beide Augen und
Ohren

Brustbein

Brust (beiderseits)

Milz-(Doppel)Chakra

Magenchakra

Handgelenke

beide
Handteller
(innen)

Oberschenkel-
mitte vorn

Kniekehlen hinten

Fußsohlen unten
(Fußreflexzonen-
massage öffnet
sie)

Abbildung 12: Die wichtigsten Nebenchakren.

Wenn Sie also in Büchern oder Seminaren mit Chakrenpolungen- und Drehrichtungen konfrontiert werden: Es ist zunächst bei Steinbehandlungen ohne Belang. Sich damit intensiv zu beschäftigen und verwirren zu lassen bringt nichts.

Wer jetzt ein bißchen abgeschreckt und entmutigt ist von der Vielzahl der Hauptchakren, ihrer Bedeutung, Drehrichtung und Polung – nicht verzagen, es gibt ja noch JANE ANN DOW! Diese phantastische Edelsteintherapeutin nennt die Chakren »Energiezentren«. Die Energiezentren korrespondieren 1. mit dem physischen Körper und 2. mit drei weiteren Körpern (Gefühls-, Mental-, und Geistkörper), so daß sich die Zahl der zu berücksichtigenden Körper auf vier reduziert.

Ihre Heilsteine ordnet sie jeweils einem dieser Körper – unabhängig von der Farbe der Steine und dem überlieferten, traditionellen Wissen – aufgrund ihrer langjährigen Erfahrungen sehr treffsicher und heilwirksam zu. Für Einsteiger ohne Vorbelastungen in Geschichte, Religion, Mystik und Esoterik, Chemie, Physik und Geologie ist ihr Buch (siehe Literaturverzeichnis) eine wahre Fundgrube. Richtig erschließen wird es sich allerdings erst dem Könner. Als Vorgeschmack: siehe Tabelle auf Seite 107.

Andere Steine werden als Szenario-(Indikator-)Steine oder als Helfer zusätzlich von J. A. Dow eingesetzt, und das alles unabhängig von ihrer Farbe oder Gebundenheit an die Nähe von Haupt- oder Nebenchakren. Das System funktioniert bestens, ist aber Traditionalisten zu revolutionär, weil zu einfach. Tolle Resultate ohne »OM«, Fasten, Guru und Dutzende von Eso-Seminar-Nachweisbestätigungen (zum Horrorpreis) im Sack – das kann doch nicht wahr sein.

Die wichtigsten Nebenchakren

Unsere sieben Hauptchakren fungieren zwar als Assimilatoren und Verteiler der Lebensenergie, zur weiteren, feineren und spezielleren Verteilung der Energieströme benötigt der Mensch aber noch eine große Anzahl weiterer Chakren, die sogenannten Neben- oder Unterchakren. Die Angaben schwanken von etlichen Tausend bis zu hauptsächlich 49 Nebenchakren, von denen wiederum 21 eine besonders wichtige Bedeutung haben.

Außerhalb des grobstofflichen Körpers haben die Außenchakren über wichtigen Energieknotenpunkten wie Ohren, Schultern, Brust, Taille, Hüftgelenk, Oberschenkelmitte, Kniegelenk (innen und außen), Waden, Fußgelenk ihren Sitz. Enorm wichtig ist dabei der Kopfbereich (Neutrinobahnen; ca. eine Handbreit neben beiden Ohren, bei Schulterschmerz und Migräne sowie Neuralgien immer gut mit Schutzsteinen belegen).

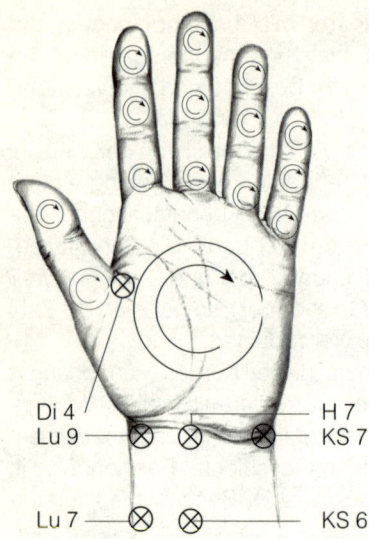

Chakra-Drehrichtung

Di   *Dickdarm-Meridian*

Di4 wird akupunktiert auf dem Handrücken

H   *Herz-Meridian*

H7 liegt auf der Handgelenksquerfalte, außen

KS *Kreislauf-Sexus-Meridian* (Meister des Pericards: Pe)

KS7 liegt mitten auf der Handgelenksquerfalte

KS6 liegt 2 cun* oberhalb (proximal) der Handgelenksquerfalte, mittig beziehungsweise 2 cun proximal von KS7

Lu *Lungen-Meridian*

Lu9 liegt auf der Handgelenksquerfalte innen (daumenwärts)

Lu7 liegt 2 cun* oberhalb (proximal) von Lu9

⊗ Meridianpunkt

Ⓒ Nebenchakra, mit Drehrichtungsangabe

*cun = chinesische Maßeinheit: die Breite des Daumens in Höhe des Daumenendgelenks entspricht 1 cun

Abbildung 13: Die Handnebenchakren mit Meridianpunkten. Aufsicht auf die Hand- und Unterarminnenseite.

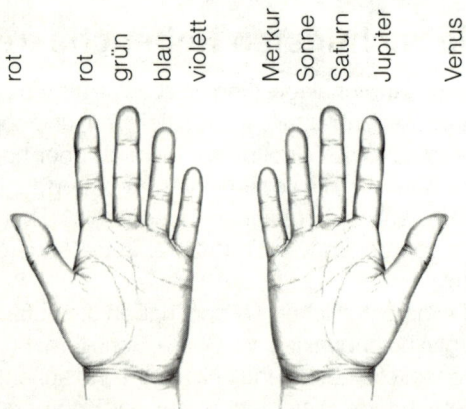

Abbildung 14: Farben, die von den einzelnen Fingern ausgehen, sowie planetarische Zuordnung.

Das Handnebenchakra

Hände erfüllen nicht nur eine bestimmte physische Funktion, sondern sie sind unser Ausdrucksmittel für unsere Ideen (Briefe schreiben, Baupläne entwerfen, Töpfern, Nähen, Gestalten aller Art), Gefühlsübermittler (sie können schlagen, aber auch streicheln) und Ausführende der Ziele und Pläne der höheren feinstofflichen Körper. Die opportune Daumenstellung unterscheidet uns vom Affen, der außerordentliche Nerven-, Temperaturmeßpunkt- und Gelenkreichtum der Hand und ihrer Finger, die Endpunkte vieler Meridiane machen die Hände zu einem der kompliziertesten Energieabstrahler, Übermittler (zum Beispiel Heilung durch Handauflegen) und Empfänger (Gebetspose der ägyptischen Sonnenpriester!). Daher ist es nicht verwunderlich, daß die Handaura nicht einheitlich gefärbt ist, sondern jeder Finger, je nach korrespondierenden planetarischen und meridianen Energiequalitäten, eine andere Aurafarbe hat.

Die Beliebtheit von Handschmeichlersteinen oder Daumensteinen erklärt sich zum Teil mit den in diesem Abschnitt dargestellten Zusammenhängen. Es ist keinesfalls eine Verlegenheitsgeste, den Heilstein »einfach nur so« in der Hand zu halten, sondern gerade dieses einfache (zu einfache?) Verfahren gibt bei neuen, unbekannten Steinen und Heilsteinenergien einen untrüglichen ersten Eindruck über die Steinqualitäten.

Hält man den Stein länger in der geschlossenen Hand, wird er oft warm oder heiß, das heißt, er tauscht seine Energien mit dem Aurafeld des Benutzers aus. Er kann so »seine« Energie einspeisen oder Negativenergie absaugen – auch dann erwärmt er sich.

Durch Punktieren der Meridianpunkte mit bestimmten Ausgleichssteinen an der Hand lassen sich Organfunktionen beeinflussen. Es sind auch Handreflex- oder Fußreflexzonenbehandlungen mit geeigneten (Kristall-)Einendern möglich. Zur Konzentration bei der Meditation oder zur Erdung während Steinbehandlungen kann man ebenfalls gut Steine in jeder Hand halten.

Energie läßt sich mit Bergkristallspitzen (Spitze zum Körper richten), die in der Hand (besonders linke Hand) gehalten werden, einspeisen. Negativenergie und Gifte lassen sich durch Halten von Magnesithandschmeichlern, je in einer Hand ein großer Stein, aus dem Körper herausziehen.

Einen Stein lernt man am besten kennen, wenn man ihn mit geschlossenen Augen unter mehreren auswählt und ihn genau mit den Fingerspitzen (hier schießt die Energie, die wir aus Kirlianfotografien kennen,

über die grobstofflichen Fingerkuppen hinaus und kontaktiert die Steinaura) abtasten.

Nutzen Sie bei der Eigenbehandlung deshalb nicht nur die mageren
sieben Hauptchakrapunkte als Auflagefläche, sondern kosten und genießen Sie das Riesenangebot der vielzähligen anderen Auflagepunk-
te, besonders der Hände, aus. Bedenken Sie auch: Man muß nicht mit
Kanonen auf Spatzen schießen, sondern eine Umverteilung von Energie in nur einem relativ kleinen Teilgebiet des Körpers (oft reichen schon
ein, zwei Steinchen) lösen Ihr Problem vielleicht schneller und folgenlo-
ser als massive Eingriffe, indem Sie wahllos Steine auf den Körper legen. Ein Energiestau suggeriert oft einen Mangel, und man ist geneigt,
diesen massiv zu bekämpfen – das setzt häufig enorme Fehlverteilun-
gen in Gang, die so ohne weiteres auf die Schnelle nicht wieder zu
besänftigen sind.

Steinzuordnungen zu den sieben
Hauptchakren

Traditionell empirisch gefunden gibt es für die sieben Hauptchakren
bestimmte Farbzuordnungen. Ihnen liegt folgende Idee zugrunde: Die
Schwingung eines jeden Energiekörpers korrespondiert beziehungsweise entspricht überwiegend jeweils einer Frequenz, die das menschliche Auge als eine bestimmte Farbe (Energiequalität) sehen kann.

Aus der Farb- und Wellenlängentabelle auf Seite 32 wissen wir ja bereits, daß der relativ langweilige, aber niedrige Energiegehalt von ca.
640 – 1 100 nm der Farbe »Rot« entspricht. Rot hat von allen Farben
den dichtesten, »stofflichsten« Informationsgehalt, und es ist gut nachvollziehbar, daß eine träge, großzügige Rotschwingung vom untersten
Energiekörper durch das Wurzelchakra (Verwurzelung mit der Erde, Erdung, Erdenergie, physische Verkörperung und so weiter) am besten
als Lebensenergie assimiliert werden kann. Die Farbe »Rot« nährt und
erhält also diesen Körper am besten.

Folglich sind die energetisch hochwertigeren, kurzwelligeren Frequenzen der Farben »Blau«, »Indigo« und »Violett« (390 – 470 nm) sozusagen die sichtbare Nahrung und Schwingungsentsprechungen für den 5.,
6. und 7. Energiekörper. Diese Schwingung ist die Lebensenergiequali-
tät, die wir für intellektuelle, mentale oder spirituelle Arbeiten benötigen.

Heilsteine sind auch nur Schwingungsstrukturen mit einem bestimmten Informationsgehalt (sozusagen ein Päckchen ansonsten nicht greif-
barer Energie zum Anfassen und Auflegen). Daher gilt nach dem Ana-

logiegesetz: Der Stein, der farblich mit der Chakrafarbe identisch ist, ist der richtige (gleiche Steinfarbe bedeutet gleicher Energiegehalt im Ätherkörper). Aus dieser Sicht ergeben sich die nebenstehenden Zuordnungen.

Wie erwähnt, handelt es sich um traditionelle Zuordnungen. Wir können, dürfen und brauchen sie nicht einfach unreflektiert übernehmen, da sie dem Erfahrungsschatz früherer, bereits längst vergangener Menschheitsepochen (Äonen) entsprungen sind. Jedes herrschende Äon dauert ca. 2 160 Jahre und entspricht einem Entwicklungszeitalter für die gesamte Menschheit. Es prägt die in seiner Zeit lebenden Völker, und jedes Äon gibt den Menschen, die in dieser Epoche leben, seine Programme und spirituellen Entwicklungsziele vor.

Bekanntlich leben wir heute in einer Übergangsphase zwischen dem bereits abgelaufenen Fische-Zeitalter und dem sogenannten Wassermann-Zeitalter, dessen neue, andere Lernziele und Programme für die Menschheit bereits ihre Schatten vorauswerfen. Die Überschneidungsphase zwischen zwei Äonen beträgt ca. 200 Jahre, erst nach dieser Übergangsphase (das wäre nach 2 100 n. Chr.) ist nicht mehr mit den Nachklängen des Fische-Äons zu rechnen.

Die Ideale des Fische-Zeitalters, wie Nächstenliebe und Barmherzigkeit, klingen also noch nach. Das Lernziel des Wassermann-Äons, wie geistige Hochpolung des Menschen, die Unabhängigkeitsbestrebungen vieler Völker und Nationen, der Untergang der Kirche in ihrer jetzigen Form, das Hinwenden der Menschheit zu den Gesetzen von Karma und Reinkarnation zeichnen sich immer mehr ab und sind Hinweise auf das neue, auf uns zukommende Zeitalter.

Für Ihren persönlichen Umgang mit Heilsteinen können Sie aus diesem kleinen Schnelldurchgang durch die Jahrtausende folgende Schlüsse ziehen: Was Sie in alten persischen, ägyptischen, chaldäischen und indischen Schriften über Heilsteinanwendungen lesen, entspricht dem maximal möglichen Erfahrungswissen dieser vergangenen Kultur. Man kann sich davon respektvoll inspirieren lassen, aber es ist nicht mehr »up to date«. Sie müssen nicht Sklave einer uralten Vorschrift sein und Steine nur wie ein alter Ägypter verwenden dürfen, im Gegenteil, Sie dürfen, geprägt von dem Äon, in dem Sie leben, Ihre eigenen Programme entwickeln und Bewährtes, aber eben für unsereinen nicht mehr Zeitgemäßes, mit Wassermann-»Spirit« weiterentwickeln und pflegen.

Genau deshalb stellte ich Ihnen bereits den neuen Steintherapieweg von J. A. Dow vor. Auch Michael Gienger (siehe Literaturverzeichnis), der geradezu allergisch auf das Thema »Chakren« reagiert und das Farbdogma als »die Chakren-Story« öffentlich schmäht, ermuntert zur Lösung

Traditionelle Zuordnungen von Chakren, Farben und Steinen

Chakra	Farbe	Steine
1. Wurzel-	rot, schwarz	Rubin, Onyx, Granat, Hämatit, Koralle
2. Sakral-	orange	Karneol, Silex, Feueropal, Realgar
3. Solarplexus-	gelb, golden	Citrin, Pyrit, Bernstein, Tigerauge
4. Herz-	grün, rosa	Turmalin, Rosenquarz, Aventurin, Kunzit
5. Kehl-	hellblau	Aquamarin, Indigolith, Chalzedon
6. Stirn-	dunkelblau, lila	Lapislazuli, Saphir, Sodalith, Azurit
7. Kronen-	violett, glasklar	Diamant, Sugilith, Bergkristall, Fluorit, Coelestin, Amethyst, Selenit

Die Äone im Lauf der Weltgeschichte

Zeitalter/Äon	Jahre	»Zeitzeichen«
Zwillinge	- 6 690 bis - 4 530	
Stier	- 4 530 bis - 2 370	die Perser bekränzten Apis, den Stier; Mithraskult
Widder	- 2370 bis - 210	die Juden hatten das Opferlamm (Widder) und Rauchopfer (Widderelement: Feuer)
Fische	- 210 bis 1950	Jesus wurde nicht in der Übergangsphase geboren, sondern im »reinen« Äon: Fisch war das Erkennungszeichen der Christen, Element Wasser: Taufe
Wassermann	1950 bis 4110	neue Ziele und Ideale: Unabhängigkeitsbestrebungen

von dieser Farbeinteilerei, steht aber (leider) noch auf einsamen Posten damit. Man hält eben gern am Bewährten fest (die Erde ist eine Scheibe, sie ist das Zentrum, um das sich alle Planeten drehen; Bakterien sind Aberglaube und so weiter), weil altes Wissen abzuschreiben lukrativer ist als selbst zu experimentieren.

Zur Inspiration und als Aufhängepunkt für eigene Experimente stelle ich Ihnen im folgenden gern noch einige Zuordnungen vor. Soweit die Steine für mich zugänglich waren, habe ich alles durchgetestet, gesund und krank, und kann diese Einteilungen nur empfehlen.

Meine Steinzuordnung

Physischer und Ätherkörper

Über die Kirlianfotografie kann man die Ausstrahlung des Ätherkörpers sichtbar machen. Er durchdringt und überragt den physischen Körper um etwa 1 bis 2 cm, er bildet die Blaupause, die »Matrize«, in die unser grobstofflicher Körper hineinwächst. Deshalb bilden sie eine Einheit in der Heilsteintherapie. Der Ätherkörper enthält unsere Lebenskraft und Vitalität.

Steine: *Achat;* alle Feldspate (die in diesem Buch angeführt sind); *Heliotrop;* Chalzedon; Karneol; Chrysokoll; Krokoit; *Granat;* Howlith; *Jaspis; Malachit;* Malachit-Azurit; Obsidian; *Onyx;* Peridot; Rhodonit; *Schwefel;* Rauchquarz; Türkis; Variszit; *Amazonit; Bergkristall;* Beryll; Diamant; Koralle; *Jade;* Spinell; Topas; Wasseropal; Porphyrit; Sodalith; *Chrysokoll;* die meisten Meteorite; Flint/Feuerstein; *Flußkiesel;* Herkimer-Diamant; Perle; *Magnesit;* Magnetit; *Hämatit;* Kunzit; *Rubin; Smaragd; Holz;* Elfenbein; Krokodilzahn; Aventurin; Bernstein; Feueropal; *grüner Kalzit;* Tigereisen; (rosa) Muscheln; Saphir-(Blau-)Quarz; Lapislazuli; Oolith; *Schörl; Realgar; Pyritsonne;* Chalkantit; Dolomit; Tiger-/Ochsen-/Falkenauge; Eisenkiesel.

Metalle: Bronze, Silber.

Bei allen kursiv geschriebenen Steinen ist die Wirkung besonders intensiv. Die Löschung von (alten, karmisch bedingten) Verletzungen, die Entgiftung und Einspeicherung von Lebenskraft (Prana) sind hier besonders effektiv.

Astralkörper
(Gefühls-/Emotional-/Begierdenkörper)

Der Astralkörper durchdringt den physischen und den Ätherkörper, er überragt den physischen Körper um ca. 1 bis 2 Handlängen. Unser Selbstwertgefühl, aber auch das Vermögen, harmonisch mit der Umwelt in Beziehung zu treten und »im Fluß« zu sein, werden durch diesen Schwingungskörper bestimmt.

Gefühle, Begierden, Ängste verändern seine Schwingungsfrequenz, seine Ausdehnung und seine Farbe. Dies gilt im Prinzip für alle fein-stofflichen Körper. Der Emotionalkörper ist aber bei den meisten Menschen derjenige, durch den gelebt wird und die Umwelt am unmittelbarsten erlebt werden kann. Sein Chakra, das Solarplexuschakra, ist ein wichtiges zentrales Nervengeflecht auf grobstofflicher Ebene und feinstofflich das bedeutendste Assimilations- und Integrationszentrum aller feinstofflicher Energien. Salopp gesagt, muß hier alles durch – es ist eine Zentralschaltstelle.

Steine: Alle Steine, die Sie gefühlsmäßig wählen, das heißt im Prinzip jeder Stein, der Ihnen gefällt. Je spontaner die Auswahl ist, desto öfter zeigt sich das Phänomen, daß sich der gewählte Stein binnen kürzester Zeit nach Hautkontakt erwärmt (der Stein und Ihr Emotionalkörper werden miteinander »warm«). Löschung von Fehl-(Krankheits-)Informationen und allgemeine Entgiftung sind hier möglich.

Höherer und niederer Mentalkörper
(Arupa und Kama Manas)

Der Mentalkörper durchdringt den physischen Körper, den Ätherkörper und den Astralkörper und reicht etwa je eine Armlänge nach links, rechts, oben und unten über den physischen Körper hinaus. Unsere Gedankenabläufe, unsere gesamte Gedankenprogrammierung (ob wir es pessimistisch oder generell erst einmal nur erwartungsvoll oder euphorisch angehen) beeinflussen die Schwingungsfrequenz und den Energiefluß in diesem Körper.

Wenn Sie sich über irgend etwas im Unklaren sind, negative oder unklare Gedankenabläufe Sie quälen und verwirren, helfen Mentalkörpersteine, die Struktur dieses Körpers zu harmonisieren. Das hat mit Energieblockade oder Energiemangel nichts zu tun: Das ist ein Problem des Ätherkörpers beziehungsweise mangelnde Assimilationsfähigkeit des Emotionalkörpers.

Hier wird oft von Anfängern oder sogenannten Therapeuten der größte

Fehler gemacht, weil diese Tatsachen verwechselt werden. Natürlich saugen Dauerfehlprogrammierungen des Mentalkörpers mit der Zeit die Aura energetisch aus. Man behebt aber keine Verwirrtheitszustände oder destruktive Programme, indem man ausgerechnet den Begierdenkörper energetisch hochputscht. Die meisten Menschen werden eher vom Emotionalkörper beherrscht, als daß sie ihn beherrschen. Es ist nachvollziehbar, daß starke Selbstsucht nicht gerade die Abstraktionsfähigkeiten und eine kritischere Selbstbetrachtung fördert.

Durch Energieabzug in untere Körper wird dem Mentalkörper also Substanz entzogen und die bestehenden Probleme weiter verschärft.

Steine: Amazonit; Aquamarin; Aventurin; eventuell Azurit (bei kritischen Selbstreflexionen); *Lapislazuli* (zum Auffinden hartnäckiger Muster und Ansichten); Rhodochrosit; Rosenquarz (sehr subtil); Bernstein (Resultat je nach Stimmung sehr unterschiedlich); Dolomit (sehr sanft und gnädig); Saphir (die helleren Saphire); *Citrin* (muntert gleichzeitig stark auf, gut bei »Mea-culpa«- Attacken); eventuell Rubin(säule), kein Sternrubin; grüner Jaspis (sehr neutral); *Bergkristall;* Diamant; Bernsteinkalzit (der goldgelbe).

Kausalkörper (»Schutzengel«)

Dieser feinstoffliche Körper drückt unser eigentliches Verlangen aus, das, was unsere Seele möchte, nicht unser Ich-Bewußtsein (Ego). Der Kausalkörper heißt deshalb auch Seelenkörper. Die Belange der Seele orientieren sich an anderen Zeit- und Wertmaßstäben als die, die wir in der materiellen Welt gewohnt sind. Macht und materieller Besitz interessieren den Kausalkörper nicht. Er leitet uns an, Handlungen und Prozesse einzuleiten oder weiterzuverfolgen, die die seelische Reife fördern. Er macht uns bewußt, daß wir in erster Linie spirituelle Wesen sind. Unterstützen können wir diesen Bewußtwerdungsprozeß mit folgenden **Steinen:** Bergkristall; *Amethyst; Coelestin* (der zart hellblaue und der weißlich-klare, Formel übrigens: $SrSO_4$, rhombisches Gitter, bringt also »Fluß« in den Seelenkörper); Apophyllit ($KFCa_4Si_8O_{20} \cdot 8\ H_2O$, Kristallgitter tetragonal, rührt unsere Gefühle durch seinen Wassergehalt angenehm an); Sodalith (bei nagenden Zweifeln); Lapislazuli und Azurit: beide grausam, aber ehrlich; Gem Silica (Edelstein-Chrysokoll; am besten nie allein, auf der Stirn großzügig mit Amethyst, Azurit, Sodalith etc. umlegen; Einender-Bergkristalle in die Hand nehmen, gut erden, da er das subjektive Zeitempfinden stark verzerrt); Saphir (Danke, daß es ihn gibt); Goldkalzit; eventuell blaue und blauviolette Fluorite (ist aber sehr unpersönlich und distanziert); Luvulith/Sugilith (eher die tiefvioletten,

117

edleren); Aquamarin (sehr subtil), gepaart mit Amazonit (mein Lieblings-
paar: erst reden sie gnädig »nach dem Mund« und lullen ein, dann
kriegt man sein Fett weg); Ametrin, Analcim-Katzenauge (beide viel
Zuversicht gebend); medialer Kristall.

Geistkörper (Buddhi)

Er ist Sitz eines höheren, göttlichen Bewußtseins, das dem Seelenkör-
perbewußtsein übergeordnet ist. Je nach Erleuchtungsgrad des Menschen kann er mehrere Kilometer um den physischen Körper herum
ausgebreitet sein. An ihm kann man nicht doktern, nichts löschen, nichts
reparieren: Er ist perfekt. In seine Sphäre können wir uns leichter ein-
schwingen und eine Ahnung seines Wesens und seiner Natur erha-
schen mit folgenden
Steinen: Diamant; Bergkristall; Amethyst (tieflila, gern auch die kleinen Mexiko-Spitzen, denn die Kristallspitze symbolisiert die Einheit, die
man wiedererlangen möchte nach Durchlaufen der Reinigungs- und
Reifephase der materiellen Welt: Zahl der Erde, der Materie: 6; Kristall
hat 6 Prismenflächen und eint sich in der göttlichen 7; 7 = Kronenchakra,
die anderen 6 Flächen sind die unteren, anderen 6 Chakren); klarer
Selenit (akzentuiert das mystische Erleben durch seinen Wassergehalt);
klarer, weißer Apophyllit; klarer, weißer Kalzit; Goldkalzit; Skelettquarz;
Ametrin; Analcim-Katzenauge; weißer, klarer Fluorit; Luvulith/Sugilith;
eventuell geeignet, je nach Vorhaben, können auch sein: Sodalith; Moldavit; Lapislazuli; Saphir; alle diese blauen und grünen Steine machen bei
Anfängern die wenigsten Kopfschmerzen und fallen nicht so schnell
herunter (das ist immer ein Zeichen, den Stein abzunehmen, sonst erntet
man meistens Migräne). Zu Beginn sind 5 Minuten Übungszeit
verkraftbar; bitte niemandem »Geistreisen« oder »kosmische All-Eins-
Erlebnisse« aufdrängen: Wen nur die Gesundheitspflege interessiert,
der ignoriere erst mal geflissentlich sein Kronenchakra, bis er seine Steine
besser kennt und die Energieflüsse, die beim Gebrauch entstehen (das
heißt oft: 6 Chakrasteine reichen erst einmal völlig aus).

Sugilith/Luvulith kann eine intensiv orangerosa, hell fluoreszierende
Farbempfindung während der Meditation hervorrufen. Das ist nichts
Beunruhigendes. Ich bin mir nicht sicher, ob es seine Aurafarbe ist, weil
nicht jedes Steinindividuum dieses Phänomen hervorbringt. Luvulith
bewirkt einen starken Lift-Effekt, man sieht und träumt aber – gar nichts
während und nach dem Auflegen. Wer die bunten Bildchen vermißt, ist
mit Amethyst (nur wenig »Lift« weil veralteter Fischeäon-Stein), Flores-
Amethyst, Eisen-Nickel-Meteorit oder Moldavit (»Lift« und Visionen, wenn

das nichts ist ...) gut bedient. Solche Reisen sollten Sie aber nicht spontan machen, weil man nichts davon hat, eben mal schnell Kino im Kopf zu erzeugen und dann seiner Arbeit nachzugehen oder Auto zu fahren (Unfallgefahr wegen Nachhalleffekten), ohne diese wertvollen Hinweise mehrfach auszuwerten.

Mit Akupunktursteinen den Energiefluß anregen

Sie müssen kein Akupunkturexperte sein, um einmal diese Art der energetischen Belebung auszuprobieren. Zur Orientierung reichen einige Meridiantafeln, möglichst solche, in denen die Meridiane (Energieleitsysteme) gesondert, nicht als Übersicht alle zusammen, sondern einzeln eingezeichnet sind.

Die Treffgenauigkeit »so ungefähr« mit einer Spitze eines beliebigen, unten aufgeführten Steines, reicht, weil die Steinaura, also sein Wirkungskreis, über die grobstoffliche Begrenzung hinausgeht. Oft werden auch speziell geschliffene, gut in der Hand liegende sogenannte »Akupunktursteine« angeboten. Sollte der Stein Ihrer Wahl nicht als makrokristallines Mineral (sprich: Einender oder Doppelender) vorkommen, können Sie sich einige Akupunktursteine zulegen und sie vor der Benutzung, wie alle Steine, vom Schleif-, Bergungs-, Laagerungs-, Verkaufs- und Transporttrauma befreien, danach wie üblich in Salz und Wasser reinigen und besonders ans Aufladen mit Licht (siehe Seite 18 »Welcher Stein braucht welches Licht?«) denken. Ich finde gewachsene Einender am besten.

Akupunktur ist eine der intensivsten und am schnellsten wirkenden Heilmethoden. Steine ohne genug Lichtvorrat, das heißt zur Verfügung stehenden Ladungseinheiten, die an diesen hochsensiblen Punkten besonders gut ins körperliche Energiegefüge eintreten, werden schlechte Resultate bringen.

Zur Behandlung halten Sie den Stein links oder rechts in der Hand und massieren damit den betreffenden Akupunkturpunkt zart in Rechts- oder Linkskreisen wenige Minuten lang. Eine tägliche Wiederholung ist sinnvoll. Nach Abklingen der Beschwerden können Sie auch systemübergreifend oder allgemein kräftigend/sedierend etc. weiterbehandeln, damit der Energiefluß dauerhafter korrigiert wird und es auch bleibt.

Steine: Amethyst, Aquamarin, Aventurin, Bergkristall, Karneol, Granat, Rubin, Jade, Alabaster, Magnetit, Padparadscha, Turmalin, Topas zur allgemeinen Schwingungsanhebung; angeblich auch gut nach Krebs: Sugilith/Luvulith.

Amethyst ist sehr gut, weil er wie kein anderer Läuterungseffekte zeigt und Fremdschwingungen in sich einsaugt. Hier ist ein schöner dunkler Naturender (Alpen, Madagaskar, Australien, Siebenbürgen, Mexiko) ratsam.

Diese Steine stärken die Lebenskraft

Eigentlich tun sie das alle, besonders vitalisierend wirken jedoch folgende:

Smaragd: Seine durchdringende grüne Schwingung ist ein Heiler ersten Ranges. Kugelketten sollte man täglich reinigen und über viele Monate tragen, weil dieser Stein jede verdichtete oder irritierende Schwingung korrigiert, fehlende Schwingungen ersetzt und alle vorhandenen harmonisiert. Er war bei den alten Inkas nicht umsonst so hochgeachtet. Vom Leben und Sterben (denken Sie an die Menschenopfer) haben die etwas verstanden ...

Aventurin: Er wirkt heilend und hebt die Organschwingung jedes funktionell gestörten oder geschwächten Organs an. Bei Allergien vorbeugend auf den Körper auflegen, zur Gesundheitserhaltung *der* Stein.

Bergkristall: Er läßt mehr Prana in Ihre Aura einfließen. Legen Sie einfach je einen Trommelstein auf alle Chakren, oder tragen Sie viele Ketten, oder legen Sie sich ein paar Wochen zum Nachmittagsschläfchen in einen Kreis von Bergkristallrohbrocken, oder bestücken Sie das Wohnzimmer mit Stufen und Drusen.

Karneol: Karneol ist besonders gut nach auslaugenden, zehrenden und Blutverluste mit sich bringenden Erkrankungen, Organentfernungen oder Teilamputationen (Darm, Magen, Gebärmutter). Baut sehr zart, aber beharrlich auf. Da er kreative Energien im Körper aktiviert, unterstützt er speziell bei diesen kritischen Situationen, die ja oft erhebliche Nahrungsumstellungen, Selbstwertprobleme und Verlustgefühle (nicht mehr vollwertig sein, nur noch ein halber Mensch sein, etc.) mit sich bringen.

Chalzedon, Achat, Baumquarz(e), besonders grüner und roter Jaspis: Sie stärken das Körpergefühl und den Lebenswillen, machen vielen Menschen erst bewußt, daß es eine natürliche Lebenskraft gibt (von da an achtet und beachtet man sie nämlich überhaupt bewußt). Diese Steine sind gut für alle, die streng nach Plan leben müssen: Diabetiker, Schichtarbeiter, alle mit vollgestopftem Terminkalender (Ärzte, Handwerker, Schüler mit 20 Hobbys, Künstler) und die wissen, daß sie Erdungsprobleme haben.

Rutilquarz: Die Titannadeln im Quarz können noch mehr Ladungen in den Körper integrieren als Bergkristall allein.

Rosenquarz: Der Rosenquarz macht zwar auf Dauer etwas weinerlich, periodenweises Tragen von Ketten zum Beispiel nach schweren Schocks hilft jedoch enorm, weil jede andere Schwingung schon als zu scharf und unangenehm aufputschend empfunden werden kann, wenn man lange »am Boden« war.

Diamant, Rubin, Granat, Eisenkiesel und Tigereisen: Sie sollten sie als kleine Energiebömbchen für zwischendurch verwenden. Wenn Sie sie als Dauerstein tragen, machen sie eventuell rechthaberisch.

Allround-Steine für alle sieben Hauptchakren

Ideal sind nicht zu kleine Cabochons oder flache Trommelsteine oder Scheiben (Achat, Wassermelonenturmalin). Sie können ruhig erst einmal das 7. Chakra aussparen, keine Sorge, es bekommt ganz automatisch auch ohne ständiges Belegen mit Steinen seine Energie, nur drückt sich eine allgemeine Schwingungsveränderung, die durch das Belegen der unteren 6 Chakren provoziert wird, hier meist in Form von Unwohlsein und Kopfschmerzen aus, wenn sie nicht über das 7. abgeleitet werden kann. Lassen Sie es als »Energiefluchttor« und sensibelsten Punkt daher zunächst frei.

Sobald der Körper an die Zufuhr von Steinenergien gewöhnt ist, stellt sich das ganze System darauf ein, und vorhandene Regulativzentren »rechnen« dann aus Erfahrung mit ihnen und schaffen flexiblere Speicher- und Abflußmöglichkeiten. Stellen Sie sich das Ganze ruhig wie ein Krafttraining vor: Erst das Aufwärmen, dann die Übungen, sonst hat man nur erhöhte Muskelkaterneigung.

Ideale Steine:
– Bergkristall (klar oder mit Phantomen, wie Sie meinen)
– Rutilquarz
– Turmalinquarz
– Streifenachat-(Chalzedon-)Cabochons
– Wassermelonenturmalin(scheibchen)

Am besten üben Sie täglich zur gleichen Zeit ca. 20 Minuten lang. Während die Steine auf den Chakren liegen, können Sie auch lesen oder Autogenes Training machen, sollten aber möglichst nicht verkabelt sein (Musik mit Kopfhörer) oder durch Fernseher und Radio abgelenkt werden. Lassen Sie das Telefon klingeln: Das ist jetzt Ihre Zeit!

Entgiftende, entschlackende, verjüngende Steine

Sie werden mit Smaragd, Beryll, Turmalin, Kunzit, Usovit (gut auch ins Augenfaltencremetöpfchen oder das Körperöl gelegt) und/oder Jade (macht langlebig, entgiftet das Urogenitalsystem) zum Schrecken Ihrer Rentenzusatzversicherung.

Legen Sie den oder die Steine regelmäßig täglich, auch auf Falten, auf. Angaben ohne Gewähr! Der Akutentgifter ist Magnesit (auch gut, wenn man sich gerade das Rauchen abgewöhnt hat oder sein Baby stillt oder fastet).

Kapitel 5

ASTROLOGIE
UND
STEINE

Für alle, die nach wie vor auf dieser Art der Heilsteinzuordnung bestehen, hier nun Auflistungen der ältesten und/oder besten Steinzuord-
nungen. Als Inspirationshilfe, zum Beispiel beim Aussuchen von
Geschenken, lassen sich alle Listen gleichermaßen gut verwenden.

Bei den Chakra-Zuordnungen hat jeder Heiler seine eigenen, ich selbst
benutze eine Mischung, die hauptsächlich von der Auswahl nach
K. RAPHAELL und nach H. JOHARI/K. SPIESSBERGER beeinflußt worden ist.

Traditionelle astrologische Zuordnungen

Tierkreis-zeichen	Planet	entsprechende Körperteile/Regionen	Chakren	Heilsteine
Widder	Mars	Kopf, Augen, Ohren, Gesicht	6. + 7.	Silex, roter Karneol, Rubin, Blutstein
Stier	Venus	Hals, Kehle, Genick, Gurgel	5.	Saphir, Rosenquarz, Lapislazuli, orangefarbener Karneol
Zwillinge	Merkur	Oberkörper, Arme, Hände, Achseln, Schultern	5., Hand und Schulter	Citrin, Tigerauge, Bergkristall, Aquamarin
Krebs	Mond	Brust, Lunge, Leber, Milz, Magen, Nieren	3. + 4., Magen	Aventurin, Chrysopras, Olivin, Smaragd
Löwe	Sonne	Herz, Rücken, Seiten, Bauch, unterer Magen	3. + 4.	Rutilquarz, Bergkristall, Olivin, Citrin
Jungfrau	Merkur	Bauch, Bauchfell, Eingeweide	2. + 3.	Karneol, Achat, Citrin
Waage	Venus	Lenden, Nabel, Nieren, Blase, Unterbauch	Nebench., Leiste	Citrin, Jade, Aventurin, Rauchquarz
Skorpion	Mars Pluto	Umkreis der Geschlechtsteile, Gesäß, Blasenausgang, Geburtsglieder	1., Leiste, Ober-schenkel	Karneol, Granat, Blutstein
Schütze	Jupiter	eigentliche Geschlechtsteile, Oberschenkel	1., Oberschenkel	Chalzedon, Topas, Blauquarz
Steinbock	Saturn	Lenden, Knie	1., Knie, Unter-schenkel	Onyx, Rauchquarz, Bergkristall
Wassermann	Saturn Uranus	Waden, Unterschenkel	1., Unter-, Ober-schenkel, Knie	Falkenauge, Türkis, Malachit, Amazonit, Saphir
Fische	Jupiter Neptun	Füße, Fersen, Fußsohlen	1., Knie, Fuß	Amethyst, Amethystquarz, Mondstein, Opal

Magisch-okkulte Zuordnung

(nach SPIESSBERGER, 1971)

Magisch/okkulte astrologische Zuordnungen

Chakra	Planet	Edel- und Halbedelstein
Sohlen	Jupiter	Amethyst, blauer Saphir
Knie	Saturn	Onyx, Sardonyx, Melanit
Wurzel	Mars	Rubin, Granat, Karfunkel, Magnetstein, Turmalin
Steiß	Saturn	Onyx, Sardonyx, Melanit
Magen	Mond	Smaragd, Opal, Aquamarin
Gallen	Saturn	Onyx, Sardonyx, Melanit
Hand	Merkur	Goldtopas, Karneol
Herz	Sonne	Diamant, Chrysolith
Hals	Venus	Saphir, Lapislazuli
Gaumen	Neptun	Opal, Bernstein
Nacken	Pluto	Blutstein, Magnetstein, Lava, Granate
Stirn	Saturn	Onyx, Sardonyx, Melanit
Scheitel	Uranus	Bernstein, Aquamarin, Rauchtopase
Solarplexus	Sonne	
Milz	Erde	

Das Nackenchakra ist auch als Todeschakra bekannt, bei Kopfschmerzen vorsichtig miteinbeziehen, am besten mit Chrysopras, Amethyst oder Aquamarin behandeln.

Indisch-tantrische Zuordnung

(nach HARISH JOHARI, 1990)

Indisch/tantrische astrologische Zuordnungen		
Planet	**Stein (Ersatz/Alternative)**	**körperliche Zuordnung**
Sonne	Rubin (roter Spinell, Granat)	Immunsystem, Vitalität, Herz, Pingala Nadi
Mond	Perle (Mondstein, Quarz)	Flüssigkeiten (Lymphe, Serum, Blut), Sehkraft, Ida Nadi
Mars	Koralle (Karneol, Jaspis)	Knochen(mark), Muskulatur
Merkur	Smaragd (Jade, Peridot, Verdelith)	Lunge, Darmtrakt, Nerven system
Jupiter	gelber Saphir (Topas, Citrin, gelber Turmalin)	Haut, Leber, Fettgewebe, Oberschenkel
Venus	Diamant (Achroit, Zirkon, weißklarer Saphir)	Urogenitalsystem, Hals
Saturn	blauer Saphir (blauer Topas, Lapislazuli, Amethyst)	Nägel, Knochen, Haare, Nerven
Rahu	Hyazinth (Granat)	Knochen, Fettstoffwechsel
Ketu	Katzenauge (Türkis, Tigerauge)	Haut, Hände

Rahu beziehungsweise Ketu sind der auf- beziehungsweise absteigende Mondknoten, keine Gestirne, sondern Bezugspunkte am Himmel.

Die Plakat-Tafel

(von MICHAEL GIENGER)

Eine sehr schöne Auswahlhilfe, um zum Beispiel für liebe Freunde oder Verwandte einen Stein oder ein Schmuckstück auszusuchen, ist die Plakat-Tafel »Heilsteine und Sternzeichen« von ANJA und MICHAEL GIENGER, BARBARA NEWERLA und Freunden sowie Mitarbeitern der Firma Karfunkel, erschienen im Osterholz Verlag. Das Begleitbuch »Sterne und Steine« hat BARBARA NEWERLA geschrieben. Auf der Tafel sind Einteilungen nach den 12 Tierkreiszeichen zu finden, mit Angaben der jeweiligen Dekadenherrscher, die sich im Laufe des Zodiakus gemäß folgendem Schema abwechseln:

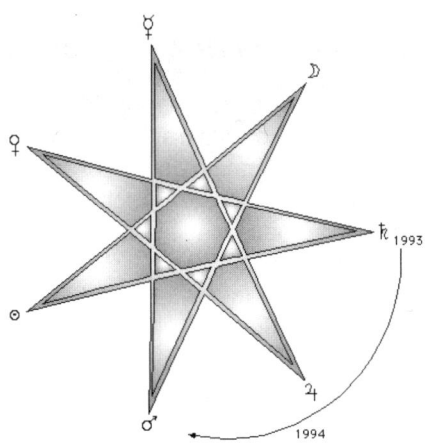

Abbildung 15: Jahres-Herrscherplaneten.

Auch jedes Jahr hat, demselben Schema folgend, einen bestimmten Herrscherplaneten (zum Beispiel 1994: Jupiter, 1995: Mars und so weiter). Auf der Tafel finden Sie auch Ausgleichssteinangaben für jedes Sonnenzeichen (Sternzeichen). Mit dem Tragen der Ausgleichssteine als Schmuck können grundlegende Prägungen durch das Sonnenzeichen, die zu dominant sind, neutralisiert werden. Eine andere Möglichkeit des Ausgleichs besteht in entsprechenden Steinmeditationen. Die Mitarbeiter der Firma Karfunkel haben sich die Mühe gemacht, alle Steinwirkungen an sich selbst im Eigenversuch zu testen und alles genau zu protokollieren. Hier als Beispiel die Angaben für das 1. Tierkreis-(Stern-, Sonnen-)Zeichen:

Widder: Dynamik, Initiative, Impulsivität

Dekade	Herrscher	Heilstein	steht für
1.	Mars	Feueropal	Bewegung, Lebendigkeit, Triebkraft, Sexualität
2.	Sonne	Rubin	Vitalität, Leidenschaft, Tugend, Mut, Tapferkeit
3.	Venus	Rhodochrosit	Aktivität, belebend, beschwingt

Ausgleich:
Amethyst: Geduld – *Rosenquarz:* Rücksicht – *Serpentin:* innerer Friede – *Tigereisen:* Ausdauer
   Ein feuriger »Widder«-Typ könnte also seinen Mangel an Geduld durch das Tragen von Amethystketten ausgleichen oder innerlich ruhiger werden mit Serpentin.

Tagesräucherungen

Die meisten Steine sind seit alters her bestimmten Planeten zugeordnet, die einem menschlichen Charaktertypus entsprechen und ihn sozusagen symbolisieren. Jeder bereits im Altertum bekannte Planet herrscht über einen ihm zugeordneten Wochentag. An diesem Tag kann man die planetarischen Eigenschaften, die erwünscht werden, optimal herbeiziehen. Zur Einkaufserleichterung kann man einen Stein an dem Tag, an dem der ihm zugeordnete Planet herrscht, kaufen. Sollte das nicht gehen (zum Beispiel Sonntag), kann man sich mit einer spezifischen Räucherung, Bekleidung etc. auf diesen Planeten vor dem Kauf einstimmen. Alle Planetenräucherstoffe gibt es fertig gemischt zu kaufen, meist in esoterischen Buchhandlungen.

Tagesräucherungen

Wochentag	Planet	Räucherwerk	Parfüm
Montag	Mond	Aloe, *Sandelholz*	*Ambra*
Dienstag	Mars	*Pfeffer*, Kampfer	Aloe
Mittwoch	Merkur	*Mastix*	Thymian und Fenchel
Donnnerstag	Jupiter	Safran (*Lavendel,* Minze)	Anis
Freitag	Venus	Waldmeister, Myrte, Kamille, Räucherung »*Venus*«	*Rose*, Baldrian
Samstag	Saturn	Kümmel, Räucherungen »*Altar*« und »*Saturn*«	Zypresse, *Zirbelkiefer*
Sonntag	Sonne	Rotes Sandelholz (Indien-Shop), *Weihrauch (arabisch, dunkel)*	Safran, Moschus, Rosmarin, *Salböl* »*Sanctus*«*

*(Steilmann-Versand, Hamburg)

Meine bewährten Favoriten sind kursiv gedruckt.

Kapitel 6

EDELSTEINLEXIKON

Meine persönlichen Erfahrungen
(Steine von A bis Z)

ACHAT

Chemische Formel:
SiO_2 *mit verschiedenen Beimischungen*
Familie: Quarz
Kristallgitter: trigonal
Licht: Sonne

Siehe auch: »Synonyme Mineralien und große Steinfamilien« sowie »Chalzedon«.

Aussehen und Wirkungen: ↑ Einzelne Beschreibungen: Jeder Achat ist ein Individuum, daher kann man die Wirkungen dieser Steine nur grob verallgemeinert angeben. Grundsätzlich ist jeder Achat, von dem man sich angezogen fühlt, auch günstig in der Wirkung. Seine Farbe, die Art der Bänderung, ob er Augen hat oder nicht und so weiter lassen dann oft Rückschlüsse darauf zu, warum man ihn gewählt hat.

Einfarbige Achate: ↑ Farbwirkungen

Bänderungen, Muster: Sie imitieren oft das Aussehen des Organs im Körper, das einer Achatheilfrequenz bedarf. So kann man zum Beispiel einen Stein, der aussieht wie ein Stück Magen oder Darm, lokal auf Magen beziehungsweise Darm auflegen. Immer günstig wirken Achate auf die Haut: entschlackend, regulierend, aufbauend.

Augenachat: Achate mit Augen wirken hervorragend als Schutzsteine gegen negative Einflüsse, aber (zum Beispiel als Elixier) auch auf die Augen (brennende Augen, Gerstenkorn, müde Augen). Bei Entschlackungskuren des Darmes kann man Achatwasser trinken. Während der Schwangerschaft beschützen Achatanhänger das ungeborene Kind und sorgen dafür, daß sich alles so ordentlich und geregelt aus den Keimblättern entwickelt, wie die Lagen eines (Streifen-)Achates. Steine mit Uterus-(Gebärmutter-)Signatur wirken bei Myomneigung und Endometriose günstig, aber auch polierte Achatgeoden-

scheiben. Alle Achate machen gelassen und entstressen, besonders aber der wasserhaltige Achat (Enhydros): Er ist ideal als Hand-schmeichler zu verwenden oder abends unter das Kopfkissen zu legen.

Pyritachat: Schwärzlich opak mit goldenen Pyritsprenkeln wirkt er mehr seelisch-geistig: Er macht zuversichtlich, muntert auf, gibt Gott-vertrauen. Ihn kann man besonders gut im Anschluß an energiespen-dende Steinauflagen (zum Beispiel mit Turmalinen oder Bergkristall-einendern) zum »Fixieren« der Energien und milden Erden auflegen, vor allem auf die unteren Chakren. Bei Krämpfen, Spasmen (Blase, Darm, Magen, Uterus), Tenesmen wärmen rötlich-braune Achate, lokal aufgelegt, schön auf, eventuell in Kombination mit Obsidian, Magnesit oder Malachit. Minigeodenanhänger (gebohrt und halbiert) sind bei Kindern sehr beliebt und ein preiswerter Anti-Streß-Stein, den man gut mit Sonnensteinanhänger oder Citrin tragen kann.

Charakter/Motto: **Dein Freund und Helfer.**

AMAZONIT

Chemische Formel:
$K[AlSi_3O_8]$
Familie: ↑ *Feldspat*
Kristallgitter: triklin
Licht: Sonne

Siehe auch: Seite 280 »Synonyme Mineralien und große Steinfamilien« sowie Seite 291 »Alles Wissenswerte über Schutzsteine«

Aussehen: Grünlich opak, oft mit parallelen Bänderungen oder helleren, runenartigen Mustern.

Wirkungen: Als sanfter ↑ Schutzstein schirmt eine Amazonitkugelkette die Aura des Trägers gegen Negatives ab, stärkt sie jedoch auch gleichzeitig, vor allem bei regelmäßigem, täglichem Tragen über Wochen und Monate (am besten Anhänger oder Kette im Bereich des 3., 4., 5. Chakras). Trommelsteine kann man täglich auflegen. Sie sind gut nach allen schwächenden Krankheiten (Herpes, Durchfall) und Krankheiten, in deren Verlauf es zu Blutverlusten gekommen ist (Unfälle, Operationen). Amazonit wacht über die Lebenskräfte. Ein Großteil davon ist beständig im Blut. Daher können auch Blutspender gut Amazonit gebrauchen und Leute, die Extremsportarten ausüben. Auf die blutreichen Organe Milz und Leber wirkt er durch seinen Kupfergehalt mild entgiftend.

Fallbeispiel: Ich hatte mir vor etlichen Jahren zwei viel zu kleine, qualitativ schäbige Amazonite gekauft. Das war kurz nach einer etwa 8 Jahre dauernden Allergieperiode mit heftiger Neurodermitis. Damals war ich froh, überhaupt Amazonite ergattern zu können. Die Farbe der Steine zog mich magnetisch an. Einer ging schon im Verlauf der ersten Steinauflagen (auf die Brust) zu Bruch, mitten durch sein Runenmuster, eine Notrune. Diese Rune bedeutet eine Wende – so oder so. Bei mir war es zum Glück zum Positiven hin, aber vorsichtshalber kaufte ich einen Ersatzstein in einer besseren Qualität, doppelt so groß und ohne erkennbare Runensignaturen. Er hält sich bis heute tapfer bei mir, färbt sich aber in Spitzenbelastungszeiten an den Ecken gelb und wird sehr, sehr heiß. Um ihn zu schonen, lege ich immer Porphyrite dazu (von denen ist mir auch schon einer kaputtgegangen). Wer sich nun als Energievampir herausstellt so wie ich, der sollte sich gleich ein paar schöne Amazonite zulegen, oder er hat sie nicht lange im Einsatz, weil sie kaputtgehen.

Charakter/Motto: **Der Leibwächter.**

AMETHYST

Chemische Formel: SiO_2 mit Spuren von farbgebendem Eisen
Familie: Quarz
Kristallgitter: trigonal, makrokristallin
Licht: Mond

Aussehen: Einfarbig tieflila, transparent, normalerweise mit Spitze. Der Navarro-Amethyst hat Quarzstreifen. Flores-Amethyst: hellviolett, blattartig aussehend, wie aus vielen kleinen Spitzen zusammengeschmolzen.

Wirkungen: Er ist dem feinen USA-Lichtarbeiter längst nicht mehr fein genug (tja, die Amis), der nimmt Luvulith – zu Unrecht: Amethyst reinigt die Aura, zum Beispiel Amethystmassage nach E. LOPEZ oder R. FLOREK, transformiert alles und jeden. Er inspiriert, gibt Visionen ein, zeigt bei Erstwahl den Wunsch nach spiritueller Weiterentwicklung an, hebt besonders das 6. Chakra an (die berühmte »Lift«-Wirkung). Er löscht »Engramme«, läßt ahnen und verstehen. Wenn man ihn unter das Kopfkissen legt, macht er (eigentlich Sie) schöne Träume und nimmt Alpträume. *Physisch:* Amethystwasser hilft bei Furunkeln, Augenkompressen mit Essenz bei geschwollenen Augen (Nierenstreß nach Alkoholgenuß zum Beispiel). Drusenstücke als »Kamm« beseitigen Kopfschmerzen. Sie sollten Amethyst bei dicken Beinen auflegen oder damit baden (im Sommer). Bei allen Lymphflußproblemen ist er hilfreich. Im Bereich Bauchraum entgiftet der Flores-Amethyst am sanftesten und beseitigt Lymphstauungen. Amethyste regulieren langfristig den Blutdruck, helfen, sich selbst und anderen zu verzeihen, bauen den Körper und den Geist auf wie kaum ein anderer Stein. *Geistige Effekte:* Flores-Amethyst verstärkt vorhandene telepathische Fähigkeiten, fördert Intuition und außersinnliche Wahrnehmungsfähigkeiten, ähnlich dem sehr hellen Amethyst, der auch Lavendelquarz heißt.

Charakter/Motto: **Die Farbe Lila.**

Chemische Formel:
SiO$_2$
Familie: Quarz
Kristallgitter:
trigonal,
makrokristallin
Licht: Sonne

Aussehen: Ein glasartig klarer Stein, in dem sich citrinartig gelbe und amethystartig violette Bereiche abwechseln.

Wirkungen: Erst seit Mitte der 80er Jahre (vgl. RYKART, 1989) wird dieser bolivianische Stein auf den Edelsteinbörsen weltweit angeboten. Seine Wirkungen und seine Botschaft sind absolut einmalig und bemerkenswert. Ich hätte es eigentlich wissen müssen: Nur ein Land, aus dem so mancher bemerkenswerte Mensch kommt, ist in der Lage, solche faszinierenden Steine hervorzubringen. Ihre Farbe erinnerte mich spontan an die Farbe der flockig gespulten Schafwolle auf dem Opfertuch (»mesa«) der bolivianischen Indianer: lila-gelb.

Eigentlich dürfte es den Ametrin gar nicht geben. Es läßt sich geologisch und physikalisch-chemisch nur schwer erklären, wie in einem einzigen Kristall bei seinem Wachstum gleichzeitig das farbgebende Eisen in zwei unterschiedlichen Oxidationsstufen eingebaut werden konnte, und dies auch noch in regelmäßigem Wechsel. Die gelben und die lila Zonen liegen in deutlich abgegrenzten Wachstumsbereichen. An facettiert geschliffenen Teilstücken läßt sich das nicht so gut erkennen, wohl aber an polierten Einendern, von denen ich glücklicherweise auch einen besitze. Jede lila und gelbe Zone bildet ein Dreieck, das Symbol für die Einheit von Körper, Seele und Geist. Sind es nun drei Dreiecke auf gelbem Hintergrund oder auf violettem? Für mich sind diese Signatur und die Farben eindeutig: Die Mentalfarbe gelb und die Geistfarbe violett, hervorgebracht durch Spuren des in

AMETRIN

dieser Potenzierung mental befeuernden Metalls Eisen, ergänzen sich in der harmonisierenden Quarzmatrix und bilden etwas übergreifend Neues. Dieses Neue schwingt viel höher als jedes Einzelteil für sich genommen. Es geht über die Mineral-, Farb-, Form- und Quarzwirkung hinaus und manifestiert sich als Einender, also als Individuum mit zielgerichtetem Wachstum und einem Ziel, der Spitze. Wenn Ametrin Sie anzieht, dann wollen Sie noch mehr als das, was zum Beispiel im ↑ Dow-Kristall steckt, einem Kristall, der die Perfektion von Körper, Seele und Geist schlechthin symbolisiert. Ametrin ist in gewisser Weise noch eine Art Steigerung des Dow-Aspektes (beide wirken aufs 7. Chakra). Der Dow-Kristall ist uns ein Ansporn, er symbolisiert das Ziel. Der Ametrin verbindet uns direkt mit höheren Lichtkräften und mit unserem Höheren Selbst und zeigt uns ein Ziel. Er beleuchtet unseren Weg zum Ziel und erleuchtet den Geist. Seine Botschaften sind Liebe, Verständnis, Friede und Glück für alle beseelten Wesen (unbeseelte schließt er nicht mit ein!). Mit diesen Botschaften pflastert er den Weg für alle, die ihn wählen, das heißt, wenn Sie diesen Stein anziehend finden, dann sind Sie schon zielgerichtet unterwegs, beschützt und begleitet von Lichtkräften, die über diesen Stein leuchten können. Ein schöner Gedanke!

Wer mit hohen Steinfrequenzen gut zurechtkommt, also die nötige Achtung und Aufmerksamkeit aufzubringen vermag für Analcim, Dow-Kristall, Boji's, Biotit-Linse, Eisen-Nickel-Meteorite, Moldavit, Tektit, Moqui Marble und Sugilith, für den wäre ein Ametrin ein wirklich tolles Geschenk.

Physisch wirkt er nach Kummer, bei Liebeskummer, funktionellen Herzbeschwerden, Herzenge (Angina pectoris-Anfälle). Als Anhänger über dem Herzen oder als Ring am rechten Ring-(Sonnen-)Finger tragen.

Charakter/Motto: **Der Lichtbringer.**

ANALCIM-KATZENAUGE

Chemische Formel:
$Na[AlSi_2O_6] \cdot H_2O$
Familie:
Feldspatoide
Kristallgitter:
kubisch
Licht: Sonne

Aussehen: Rosa, opak, mit silbrigweiß chayotierendem »Auge«, mit lindgrüner Steinaura. Farblich ist der Stein ähnlich dem Rosenquarz.

Wirkungen: Analcim-Katzenauge sucht beim Träger nach altem seelischen Kummer und läutert ihn ab. Er löst besonders effektiv Unbewältigtes, das aus der frühen Kindheit stammt, sehr sanft und liebevoll auf. *Physische Wirkung:* Er ist gut als Einschlafhilfe (unterm Kopfkissen) und bei halbseitigem Kopfschmerz (Migräne): Dann sollten Sie ihn auf den Akupunkturpunkt Ma 8 (Ma 1) »Kopfbinde« auflegen, das heißt in Höhe der »Geheimratsecke« (falls vorhanden) der schmerzenden Kopfhälfte.

Durch das kubische Gitter (höchster Ordnungsgrad) wirkt Analcim-Katzenauge nicht auf dieselbe Art und Weise tröstend wie der (trigonale) Rosenquarz, sondern er hilft, den Kummer analysieren und vom Verstand her verarbeiten und bewältigen zu können. In der ersten Phase, bei akutem Leid, wäre daher der Rosenquarz der ideale Tröster (Kette/Anhänger, die ins 4. Chakra reichen, tragen), und später wäre ein Analcim-Katzenauge zur Aufarbeitung des Kummers günstig (Hosentaschenstein und/oder unter dem Kopfkissen). Personen, die immer »mit dem Herzen vorweg« reagieren und sich dessen auch bewußt sind (!), können nach bewältigtem Herzeleid vorbeugend rosa Turmalin, Morganit oder Rhodochrosit tragen. Sie alle vermitteln eine distanziertere Sichtweise von einer mehr übergeordneten Warte aus, natürlich ohne den Träger abstumpfen zu lassen.

Charakter/Motto: **Alles wird gut.**

APATIT

Chemische
Formel:
$Ca_5[(F,Cl,OH)l$
$(PO_4)_3]$
Kristallgitter:
hexagonal
Licht: Sonne

Aussehen: Blaugrün, milchig opak mit silbrigem Schimmer. Er ist oft als dicke Scheibe (Querschnitt) im Handel oder mit einer Naturendung bei dünneren Exemplaren. Diese »Spitze« besteht dann aus mehreren kleinen stumpfen Spitzen und sieht aus wie ein abgenutzter Bleistift.

Wirkungen: Apatit kräftigt Knochen und Sehnen durch seinen Phosphatgehalt. Seine chemische Formel gleicht der unserer Knochensubstanz sehr. *Emotionale Wirkung:* Er stabilisiert das erste Aufraffen nach einer depressiven Phase. Er treibt an zur Flucht nach vorn und mobilisiert die Kraftreserven, wenn es endlich wieder vorwärts geht. Hier zeigt sich seine typische Phosphatwirkung. Auch nach einer Grippe wirkt er in gleicher Weise. Man nimmt das Schöne endlich wieder wahr. Apatit macht aber nicht beschaulich oder sentimental. Er hellt die Stimmung auf und gibt neue Kraft.

Fallbeispiel: Dieser Stein sprach mich an, als ich Ärger mit meinen strapazierten Halswirbeln und dem Längsband hatte. Ich kann mir vorstellen, daß er auch bei Knochenbrüchen und Sehnenabrissen hilft sowie bei Verschleiß und Osteoporose (lokal auflegen). Ich legte ihn täglich im Halswirbelbereich (Nacken) auf und trank ein Apatitelixier.

Charakter/Motto: **Der Knochenklempner.**

Chemische
Formel:
$Al_2Be_3[Si_6O_{18}]$
Familie: Beryll
Kristallgitter:
hexagonal
Licht: Sonne

Aussehen: ↑ Berylle
Wirkungen: Seit altersher gilt er als Stein der Mystiker, der Seher und der Visionäre. Heutzutage treten diese Eigenschaften etwas zurück gegenüber seinen körperlichen Wirkungen. Wir leben im Zeitalter der Kommunikation, der Verkabelung und der Vernetzung, die Welt ist klein geworden und weniger geheimnisvoll. Gerade deshalb hat der Aquamarin aber seine moderne Funktion als »Öffner« des Kehlchakras *und* als sein Beschützer vor Informationsflut und Werbebombardements.

Bei Augenleiden direkt lokal auf die geschlossenen Lider auflegen, ansonsten ↑ Anzeigestein; er wirkt durch das in ihm enthaltene zwei- und dreiwertige Eisen beim Dauertragen oder täglichen Auflegen (besonders auf das 4. und 5. Chakra) blutbildend, dennoch ist er ein »Zartmacher«: tragen, Männer, tragen!

Charakter/Motto: **Der Mystiker.**

AVENTURIN

Chemische Formel:
SiO_2 mit Beimi-
schungen von mit
Chrom versetztem
Fuchsit
Familie: Quarz
Kristallgitter:
trigonal
Licht: Sonne

Aussehen: Hier ist jener herrlich dunkelgrüne, opake Stein mit den goldfarbenen Einsprengseln gemeint, obwohl es auch gelbe, braunrote und hellgrüne Aventurine gibt.

Die Einschlüsse lassen den Stein schillern (»aventurisieren«) und geben dem friedvollen, regenerierend wirkenden Grün des Steins seine optimistische, großzügige Note.

Wirkungen: Ob man gesund ist oder krank, Aventurin ist immer eine gute Investition in das körperliche Wohlbefinden. Dürfte ich nur einen Heilstein behalten, würde ich wahrscheinlich Aventurin wählen. So sehr weiß ich seinen Wert zu schätzen. Ich hätte ohnehin gute Gründe, meine Kette die nächsten 500 Jahre ununterbrochen zu tragen. Die Heilstrategie des Aventurins beruht einerseits auf der typischen »Macke« des Quarzes, alles ausgleichen und harmonisieren zu wollen, was ihm unter die Finger kommt, andererseits auf der Prise Chrom und dem üppigen Fuchsitgehalt. Es kann eine schwache, lokal begrenzte Wohlfühlspannung für jedes Organ, an dem der Stein gerade arbeitet, durch diese Kombination erzeugt werden. Diese Spannung kann im Lichtkörper nicht auf Vorrat erhalten werden wie beim Smaragd. Aber solange der Aventurin getragen wird, knüpft er sich der Reihe nach jedes Organ vor und badet es in seiner regenerierenden Schwingung. Das schwächste kommt zuerst an die Reihe, danach projiziert er seine Frequenz auf das zweitschwächste und so weiter. Aus diesem Grund sind Aventurinketten eher dem Geduldigen zu empfehlen, der seine Kette über Wochen, Monate und Jahre zu tragen gewillt ist.

In meinen Seminaren stelle ich Aventurin immer als »Smaragd der Armen« vor. Er hat nicht die hohe Durchdringungskraft des Smaragds, der durch seinen hohen Chromgehalt, das höher geordnete Gittersystem (hexagonal), die tertiäre Entstehungsweise (die Effekte werden fixiert) und die höhere Mohshärte (8) eine Heilspannung zu erzeugen vermag, die den gesamten Lichtkörper speist und an jedem Organ gleichzeitig arbeiten kann. Aventurin arbeitet sich eher langsam, aber beständig voran, immer eins nach dem anderen.

Übrigens: Bei unbeherrschteren Charakteren beruhigt der Aventurin und wirkt klärend und ordnend auf Gemüt und Verstand.

Fallbeispiel: Monate nach einer Hautkrebsoperation habe ich meiner Schwester eine Aventurinkette geschenkt. Bezeichnenderweise riß sie nach einigen Wochen Tragezeit. Das kommt auch bei anderen Heilsteinen öfter vor und ist kein beunruhigendes Zeichen. Wenn man die passende Heilfrequenz erwischt, beginnt der Stein zu arbeiten. Die Kugeln einer Kette halten die Arbeitsspannung problemlos aus, aber der Faden macht öfter mal schlapp. Das liegt nicht nur an der gewissen Verschleißwirkung, die die tägliche abendliche Wasserreinigung für den Faden mit sich bringt, sondern die hohe Vibration, die programmierte Heilsteine bei Aurakontakt freisetzen, ruiniert schon mal Faden und Verschlüsse.

Als die Aventurinkette meiner Schwester riß, wirkte Kugel für Kugel blaß, wie verwaschen, das Aventurisieren war jedoch unvermindert stark. Bei mir ist es genau umgekehrt: Die Farbe bleibt intensiv, aber den Glanz sauge ich ab. Da hilft nur ein Sonnenbad zur Regeneration, und der Glanz kommt prompt wieder. Es scheint sich die Betriebsfarbe des Steines also je nach Organ, mit dem er gerade beschäftigt ist, zu ändern.

Charakter/Motto: **Das Arbeitstier.**

AZURIT

Chemische Formel:
$Cu_3[(OH)|CO_3]_2$
Kristallgitter:
monoklin
Licht: Sonne

Aussehen: Opaker Stein, der als Azuritknolle in Kugelform oder kristallin vorkommen kann. Farbe als Knolle mittelblau, Kristalle sind tief durchdringend kobaltblau (dunkel- bis indigoblau). Es gibt auch Knollen, die in ihrem Inneren Malachite enthalten. Sie lenken die Azuriteffekte sehr gut in die unteren Chakren ab und integrieren die Erkenntnisse, die der Azurit bringt, vor allem in den physischen Körper.

Wirkungen: Azuritnadeln bohren sich buchstäblich ins Gehirn, durchdringen den Verstand, zeigen Zusammenhänge auf (ohne Zeigefinger) und öffnen das Dritte Auge. Daher kommt es zu einer gewissen Horizontverschiebung nach längerem Arbeiten mit Azurit. Auf einmal hat man so viel zum Aufarbeiten gefunden, daß man eine Weile auf Trab bleibt. Die (venusisch ausgleichende) Kupferwirkung im Stein führt weder zu peinlichen noch demaskierenden Offenbarungen (für so etwas hat man ja schließlich seine Obsidiane!): Die neuen Erkenntnisse werden akzeptiert – was nicht heißt, daß das Akzeptieren problemlos und zügig vor sich gehen muß.

Azurit kann auch an alte Wunden aus früheren Leben erinnern. Bei Rückführungen ist er gut kombinierbar mit: Gem Silica (Edelsteinqualität des Chrysokolls), Chrysokoll, Amethyst und Luvulith. Mentale Altlasten, unsinnige und überflüssige Gedankenmuster aus dem jetzigen, aber auch aus künftigen Leben zeigt Azurit ebenfalls auf. Er bewertet diese Muster jedoch nicht (wie Luvulith) und schon gar nicht schadenfroh (wie Obsidian).

Charakter/Motto: **Die Chronik.**

Licht: Mond

Aussehen: Durchwachsung von Azurit und Malachit (beide kupfer-
haltig); dunkelblauer Stein mit grünen Mustern und bräunlichen bis
schwärzlichen Linien.

Wirkungen: Dieser Stein wirkt entgiftend, besonders auf die Organe
des Bauchraumes. Leute mit Leberbeschwerden, mit Galleabflußstörungen oder Neigung zu -koliken finden ihn oft besonders anziehend (dann lokal auf den Bereich Leber/Galle auflegen). Der Stein
kann alte Infektionsschwingungen, die die Energien des 3. Chakras
blockieren, »löschen«.

Fallbeispiel: Eine Bekannte von mir, ein sehr fröhlicher und praktisch
veranlagter Typ, hat sich in meinem Beisein einen schönen Azurit-
Malachit-Donut in einem Kölner Fachgeschäft gekauft. Sie reinigte ihn
unter Wasser, legte ihn zum Aufladen ins Sonnenlicht und trug ihn
danach voller Besitzerstolz. Dieser Stein hat es ihr sehr übelgenom-
men, daß er kein komplettes Programm und sein Mondlicht nicht
bekam. Sie hatte nachts einen Alptraum, in dem sie ihre ganze Familie umbrachte, einschließlich dem Hund. Kein Wunder, daß sie am
nächsten Morgen bedient war und mir den Stein zum Reinigen mit-
gab. Er hatte über Nacht die Farbe verändert, viele braune Stellen hin-
zubekommen und wirkte sehr matt. Offensichtlich hatte meine
Bekannte ein sehr stark traumatisiertes Exemplar erwischt, das zum
Überlaufen mit Bergungs-, Schleif-, Transport-, Lagerungs- und Kauf-
traumen angefüllt war. Natürlich spürte der Stein, wie sehr meine

143

AZURIT-MALACHIT

Bekannte ihre Familie liebt, aber er konnte bei ihr nicht arbeiten, weil er energetisch »dicht« war, und hat dieser sensiblen Frau über einen üblen Horrortraum sein Trauma vor Augen geführt. Dies war jetzt ein extremer Fall, zugegeben, aber so etwas kommt vor.

Steine von besonderen Orten der Kraft oder geheiligte oder geweihte Exemplare aus geweihter Erde sprechen für sich, die würde ich auch keiner rigiden Salzreinigung unterziehen. Der etwas Geübte spürt ja auch, was die Steine brauchen. Der Normalfall ist jedoch ein Kauf im Laden, und man weiß nie, was der Stein so alles mitgemacht hat. Daher gehen Sie im Zweifelsfall immer so vor, wie in Kapitel 1 beschrieben, es sei denn, Sie haben Ihr Gespür so weit entwickelt, daß Sie jedem Stein sein Trauma ansehen können.

Den Donut meiner Bekannten habe ich seinerzeit gereinigt, programmiert und an einem Freitag der Venus gewidmet in der Hoffnung, daß die Göttin der Liebe und Harmonie sich seiner erbarmt. Er hatte danach wieder eine Farbveränderung, und meine Bekannte trug ihn wieder ohne besondere Vorkommnisse. Dennoch hat ihr verständlicherweise der Schock der ersten Nacht die Freude an diesem Donut genommen. Sie gab ihn später, weil sie ihn sowieso nur noch ab und zu trug, an eine Freundin weiter, die dringend einen Donut suchte, aber keinen fand, weil alle Geschäfte in Köln ausverkauft waren. Ich habe ihn dann für die neue Besitzerin, die ihn gern trägt, umprogrammiert – und wieder wechselte er seine Farbe.

Charakter/Motto: **Das Räumkommando kommt!**

BAUMQUARZ

Chemische Formel:
SiO$_2$
Familie: Quarz
Kristallgitter:
trigonal,
mikrokristallin
Licht: Sonne

Der Baumquarz wird auch ↑ Moosachat (kein Achat, sondern ein Chalzedon) genannt. Außerdem heißt er Baumachat, Dendritenachat, Mückenstein (↑ Quarz-Sippe, Chalzedone), dies sind kryptokristalline Chalzedone mit Beimengungen von Manganoxiden und anderen Metallen; manchmal wird auch makrokristalliner Quarz, der irgendwelche bäumchenartigen Einschlüsse hat, als Baumquarz im Geschäft ausgeschildert. Alle Varietäten gehören zur Quarz-Sippe und wirken, außer dem Moosachat, trotz des unterschiedlichen Aussehens als Heilsteine recht ähnlich. Daher bin ich mit den Namensgebungen und den vielen Phantasienamen, die für diese Steine durch den Handel geistern, nicht so pingelig und genieße jede neue Namensschöpfung.

Aussehen: Milchig, weißlich, schwach transparent mit unterschiedlichen Einschlüssen, die bäumchen- oder moosartig aussehen, was die verschiedenen Namen hervorgebracht hat (siehe oben).

Wirkungen: Baumquarz stärkt die Lebenskraft. Wie beim blauen Chalzedon kann man sich täglich (ca. 20 Minuten lang) einen Trommelstein oder Cabochon zum Fithalten auf jedes Hauptchakra auflegen. Baumquarz vermittelt Bodenständigkeit, er weckt das Naturverständnis und macht genügsam. Man fühlt sich verwachsen mit der Erde und beachtet seine körperlichen Bedürfnisse stärker. Alle Baumquarze machen lammfromm, ähnlich wie versteinertes Holz, und sind die zu Stein gewordene Parole: In der Ruhe liegt die Kraft. Daher sind sie ideal für Leute, die dazu neigen, sich körperlich zu verausgaben

145

Baumquarz

und das natürliche Bedürfnis nach Ruhe, Nahrung oder Schlaf um irgendeines Vorhabens oder Projektes willen, an dem sie sich festgebissen haben, geflissentlich zu übergehen.

Baumquarz vermittelt auch (wieder) das Gefühl für den natürlichen Rhythmus und Fluß, dem unser Körper unterworfen ist. Wenn sie durch Streß und Hektik begünstigt werden, können sich diese Rhythmusstörungen als unregelmäßige Periodenblutung, Appetitlosigkeit, Einschlafstörungen oder Dauermüdigkeit äußern. Hier hilft ein Kraftfeld (»Ei«), das man aus verschiedenen Baumquarzen (gern auch mit anderen Steinen, die genehm sind, kombiniert) um sein Bett legt (siehe auch Abbildung Seite 80 »Kraftfeld-Typen«).

Charakter/Motto: **Der Fels in der Brandung.**

Chemische Formel:
SiO_2
Familie: Quarz
Kristallgitter:
trigonal,
makrokristallin
Licht: Sonne,
(Phantom-Quarz:
Mond)

Aussehen: Durchsichtig, glasklar, oft mit Schlieren, Einschlüssen, Rissen, bis milchig transparent mit nebelartigen Einschlüssen.

Wirkungen: Es sind etliche Fachbücher, die die einzigartige Formenvielfalt des Bergkristalls und alle lokalen Wachstumsvarietäten erschöpfend – im wahrsten Sinne des Wortes – abhandeln (zum Beispiel RYKART, 1989) auf dem Markt. Bitte seien Sie deshalb nicht allzu enttäuscht, an dieser Stelle lediglich einen groben Überblick über die Heilwirkungen des gemeinen Quarzes vorzufinden. Gerade weil schon so viel über ihn geschrieben worden ist, ist es für den einen oder anderen um so hilfreicher, eine kurze Beschreibung zu lesen.

Silizium ist ein häufiges Metall der Erdkruste. Bergkristall wuchs daher an vielen Stellen der Erde und wurde seit altersher von vielen Völkern und Kulturen für religiöse Zeremonien und für Heilzwecke eingesetzt. Vornehme Römerinnen hielten an heißen Tagen Kristallkugeln in den Händen, um sich abzukühlen, die Donnerzepter der Tibeter sind mit beschliffenen Quarzen konstruiert, die Ärzte des Mittelalters verwendeten Bergkristall gegen Fieber, und wir alle kennen die berühmten Geschichten, die sich um Wahrsagekugeln ranken und die Bergkristallschädel der Inkas, die alle aus einem einzigen großen Stück herausgearbeitet worden sind.

Aus Quarz hergestellte (meist magisch geladene) Ritualgegenstände symbolisieren Ewigkeit und Beständigkeit: Sie verwesen nicht, bekommen keine Verschleißspuren und überdauern Jahrtausende unbeschadet schön und mächtig. Auf profane beziehungsweise moderne Weise wird Quarz zur Zeitbestimmung genutzt (Quarzuhr), Silizium-Chips sind die Seele des Computers, und Altersbestimmungen mit der ^{14}C-Kohlenstoffmethode lassen sich am besten mit Hilfe von Quarzküvetten durchführen, weil sie frei von Kohlenstoff sind, was die Meßwerte sonst verfälschen würde.

Dies schicke ich nur vorweg, um zu zeigen, wie vielseitig unser Freund ist, und genauso vielseitig läßt er sich auch verwenden. Stellen Sie sich einen Hausmeister vor, der in einer Behörde mit 7 Abteilungen (die 7 Körper des Menschen) arbeitet. Er weiß genau, in welches Zimmer ein Besucher muß, um sein Formular abzugeben, wer gerade Urlaub hat oder zur Kur ist, wer gerade mit wem verfeindet ist, und die Telefonnummer vom Fotokopierer-Reparaturservice hat er auch. Ohne den Hausmeister läuft nichts. Unser Hausmeister – der Quarz – gleicht alle Kräfte im Lichtkörper aus, konzentriert gegebenenfalls vorhandene Kräfte, die ihm zu diffus erscheinen, zieht neue an, harmonisiert alle unter- und überversorgten Bereiche und stößt Negatives ab. Mit Bergkristalleinendern kann man Energien um- oder ableiten (↑ Energiefluß). Zielen Sie hierzu mit der Spitze vom mit Energie überversorgten, geröteten, erhitzten oder geschwollenen Gebiet weg, oder führen Sie Energie zu, indem Sie mit der Spitze auf das energieunterversorgte, kalte, erschlaffte, atrophierte, gefühlsgestörte (Mißempfindungen, Paresen, Lähmungen) oder schmerzende Gebiet zielen.

Kleine Spitzen sind bei Körperarbeiten besonders wertvoll. Eventuell muß man sie nach ein paar Auflageminuten (besonders bei Schmerz, wenn die Energie wieder fließt) noch etwas drehen oder kippen, bis sich ein Wohlgefühl einstellt.

In der Regel wächst ein Kristall (bedingt durch den chemischen Bindungswinkel) bei seiner Entstehung linksdrehend oder rechtsdrehend in der Kluft hoch. Dadurch bekommt der Einender eine bestimmte Drehrichtung in sein Gittersystem eingepflanzt. Ist er linksdrehend, wirkt er »von Haus aus« eher auflösend auf energiegestaute Bereiche und löst Krämpfe. Ist er rechtsdrehend, eignet er sich noch besser als zum Beispiel Linksdreher oder Quarze ohne erkennbare Drehrichtung (gibt es auch), um energiearme Gebiete zu behandeln. Die Rechtsdreher wirken verdichtend und energiesammelnd. Die Drehrichtung kann man auspendeln oder in Büchern nachschauen (RYKART, 1989) oder unter Anleitung auf Seminaren lernen. Ich halte das aber nicht für *so* wichtig. Quarze gleichen Energien, unabhängig von ihrer Drehrichtung, sehr gut aus.

Mit Doppelendern (gern Herkimer-Diamanten, Suttroper Quarze, aber auch beschliffene) lassen sich prima Energien verteilen (zum Beispiel bei Krämpfen und Schmerzen den gesamten Bauchraum belegen) oder Chakren miteinander verbinden, um einen konstanten Energiefluß zu gewährleisten. Das kann auch *vor* einer Steinauflage sinnvoll sein, vor allem, wenn weiche Steine und/oder Steine mit niedriger Durchdringungskraft (Realgar, Malachit, Schwefel, Aventurin, Jaspis, Achate, Chalzedone) in der eigentlichen Steinbehandlung aufgelegt werden sollen.

Zur Förderung und Schulung der magnetischen linken, rezeptiveren Körperhälfte nehmen Sie Phantomspitzen in die linke Hand, wobei die Spitze aufs Gesicht, zum Kopf zielt. Zum Ausgleich die unteren Hauptchakren und die Beine mit Chalzedon (blau) oder Holz und Rutilquarz belegen.

Man kann auch mit Einendern die Meridianverläufe wie mit einem Stift nachziehen oder zur Erdung Energien (Richtung Fußsohle) herabziehen. Das hilft manchmal bei hartnäckigen Kopfschmerzen! Je eine Spitze unter jede Fußsohle (Spitze zeigt auf den Körper zu) versiegelt den Körper gegen Negatives (sehr gut auch nach Amethyst-Massagen: Körper mit rechtsdrehenden Kreisen sanft massieren, ↑ LOPEZ).

Einender haben – wie wir – Fuß und Körper, daher können sie auf den Körper wirken. Sie haben aber auch einen Kopf, die Spitze, und statt eines Nervensystems ein geordnet fließendes Kräftefeld, die eigentliche »Seele« dieses einzigartigen Steins. Daher sind sie in der Lage, Körper, Seele und Geist des Menschen perfekt auszurichten. Bergkristalle zentrieren, regenerieren, energetisieren, ziehen Licht an, leiten es in die Aura und stärken so die Lebenskraft.

Achtung: Bitte keine Einender direkt aufs Herz auflegen, das stört eventuell das Reizleitungszentrum des Herzens.

Ein Doppelender wirkt sehr ähnlich, nur zentriert er nicht, sondern läßt die Energie eher flächiger zu beiden Enden hin strömen. Steine ohne Endung, also nur Körper (Rohbrocken, Trommelsteine) wirken noch eine Stufe diffuser und flächiger als Doppelender.

Behalten Sie die inneren Werte des Kristalls im Auge. Mittels selbst hergestellter oder gekaufter Bergkristallelixiere können Sie Ihr Koch-,

BERGKRISTALL

Trink- und Badewasser anreichern, auch Tiere, besonders Pferde, schätzen Kristalltrinkwasser. Kurmäßig zur Vitalisierung oder zur Aurakräftigung: 3 bis 4 x täglich ein paar Tropfen Elixier unter die Zunge geben – oder in Restaurant- oder Kantinenessen. Dann ist wenigstens außer den Kalorien noch etwas Gutes im Essen. Denken Sie auch an Krankenkost und appetitlose Kinder und ans Haustierfutter.

Auf die vielen Bergkristallspitzenvarianten, die jedem Quarzindividuum nochmals eine weitere, ganz besondere Untereigenschaft und Wirkung verleihen, gehe ich nur kurz ein (weiterführende Literatur: Dow, 1993, Raphaell, 1986 und 1988).

Nicht jeder Mensch scheint für alle Spitzenvarianten gleich gut empfänglich zu sein. Ich liebe meinen ↑ Dow-Kristall, schätze ab und zu die Effekte eines »Rechtsdrehers« und erde mich gern mit meinen beiden Skelettquarzen. Laser sind mir jedoch viel zu scharf und schneidend. Ich arbeite nur mit einem Rauchquarzlaser.

Abzieher: Das ist ein Bergkristalleinender mit einer besonders großen Facette (Typ: Dauphiné-Quarz [vergleiche Rykart, 1989]), oft aus Brasilien oder Frankreich stammend. Über die große, vorherrschende Facette (siehe Seite 76 »Abbildung 3«) saugt er Energien ab.

Doppelender: Quarz mit zwei, nicht immer naturgewachsenen Endungen. Er verbindet Energieströme und verteilt sie wieder zu beiden Endungen hin.

Dow-Kristall: Einender von sogenanntem trigonalen Habitus (vergleiche Rykart, 1989), benannt nach der US-Amerikanerin Jane Ann Dow. Die Spitze dieses Einenders wird durch einander abwechselnde sieben- und dreieckige Quarzfacetten gebildet. Formel: 7-3/3-7/7-3. Wirkung: ↑ Dow-Kristall.

Fensterkristall: An der Basis der Pyramidenflächen (siehe Seite 76 »Abbildung 3«) besitzt dieser Einender ein großes (!), rautenförmiges Fenster, das nicht zur eigentlichen Facettenendung gehört. Fensterquarze öffnen ein Fenster zur Seele, sie verbessern auch die Wahrnehmungsfähigkeit und das Einfühlungsvermögen in andere.

Generatorquarz: Alle Facetten sind etwa gleich groß und enden »auf dem Punkt«. Er hat einen sogenannten pseudohexagonalen Habitus. Wirkung: Für alle Körperarbeiten geeignet, besonders zur Energiezufuhr.

↑ *Herkimer-Diamant*

Laser: Sowohl die Prismenflächen (siehe Seite 76 »Abbildung 3«) als auch die Pyramidenflächen verjüngen sich Richtung Spitze hin beständig (konische Endung). Es kann eine sehr weitreichende und starke Energie mit diesen Kristallen erzeugt werden. Vorsicht bei Migränebehandlungen! Und aus der Aura anderer Leute sollte man auch nicht verantwortungslos mit Lasern Energieparasiten herausschneiden. Eine Aura ist keine Gartenhecke.

Medialer Kristall: Er hat die üblichen sechs Facetten, die auch leicht verzerrt sein können, nur liegt einer (meist größeren) siebeneckigen eine (meist kleine) dreieckige Facette genau gegenüber. Dieser Quarz eignet sich, wie der Name schon sagt, als Meditationshilfe. Stellen Sie ihn dazu einfach vor sich hin und betrachten ihn, oder halten Sie ihn während der Meditation in der Hand. Er ist auch als Auflagestein zu verwenden.

Phantom-Quarz: Ein Dow-Kristall mit einem weißen Phantom heißt auch *Schamanen-Dow.* Das Wachstum dieser Einender ist einmal oder mehrfach abrupt unterbrochen worden (vergleiche Seite 63, »Phantome«). Während des Wachstumsstops rieselten kleine Partikel auf den Stein, die beim Weiterwachsen einfach mit umschlossen worden sind. Phantomquarze mit Chloriteinschlüssen wirken belebend. Quarze mit weißen, nebelhaft aussehenden Phantomen helfen, die Dinge von allen Seiten zu betrachten und bei Problemen niemals aufzugeben, sondern an ihnen zu wachsen, sie zu überwinden, so wie der Stein auch weitergewachsen ist und sein »Problem« einfach integriert hat beim Weiterwachsen, anstatt daran zu scheitern.

Skelettquarz: Er sieht oft grau oder bräunlich aus, enthält Ton oder Sandreste (beim Reinigen aufpassen, daß sie nicht alle herausgewaschen werden), haben oft mehrere kleine apatitartige Spitzen und viele kleine Dellen und Kuhlen auf dem Körper. Die Kanten wuchsen bei diesem Stein schneller als der Körper beziehungsweise die Flächen. Dieser Quarz hat Lift-Wirkung, erdet auch hartnäckige Fälle, verbindet uns mit den Lichtkräften und fördert die seelische Reifung und Entwicklung des Menschen.

Speicherkristall: Er hat kleine, gleichseitige Dreiecke (oft nur je eins pro Facette) auf den Facetten der Spitze, die nicht mit den Ätzgrübchen zu verwechseln sind (die sehen wie ein kleiner Fischschwarm aus, selten einzeln). In Speicherkristallen sollen Informationen verborgen sein. Aus meinem habe ich diese noch nicht herauskitzeln können. Interessant ist, daß das Dreieck schon öfter mal verschwun-

BERGKRISTALL

den ist und dann wieder erscheint. Vielleicht lag es an meiner Art, an seine Informationen heranzukommen. Wundern Sie sich nicht, wenn Sie »Ihr« Dreieck sehen, aber andere Personen den Quarz anschauen und nichts bemerken.

Tabular: Dies ist ein Quarz mit einer Endung wie ein südafrikanischer Tafelberg, Raritäten sind noch platter. Er streut seine Energien flächig und sanft aus.

Transmitterkristall: KATRINA RAPHAELLS absoluter Liebling, wie mir scheint. Salopp gesagt, ein Telefon für Esoteriker, zur Weitergabe von telepathischen Botschaften geeignet, aber auch zum Meditieren, zur Erkenntnisverarbeitung und vieles andere mehr. Er ist daran erkennbar, daß zwei siebeneckige Prismenflächen eine dreieckige umrahmen. Wiederholt sich dieses noch zweimal, hat man einen Dow-Kristall. Natürlich ist auch der Transmitterkristall – wie alle anderen genannten – für alle »normalen« Auflagetechniken, zur Elixierherstellung und zur Raumenergetisierung geeignet.

Die vorgestellte Spitzeneinteilerei ist für den Anfänger kein »Muß«. Es ist eben nur interessant zu sehen, wie man manchmal auf einen Quarztypus fliegt und vielleicht nur noch diese eine Sorte kauft. Dann sollte man sich schon über diese besonderen Bedeutungen Gedanken machen.

Charakter/Motto: **Der Liebling aller 7 Körper.**

Chemische Formel:
etwa $C_{10}H_{16}O$
Kristallgitter:
amorph
Licht: Sonne

Aussehen: Gelb-braun, transparent bis opak; selten mit organischen Einschlüssen.

Wirkungen: Bernstein kräftigt sehr stark und radikal nach längerer Krankheit, gibt »Mumm«, hellt das Gemüt auf, wirkt besonders auf das 3. Chakra (Sonnengeflecht/Solarplexus) wie eine kleine Sonne: guter Schutz- und Bannstein; bringt Licht in die Aura, gibt Lebensmut.

Bernstein ist versteinertes organisches Harz ohne Gitter (amorph), daher nimmt er viel auf – stets gut reinigen. Falls er blind wirkt oder stumpf, in Meersalzwasser (Sololake) in die Sonne stellen, eventuell tagelang, bis er wieder strahlt. Kombinationspartner sind: Pyritsonne, Citrin, Goldfluß, Pyritachat, kleine Bergkristalleinender, Sonnenstein, mit denen Sie auch Muster um den Nabel herum oder am unteren Rippenrand entlang (gut bei Atemnot, Asthma) legen können. Das wärmt, weitet und entspannt den Bereich Solarplexus/3. Chakra, wodurch es zu einem besseren Energie(durch)fluß im ganzen Lichtkörper kommt.

Bernstein mit reichlich Harzeinschlüssen ist gut gegen Rheumaschmerzen (zum Beispiel lokal aufs Knie legen).

Charakter/Motto: **Die Sonne.**

BERYLL

Chemische Formel:
$Al_2Be_3[Si_6O_{18}]$
Familie: ↑ *Beryll*
Kristallgitter:
hexagonal
Licht: Sonne

Aussehen: Gemeint ist hier der relativ einschlußarme, transparente, mittelgrüne Stein. Im Handel werden häufig Exemplare aus Brasilien angeboten.

Wirkungen: Berylle strahlen eine frische, grüne, physisch aufmunternde Energie ab. Sie treibt den Träger dazu an, unverzüglich in die Hände zu spucken und seine Probleme anzugehen. Egal, wie kompliziert und verwickelt die Sache zu sein scheint, der Beryll sagt: »Handele!«, denn nichts ist schlimmer für ihn als Stagnation. Er will voran. Daher treibt er Lethargie und Faulheit aus. Seine Röhrenstruktur, der »Beschleuniger«, ist dafür verantwortlich. Alle noch vorhandenen Energien (blockierte und stille Reserven) setzt er in Bewegung und jagt sie vor sich her. Er mag keine Ruhe und Beschaulichkeit – als Meditationsstein kann man ihn getrost vergessen. Beryll gibt Kraft, aber nur, um diese seinem Träger auch gleich wieder abzuverlangen. Auf diese Art und Weise treibt er auch den Zaghaftesten (und Faulsten) voran. Man wundert sich im nachhinein, wie weit man seine Angelegenheiten unter Berylleinfluß voranbringen konnte – trotz Grippe, Migräne, Zeitmangel oder was auch immer als Hemmschuh »am Hals«. Beryll ist sehr autoritär wie ein Spieß oder Schleifer. Die geringe Durchschlagkraft des sehr leichten, flüchtigen Metalls Beryllium (siehe auch Seite 50) verhindert allerdings Amokläufereffekte.

Die Beryllwirkung hängt sehr stark von planetaren Einflüssen, insbesondere günstigen Aspekten der Planeten Venus, Merkur und Uranus mit den Geburtshoroskopkonstellationen seines Verwenders ab. Herrschen eine Zeitlang Oppositionen und Quadraturen vor, lassen Sie den Beryll auf seinem Stammplatz liegen und genießen Sie die paar faulen Tagen, bis er Sie wieder im Griff hat.

Da der Stein respektvoll behandelt werden muß – Pflegefehler nimmt er sehr übel – und planetenabhängig wirkt, sollte man ihn nicht verschenken (siehe auch Seite 271 »Szenario-Steine«).

Sie sehen es Ihrem Beryll direkt an, wenn er sich bei Ihnen wohlfühlt: er bekommt Regenbogenreflexionen, die an allen möglichen Stellen bunt schillern, wie Benzin auf einer Pfütze, wobei Hellblau und Rosa überwiegen.

Charakter/Motto: **Der Antreiber.**

BRASILIANIT

Chemische Formel:
$NaAl_3[(OH)_2 \mid PO_4]_2$
Kristallgitter:
monoklin
Licht: Mond

Aussehen: Halbopak, gelbgrün (peridotgrün).

Wirkungen: Er ist ein Paradebeispiel für die Klasse der Phosphate (siehe auch Seite 57 »Das Geheimnis der Mineralklassen«): Er setzt Energiereserven frei, wenn sie gebraucht werden. Daher wirkt er sehr gut bei regelmäßig wiederkehrenden Schmerzen, insbesondere bei der monatlichen Regel (hierzu den Stein mit der Spitze zum Gesicht hin in die linke Hand nehmen). Seine schöne Spitze leitet die benötigte Phosphatenergie gut in den Körper ein. Das monokline Gitter spricht besonders die Energien der unteren Chakren an. Bei bedrückenden (Alp-)Träumen und Schlaflosigkeit (vor allem durch Verausgabung hervorgerufen) füttert Brasilianit fehlende Energie über das Phosphat ein und regenerierendes Grün über die Farbe. Er läßt traumlos einschlafen. Dieser Stein wird nur mit Mondlicht aufgeladen.

Charakter/Motto: **Das Sandmännchen ist da.**

Synonym:
Kupferkies
Chemische Formel:
$CuFeS_2$
Kristallgitter:
tetragonal
Licht: Sonne

Aussehen: Opaker, dunkler Steinhintergrund, vor dem metallisch bunt gleichzeitig pink- bis lilafarbene, türkise, gelbgoldene und blau-grüne Zonen um die Wette funkeln. Er ist verwechselbar mit dem sehr ähnlich aussehenden Bornit (Buntkupferkies). *Chemische Formel:* $CuFeS_4$, *Kristallgitter:* kubisch.

Chalkopyrit fällt auf, weil das bunt angelaufene Metall in vielen Far-ben auffällig glitzert. Dennoch wird er bei Steinauswahlen von Leuten mit Problemen so gut wie nie bemerkt. Kein Wunder, denn diese Stein-frequenz zieht eigentlich nur Menschen an, die sich mit dem locker flockigen Charme dieses Steines identifizieren können. Sehr nüchter-ne und bierernste Zeitgenossen übersehen den Chalkopyrit geflis-sentlich.

Wirkungen: Seelisch-geistig: Chalkopyrit hellt die Laune auf, macht Lust auf Neues, weckt die Experimentierfreude. Etwas sprunghafte, flippige Naturen, die ihr Leben zu genießen verstehen, ohne dazu Mil-lionen auf der Bank haben zu müssen, und genügsame Lebenskünst-ler fühlen sich von diesem Stein angezogen. Er zeigt an, daß man zur Zeit »gut drauf« ist und das Leben genießt. Pessimisten halten sich eher fern von ihm. Bezeichnenderweise habe ich meinen geschenkt bekommen, ein Mitbringsel aus Spanien. Man braucht Chalkopyrit nur anzuschauen – schon fühlt man sich besser. Aufmunternd und anti-depressiv wirkt er auf dem 3. Chakra oder auf dem Nabel in Kombi-nation mit Citrinen und Sonnensteinen. *Physisch:* Schmerzstillend sind

CHALKOPYRIT

Auflagen an überlasteten Gelenken oder bei Gelenkschmerzen, die auf einem gestörten Stoffwechsel beruhen wie zum Beispiel bei chronischer Übersäuerung oder zu hohen Harnsäurewerten im Blut. Gerade die körperliche Übersäuerung kann man oft als Botschaft des physischen Körpers an den Verstand ansehen: Ich bin sauer. Denken Sie einmal darüber nach, warum Sie so sauer sind. Haben Sie zu wenig Freude, zu viel Frustration und so weiter?

Zusammen mit Malachit, Amazonit oder Magnesit wirkt der Chalkopyrit, den man auch gut mit Schörlstäbchen umlegen kann, schmerzstillend, entkrampfend, ausgleichend und leicht wärmend. Er vermittelt also überwiegend solare (Schwefelgehalt) und venusische (Kupfereffekte) Eigenschaften, die die marsische Eisenwirkung mild und sanft verblenden. Ein gelungener Energieverschnitt, dieser Chalkopyrit.

Charakter/Motto: **Der Lebenskünstler.**

Chemische Formel:
SiO_2 mit Beimi-
schungen
Familie: ↑ Quarz
Kristallgitter:
trigonal,
mikrokristallin
Licht: Sonne

Blauer Chalzedon: *Wirkungen:* Seit altersher gilt er als »Stein der Redner«, hat also Bezug zum Kehlchakra und ist gut bei allen Beschwerden, die in dieser Versorgungsregion auftreten können wie Halsschmerzen, Heiserkeit, Globusgefühl (»Kloß« im Hals), Schluck-beschwerden, Probleme im Schultergürtel und Nackenbereich. Auf-lagen in Kombination mit Chrysokoll und Labradorit (auf die Schultern legen) wirken gegen Verspannungen (dann ruhig noch Dolomit dazu auflegen, alles mit kleinen Bergkristallspitzen verbinden) und Schild-drüsenüberfunktion. Mit Labradorit allein hilft er auch gut bei Sonnen-brand oder verbrühter Haut. Blauer Chalzedon, der auch Streifen-achat genannt wird, läßt sich auf jedes Chakra auflegen. Größere Cabochons kann man also immer im Haus haben, diese Anschaffung rentiert sich. Tägliches Auflegen auf die Hauptchakren kräftigt den Ätherkörper, zieht Glück an, denn Chalzedon gilt als jupiterisch, außerdem haben alle Quarze (besonders allerdings die geringelten Achate und Augenachate) eine gewisse Schutzwirkung vor Negati-vem.

Beispiel: Er wirkte bei mir besonders gut gegen Wetterfühligkeit (Müdigkeit vor Gewittern, Knie- beziehungsweise Gelenkschmerzen vor Schneefall und ähnliches).

Charakter/Motto: **Der Stein der Redner.**

CHALZEDON

Roter Chalzedon: Eisenhaltige Beimischungen überfärben, das heißt dominieren nun den blauen, kühlenden Stein, und machen ihn lebhaft durch die Eisenwirkung. Wenn man ihn länger trägt, mindert roter Chalzedon den Appetit, läßt seinen Träger (Hosentaschenstein) angeblich bewußt und freiwillig gesunde Kost wählen (Obst, Salate und so weiter). Als typischer marsbeherrschter Stein kurbelt der rote Chalzedon nicht nur den Stoffwechsel an (die Verbrennung und Entgiftungsvorgänge laufen auf Hochtouren), er zeigt auch seelischen Verstimmungen die rote Karte, treibt sie einfach weg. Er lockt sogar den eher bequemen, lethargischen Typ hinter dem Ofen hervor, besonders in Kombination mit Beryll (als Hosentaschensteine oder Anhänger).

Fallbeispiel: Bei mir zeigte er nur belebende Effekte. Das kann aber auch an meinem Gewicht liegen: Da gibt es nichts zum Abnehmen, und Obst und Salate gibt es sowieso ständig bei mir. Bei Verwandten und Bekannten purzelten aber die Pfunde mit einer bestimmten Kettenkombination und einer entsprechenden Programmierung auf Mars (Herr über den Blutzucker) und Jupiter (Herr der [Fett-]Ringe). Lust auf Junk-food (Imbiß-Schnellkost) treibt er allerdings aus – das Ende von »Fritten rot/weiß« im Rheinland.

Charakter/Motto: **Ohne Rast und Ruh nimmt man schwerlich zu.**

Weißer Chalzedon: Ein vielverwendeter Klassiker, um den Milchfluß anzuregen, wenn es beim Stillen hapert. Aber er regt allgemein sanft an, auch den Lymphfluß. Wer zu Ödemen neigt und regelmäßig Lymphdrainage benötigt, sollte sich versuchsweise mal seine Venenlotion mit Karneol und weißem Chalzedon (beides Chalzedone, siehe auch Seite 286 »Synonyme Mineralien und große Steinfamilien«) versetzen oder ein Elixier trinken. Lokal aufgelegte weiße Chalzedoncabochons helfen gegen verhärtete Lymphknoten.

Charakter/Motto: **Panta rhei: alles fließt.**

Chemische Formel:
$(K,Na)_5(Ca,Ba,Sr)_8$
$[Si_{12}O_{30} \mid Si_6O_{16}{}^{(OH)}] \cdot$
$4\,H_2O$
Kristallgitter:
monoklin
Licht: Mond

Aussehen: Lila opak, oft mit klaren, kleinen Quarznestern, helleren Schlieren und Streifen.

Wirkungen: Sehen Sie sich einmal diese chemische Formel an. Da gibt es doch kaum ein bedeutsames Metall, das fehlt. Charoit speist in ausweglosen Situationen gegebenenfalls all diese Frequenzanteile in den Lichtkörper ein. Er ist tertiär unter hohem Druck entstanden. Wie kaum ein anderer Stein hilft er in Situationen, in denen man unter Druck steht. Außerdem schärft er die Beobachtungsgabe und mildert streßbedingtes, zwanghaftes Verhalten. Sein Lila beruhigt das Gemüt, sein Wasseranteil dämpft wie ein Wasserkissen (vor allem durch Schocks, Streß oder Liebeskummer) hochgepeitschte Gefühle. Charoit ist eine gute Einschlafhilfe, die auch die Schlaftiefe erhöht. *Physische Wirkungen:* Er fördert den basischen Stoffwechsel. Streß und Druck säuern. Die Charoitschwingung entzieht Streß und Ärger, die säuernd wirken (»Ich bin sauer«), den Boden.

Fallbeispiel: Eine Klientin von mir war beruflich stark angespannt und wurde von den Kollegen nicht immer fair behandelt. Oft heimsten andere Mitarbeiter die ihr zustehenden Lorbeeren ein. Nach jahrelangem, unfallfreiem Autofahren hatte sie binnen kürzester Zeit zwei selbstverschuldete Unfälle. Bei mir wirkte sie sehr gehetzt und bedrückt und griff sich bei der Steinauswahl sofort den Charoit. Ihrem Geschmack nach hätte er auch gern größer sein können. Wochen später besorgte sie sich einen großen Charoitdonut. Zwei Monate

CHAROIT

später rief sie begeistert bei mir an und berichtete, wie der von mir programmierte Donut auf sie wirkte. So gut sei es ihr noch überhaupt nie gegangen wie mit diesem Stein um den Hals. Endlich könne sie ganz ruhig und souverän beruflich und privat auf ihre Leistungen und Meinungen hinweisen, und mit dem neuen Auto, das sie supergünstig habe erstehen können, fahre sie jetzt wieder richtig gern herum. Der Charoit hatte während der zwei Monate seine Musterung verändert, Quarznester hatten sich umgruppiert. Das typische, mich immer wieder faszinierende Aufeinandereinspielen zwischen Träger und Stein hatte bei den beiden besonders intensiv stattgefunden.

Charakter/Motto: **Die moralische Stütze.**

Synonym:
Andalusit
Chemische Formel:
$Al_2[OISiO_4]$
Kristallgitter:
rhombisch
Licht: Sonne

Aussehen: Opak, braunschwarz, mit beigefarbenen bis hellblauen Einsprengseln. Oft sind Toneinschlüsse im Stein vorhanden. Meist ist er länglich, wie ein Stück Wurst, und bei dickeren Steinen sieht man an den »Wurstenden« ein Kreuz im Stein.

Wirkungen: Bei Erschöpfung, vor allem nervöser Erschöpfung (Diagnose »Neurasthenie« oder »vegetative Dystonie«) lädt Chiastolith den Körper sanft wieder auf. Er wirkt auch gegen Kummer und (nervös bedingte) Muskelverspannungen (lokal auflegen). Chiastolith ist sehr gut mit allen energiespendenden Steinen und dem Riverstone kombinierbar. Bei Dauererschöpfung zum Beispiel mit Rubin, Bergkristall, Turmalinquarz und Rutilquarz (Ketten, Hosentaschensteine) allein oder ein Sortengemisch, zum Beispiel Chiastolith mit Bergkristallkette und Rutilquarzanhänger, ausprobieren, über 2 bis 3 Monate täglich tragen, robuste Naturen (Löwe, Widder) nehmen als Antreiber noch stunden-/tageweise Riverstone dazu.

Charakter/Motto: **Chiastolith macht mobil und fit.**

CHRYSOKOLL

Chemische Formel:
$CuSiO_3 \cdot n\ H_2O$
Kristallgitter:
amorph bis
monoklin
Licht: Mond

Aussehen: Türkis, opak, manchmal – je nach Fundort – mit klaren Quarznestern, mehr Dunkelblau und Blau im Stein als Grün und Türkis.

Wirkungen: Chrysokoll ist vor allem bei Frauen beliebt (wie auch der Mondstein). Als Kupfer und Wasser enthaltender Stein vermittelt er schwerpunktmäßig die Attribute der Venus. Durch seine sekundäre Entstehungsweise unterstützt er Veränderungen – körperliche und seelisch-geistige – beziehungsweise hilft, sie einzuleiten.

Physische Wirkungen: Chrysokoll wirkt kühlend, besänftigend, ausgleichend. In Kombination mit Prasem, Achaten oder klarem Quarz zum Beispiel bei Brandwunden, Sonnenbrand, Blasen von neu eingelaufenen Schuhen. Allein senkt er gut Fieber. Wenn man ihn auf das Sakralchakra legt, hilft er bei PMS-bedingten Depressionen (und Schwellungen vor der Periode), auf dem 3. Chakra gegen Erkältungen und bei Gallenschmerzen, auf dem 5. Chakra ist er gut bei Halsschmerzen, Angina, aber auch bei Menschen, die berufsbedingt ihr Kehlchakra überstrapazieren (Lehrer, Sänger, Redner).

Seelisch-geistige Wirkungen: Chrysokollketten sind für weinerliche Naturen empfehlenswert. Diese Anschaffung spart man am geringeren Taschentuchverbrauch wieder ein.

Charakter/Motto: **Die kühle, sanfte Brise.**

Chemische Formel:
SiO_2 mit farbgeben-
dem Nickel
Familie: ↑ Quarz
Kristallgitter:
trigonal,
kryptokristallin
Licht: Mond

Aussehen: Intensiv grün, opak, eine nickelhaltige Quarzvarietät.

Wirkungen: Dieser Stein macht Mut. Sein Nickel setzt den Körper des Verwenders »unter Strom«. Der Nervenäther, der dem Nervensystem feinstoffliche Energien liefert, wird auf diese Weise kurzfristig vermehrt, die Nerven können besser mit Energie versorgt werden und diese schneller assimilieren (für sich verwenden). Chrysopras ist ein sehr guter Schutzstein gegen alles, was an den Nerven zehrt und zerrt (siehe auch Seite 292 »Schutzsteine«), insbesondere bei Besessenheitsgefühlen, Obsessionen, Gier, Süchten, Minderwertigkeitsgefühlen, aber auch Größenwahn (Kette/Anhänger in diesen Fällen auch über Nacht am Kopfende des Bettes belassen oder täglich Steine im Liegen um den Kopf herum auslegen) anwendbar.

Bei körperlichen Beschwerden läßt sich der schöne, apfelgrüne Stein vor allem zur Allergievorbeugung (Prophylaxe) einsetzen. Günstig ist eine kurmäßige Anwendung *vor* dem zu erwartenden saisonbedingten Pollenflug. Man legt ein Kraftfeld aus Kombinationen mit (oder nur) Chrysopras, Bergkristall und Prasem und legt sich täglich in den Kreis. Eventuell legen Sie auch noch ein paar Chrysoprase über den Kopf (zum Beispiel wie einen Heiligenschein, vergleiche auch E. LOPEZ). Anschließend mit einer Spitze (egal, welches Mineral) die Meridianverläufe, besonders den Dünndarm- und Herzmeridian (beide am Arm), nachziehen. Danach ruhen.

Bei akuten Allergien nutzt das wenig. Dann sollten Sie lieber Aquamarin tragen. Die Vorbeugesteine sollten immer nur von einer Person und nur zur Prophylaxe verwendet werden. Seien Sie bei der Programmierung besonders pingelig.

Meiner Erfahrung nach ist Chrysopras auch empfehlenswert für Ex-Allergiepatienten mit Nickelallergie, die mit Bioresonanztherapie erfolgreich gelöscht worden ist. Der Stein bietet dem Körper der Ex-Allergiker gefahrlos die bei den Nerven so beliebte Nickelspannung an, allerdings entschärft und verpackt im harmonisierenden und ausgleichenden Quarz. Das Nervenkostüm kriegt seinen »Kick«, Sie fühlen sich nicht immer so müde, und von den leidigen Ekzemen bleiben Sie verschont.

Charakter/Motto: **Der Mutgeber.**

Chemische Formel:
SiO₂ mit Spuren
von Eisen
Familie: Quarz
Kristallgitter:
trigonal,
makrokristallin
Licht: Sonne

Aussehen: Transparent, einfarbig hell gelb über sonnengelb bis hellbraun.

Wirkungen: Er besitzt im Prinzip alle Heileigenschaften, die der reine, klare Bergkristall, sein naher Verwandter, auch hat. Sein Spezialgebiet ist jedoch die Psyche seines Verwenders. Citrin hellt das Gemüt auf. Seine hohe, fast unirdisch anmutende Vibration (daher ist auch der gern geäußerte Verdacht, nach dem er ursprünglich nicht von der Erde stammt, gar nicht mal so abwegig) hellt die Stimmung auf, macht »gnadenlos« froh und hilft gegen Abgestumpftsein. Seine antidepressive Wirkung läßt sich mit Onyx noch verstärken (zum Beispiel eine Citrinsplitterkette und eine Onyxkugelkette als »Happy«-Ketten tragen). Durch den Onyx ist es dem Verwender auch möglich, sich von alten Beschränkungen, ohne zu murren, ohne zu knurren, gutgelaunt lösen zu können.

Körperliche Heileffekte hat er natürlich wie jeder andere Quarz auch. Alle Quarze haben das dringende Bestreben, an der Aura zu arbeiten, daran können sie nicht vorbei. Citrin räumt im Bauchraum (Bereich Milzchakra, ein sehr wichtiges Doppelchakra) schwungvoll auf. Die etwas rabiate Art kann vorhandene Schmerzen eventuell kurzfristig verstärken. Wird es zuviel, springt der Stein meistens sowieso von allein ab. Überhaupt – so oft, wie Citrine bei der Heilbehandlung oder bei der Sonnenlichtaufladung von meiner Druse abspringen – suchen Sie diese Steine am besten gleich auf dem Boden. Citrine wir-

CITRIN

ken gut bei Blähungen, überhaupt »verdaut« man durch die belebende, auch im Geist herumschwirrende gelbe Frequenz vieles besser: von der Nahrung bis zum Schicksalsschlag. Machmal geht er mir
mit seinem Optimismus direkt auf die Nerven.

Charakter/Motto: **Der Fröhliche.**

Chemische Formel:
SrSO$_4$
Kristallgitter:
rhombisch
Licht: Sonne

Aussehen: Wie ein Bündel weißen Spargels steht ein Cluster dieser Kristalle eng zusammen. An der Basis und über die ganze Länge der »Spargelstangen« sind sie miteinander verwachsen. Am Kopfende bildet jede Stange eine kleine Spitze. Das Licht wird von allen Spitzen ätherisch weißblau gestreut und reflektiert. Es gibt auch blauen Coelestin, den habe ich noch nicht in einer akzeptablen Qualität bekommen.

Wirkungen: ↑ »Der Kausalkörper«, Seite 99. Diese Steinfrequenz wirkt vor allem auf Seele und Geist. Sie schenkt Seelenfrieden. Gerade diese innere Gewißheit und Zuversicht, die der Stein der Seele, dem »Boß des Körpers« vermittelt, hilft, Begrenzungen aller Art zu überwinden. Sein Aussehen läßt dies schon vermuten: Viele Einzelkristalle verschmelzen über eine enorm lange Wegstrecke zu einer Einheit, einer Sammelendung.

Physische Wirkungen: Coelestin gleicht die Körperpolung aus, und zwar stimmt er die Spannungen der magnetischen, linken Körperhälfte mit der solaren, elektrischen rechten Hälfte ab. Indirekt bewirkt das unter anderem natürlich eine gewisse Erdung. An und für sich ist die körperliche Polung aus- und abgeglichen. Im Rahmen von Meditationen mit Lift-Effekten, Rückführungen in frühere Leben (besonders, wenn das Geschlecht wechselte), aber auch durch einen Beruf, der beständig magnetisch-rezeptive Fähigkeiten (wie Intuition und Einfühlungsvermögen) aufzehrt, verschiebt sich die Spannung, die solare

Seite gewinnt Überhand. Der umgekehrte Fall ist wohl auch möglich, aber dazu kann ich nichts sagen, das kam bei mir noch nie vor. Nicht nur Magier, Mystiker und Seher verschleißen rezeptive Energien, auch Heil- und Pflegeberufe, viele Dienstleistungsberufe zehren sie auf, vom Lehrer über den Erzieher bis hin zum Börsenspekulanten und Konzernmanager ist jeder auf sie angewiesen.

Folgende Übung zum Abgleichen der Polung hat sich bewährt: Entspannte Rückenlage, Beine gestreckt und geschlossen halten, die Fußinnenknöchel berühren sich. Unter jede Fußsohle kommt ein erdendes Mineral (Holz, Rauchquarz, Bergkristall). Nun wird der Coelestin mit den Spitzen zum Knie/Gesicht weisend auf beide Fußrücken aufgelegt, genau mittig. Sie spüren schon bald einen kribbelnden Energiefluß, vor allem unter Narben im Beinbereich (es lohnt sich, diese einmal unterfluten zu lassen). Nach etwa 20 Minuten können Sie den Coelestin ablegen, lassen aber die Erdungssteine noch etwas liegen. Sorgen Sie dafür, daß alle Elektrogeräte abgeschaltet sind. Ihre plumpe Ladung wird vom energiesaugenden Coelestin (Sulfat!) durch seinen Antenneneffekt prompt angezogen und in sein feinstoffliches Kräftefeld integriert. Strontium, das derselben Gruppe wie Beryllium angehört, wirkt um ein Vielfaches durchschlagender als das leichte Beryllium, und das rhombische Coelestingitter liebt einen plötzlichen Wechsel: Der Stein holt sich die Ladungen, mit denen er abgleichen soll, leider schon mal gern aus aktiven umliegenden Spannungsquellen (Stand-by-Schaltung von Video und Fernsehgerät nicht vergessen). Und das sind nicht nur Elektrogeräte, vor allem in negativ besetzten Räumen. Coelestinmeditationen sind unerhört wertvoll, sollten aber nur in einer positiven Raumatmosphäre durchgeführt werden.

Charakter/Motto: **Das Spannungsfeld.**

Chemische Formel:
C°, eventuell mit
Spuren anderer
farbgebender
Stoffe oder Kohlen-
stoffeinschlüssen
im Stein
Kristallgitter:
kubisch
Licht: weiße und
gelbe Diamanten:
Sonne, schwarzer
Diamant: Mond

Aussehen: Weiß, durchsichtig; gelb (wie Citrin); anthrazit bis schwarz; alle drei Farbvarietäten weisen eventuell kleine schwarze Pünktchen (Kohlenstoffeinschlüsse) oder Rißbildungen auf.

Auf der Mohshärteskala nimmt der Diamant die führende Position ein (Härte 10), aber auch in den Herzen vieler Edelsteinliebhaber. Der beschliffene, facettierte Stein, der Brillant, ist für viele Menschen *der* Schmuckstein schlechthin. Kein anderer Stein funkelt, »brilliert« intensiver. Seine Brillanz überstrahlt die aller anderen Steine. Aus diesem Grund verwende ich Diamanten für Heilsteinauflagen inzwischen gar nicht mehr. Ihr Spitzenhärtegrad, das höchstmöglich geordnete (kubische) Gittersystem, ihre tertiäre, »fixierende« Entstehungsweise und ihre (bei klaren Steinen) optimale Lichtleitungsfähigkeit führen dazu, daß der Diamant Energien an sich reißt, fixiert und im Legemuster alle anderen Steine übertrumpft. »Adamas« hieß er im Altertum, der Unbezwingbare. Da ist etwas dran. Bei Steinauflagen stört diese Eigenschaft, bei Schutzsteinprogrammierungen ist sie natürlich von unschlagbarem Vorteil. Bitte beachten Sie: Brillanten, besonders in Gold gefaßte, wirken energiekonservierend. Am liebsten möchten sie den Lichtkörper so lassen, wie er ist. Das ist vorteilhaft, wenn Sie sich gut fühlen. Denken Sie zum Beispiel an die weitverbreitete Sitte Verlobter, einen Goldring mit Solitär am Sonnenfinger (!) zu tragen. Das soll das junge Glück auf dem aktuellen Glückszustand einfrieren, es festhalten. Bei Krankheit, Trauer, Kummer friert der Diamant mit Gold die energetische Situation ebenso ein. Manchmal klappt das sogar ohne Gold, denn Unglück und Schmerz haben auf der Erde nun einmal einen guten Nährboden. Ein Beispiel dafür ist der berühmte, unglückbringende Hope-Diamant.

Der Diamant ist ein Extremfall: extrem schön, hart, beständig und strahlend. Als Heilstein sollte er daher nur in Extremfällen, das heißt bei stark verzerrter oder deformierter Aura aufgelegt werden. Akzeptabel sind Anhänger und Ringe, die als Glückskonservierer getragen werden. Wenn man sich gut fühlt, stabilisieren sie diese positive Phase, »bewahren« sie. Schön sind auch kleine Naturoktaeder zum Betupfen von Schmerzpunkten.

Wirkungen: Wenn Sie reif und reich genug sind für ihn, ist er der stärkste Auraschutzstein. Er stärkt jedes Organ, wirkt belebend, ist willens(be)stärkend. Menschen mit starkem Willen, oft auch das Sternzeichen »Löwe«, lieben diesen Stein, gerade diese genannten Personen sollten sich aber bei Diamantschmuck zurückhalten. Diamanten besonnen die Aura, heben die Lichtschwingung sehr dynamisch an, frieren aber den Momentanzustand (Status quo) ein. Sie stabilisieren das Immunsystem, hemmen als Akupressurstein (den Akupunkturpunkt GG 28 auf der Mitte der Oberlippe, innen am Lippenbändchenansatz, massieren) den Appetit, heben den Durchhaltewillen (gerade bei Diäten) an, können aber auch erzstur und verbohrt machen.

Gelber Diamant: Er wirbelt sehr stark wirkendes gelbes Licht in die Aura, dagegen ist der Citrin noch harmlos ... Auf diese Weise *kann* (muß aber nicht) er gut und prompt Schockzustände (Autounfall, Todesfälle, Hiobsbotschaften allgemein) und Kummer lösen. Dem Vorsichtigen empfehle ich, eher Charoit mit Bergkristallspitzen zusammen aufzulegen gleichzeitig mit jeder Menge Erdungssteinen (Sodalith, Rauchquarz, versteinertes Holz, gern als dicke Rohstücke).

Charakter/Motto: **Gemeinsam sind wir stark.**

Schwarzer Diamant: Schwarzer Diamant kann ungemein kraftspendend sein, er ist etwas für Gewaltakte (hilfreich beim Verfassen der Steuererklärung, bei Hausrenovierungen, beim Ausmisten des Kinderzimmers ...). Er macht radikal, wild entschlossen und stur bei dauerndem Tragen und kann seinem Träger viel Pech und Unglück bringen. Deshalb wird man ihn selbst als Geschenk angeboten schwer wieder los.

Charakter/Motto: **Wolf im Wolfspelz.**

DIOPTAS

Chemische Formel:
$Cu_6[Si_6O_{18}] \cdot 6\,H_2O$
Kristallgitter:
trigonal
Licht: Sonne

Aussehen: Dunkelgrün opak, smaragdartig grün, schöne kleine Spitzen mit zartem Glanz; meistens als Kristallgrüppchen auf einem Stück Muttergestein auskristallisiert. Seltener sind kurze, dicke, kleine Spitzen (mit Endung) aus Afrika.

Wirkungen: Ein Dioptas strahlt etwas Harmloses, Tröstendes, Friedfertiges aus. Gerade die kleinen Stufen kann man sich zum Immer-mal-wieder-Anschauen gut sichtbar auf dem Tisch aufstellen. Sein Grün ist die reinste Badekur für die Augen, aber auch für Herz und Gemüt. Letzteres wird noch besonders gehätschelt durch den hohen Wassergehalt des Dioptas (vergleiche auch Enhydros, Charoit, Chrysokoll). Wasser im Stein, beziehungsweise in seinem Kristallgitter eingelagert, steht gemäß der Signaturenlehre für unsere Gefühlswelt, unser inneres Erleben. Wasserhaltige Steine wie der Dioptas können daher unser Gefühlsleben erreichen und anschwingen.

Bei keinem anderen Stein habe ich jenen glücklichen, entrückten Gesichtsausdruck häufiger beobachtet als bei den Leuten, die seine Frequenz wählen. Dioptas wirkt gegen Kummer – egal, wie alt oder neu er ist – gegen ewiges Hadern, Hinterhertrauern und Gram (siehe Seite 273 »Szenario-Steine«). Er versteht alles, seine Frequenz schleicht sich mild, wie auf Samtpfötchen, ins Herz ein und stillt den Schmerz. Er ist nicht so plump aufmunternd wie Bernstein oder Citrin, die gleich »zur Sache gehen«. Dioptas nimmt sich Zeit.

Physische Wirkungen: Auf den Bauchraum oder die Leber aufgelegt, wirkt er entgiftend auf den Körper. Das kann man mit einer Magnesitkette noch unterstützen. Dioptasketten habe ich noch nicht gesehen. Der Stein ist sehr weich und empfindlich (siehe auch Hermanover Kugeln, Krokoit, Disthen, Ulexit), was eine Verarbeitung wahrscheinlich sehr erschwert. Eine Bekannte von mir hat das Problem auf ihre Weise gelöst: Für ein wunderschönes Naturendstück hat sie ein Beutelchen gehäkelt und trägt den Stein nun über dem Herzen.

Charakter/Motto: **Der Psychotherapeut.**

Synonym: Cyanit
Chemische Formel:
$Al_2[O \mid SiO_4]$
Kristallgitter: triklin
Licht: Sonne

Aussehen: Er sieht aus wie eine blaue Nadel, ein mahnend blauer Zeigefinger, mit zarten, quer und längs verlaufenden Kerben, asbestartigem, leichtem Glanz und ist sehr brüchig. Dieser linealartig platte Stein hat im Längsverlauf eine sehr niedrige Mohshärte (etwa 4), quer dazu hat er allerdings eine Härte, die mit der der Jade (etwa 6,5) vergleichbar ist.

Wirkungen: Das Aussehen des Disthens, die Farbe und diese auffällige, je nach Achse unterschiedliche Härte gaben mir erste Hinweise auf seine Verwendungsmöglichkeiten. Ich habe mir einen Kristall gekauft, als ich heiser war. Als ich ihn auf das Kehlchakra aufgelegt hatte, leitete er eine angenehm kühle Energie durch dieses Chakra, die nicht nach oben, ins 6. Chakra, auch nicht nach unten, ins 4. Chakra, abfließt, sondern sich über die ganze Breite des Halses bis über die Schultern ausbreitet. Diese Energie ist so angenehm und nährend, daß allein dieser Stein ausreicht, um Räusperzwang, Heiserkeit, Frosch im Hals, aber auch Sodbrennen und Schluckbeschwerden zu beseitigen. Mein Disthen ist mit einem Ende in Quarz eingewachsen, da habe ich den ausgleichenden Quarzeffekt noch automatisch dazu.

Seelisch-geistige Wirkung: Der Disthen wirkt auf das Kehlchakra, unser Kommunikations- und Sprechzentrum. Genauso wie der Aquamarin schützt er uns vor den Suggestionen und Botschaften der überall präsenten Werbung. Er hilft uns auch, Probleme zur Sprache zu

DISTHEN

bringen. Sollten diese sehr privater Art sein und mit sexuellen Problemen zu tun haben, empfiehlt sich eine Kombination mit »Zoisit mit Rubin«. Wer es etwas direkter und vielleicht auch dringlicher vortragen will, der kombiniere Disthen auf der Kehle mit Rubin und Krokoit auf den unteren Chakren (hier am besten mit Morion, dem fast schwarzen Rauchquarz, unter den Fußsohlen erden, denn Sie wollen doch sicherlich nicht, daß sich die schöne Wirkung schnell verflüchtigt).

Bei Rückführungen bietet sich Disthen als Hilfsstein auf dem Kehlchakra an, um die gesehenen Szenen und Visionen leichter und präziser in Worte fassen (verbalisieren) zu können. Der Unterschied zwischen Längs- und Querhärte hat einen gewissen Brückeneffekt. Er trägt weiter »in die Breite«, in die gerade vorhandene Szene und Vision und führt nicht schon gleich weiter vor oder zurück in die nächste.

Fallbeispiel: Ich nutze ihn, wenn ich einmal nicht heiser bin, als Aufmerksamkeitsverbesserer. Auf dem Schreibtisch plaziert, mahnt er zur Konzentration und schmückt den Gedanken aus, auf den man sich gerade konzentriert.

Charakter/Motto: **Hier und Jetzt.**

Chemische Formel:
$CaMg(CO_3)_2$
Kristallgitter:
trigonal
Licht: Sonne

Aussehen: Er ist opak, einfarbig weiß bis rosaweiß, kann aber auch beigebraune bis gelbe Streifen haben, auf die Heileffekte hat das keinen Einfluß.

Wirkungen: Wenn Sie Muskelkater haben, ist er der ideale Helfer. Legen Sie ein eiförmiges Kraftfeld aus belebenden Dolomiten aus, in das Sie sich ausgestreckt hineinlegen. Auf die schmerzhaftesten Stellen kann man sich noch zusätzlich lokal Dolomite auflegen und im Kraftkreis bleiben (ca. 20 Minuten lang). Auch bei Müdigkeit und Mattigkeit hilft dieser Stein. Er gibt Kraft, nährt die Muskeln durch seinen Magnesiumgehalt (der im Körper universal eingesetzte Kraftspender ATP bildet mit Magnesium einen Komplex), verhindert Muskelkrämpfe und Übersäuerung. Bei Magenproblemen (verkorkster Magen, Gastritis) helfen Dolomitelixiere innerlich oder als Einreibung lokal in Magenhöhe. Ein Daumenstein aus Dolomit oder Hosentaschensteine und Donuts/Ketten wirken entsäuernd aufs Gemüt.

Charakter/Motto: **Der Masseur.**

DOW-KRISTALL

Chemische Formel:
SiO_2
Familie: Quarz
Kristallgitter:
trigonal,
makrokristallin
Licht: Sonne

Aussehen: Ein klarer Bergkristalleinender von trigonalem Habitus (vergleiche RYKART, 1989); mit weißem Phantom heißt er: ↑ Schamanen-Dow.

Wirkungen: Jeder Doppelender und Einender, der zur Quarzsippe gehört (außer Bergkristall noch Citrin, Blau-/Saphirquarz, die Phantome und der Rauchquarz und andere), ist ein Individualist. Dies drückt er durch seine Größe aus, seine Einschlüsse und natürlich seine Spitze. Gestalt, Charakter und Gesicht der Quarzindividuen sind unverwechselbar und prägen ihren Energiefluß, ihr »Wesen«.

Beim Dow-Kristall handelt es sich um einen Bergkristalleinender, der nach JANE ANN DOW benannt worden ist. In ihrem Buch (siehe Literaturverzeichnis) beschreibt sie diesen Stein und seine Wirkungen. Er gleicht alle Energien auf allen Ebenen perfekt und schnell aus. Vor allen Dingen, wenn dieses Ungleichgewicht durch Steinauflagen oder beim Testen aus Versehen aufgetreten ist. Bei nervösen Leuten sind große (> 200 g) Dow-Kristalle ideal geeignet zum Erden. Unter den Fußsohlen mit der Spitze zum Körper weisend erdet er noch schneller und zuverlässiger als ein normaler, gleich großer oder sogar größerer Bergkristalleinender. Er hat die typische ausgleichende Bergkristallwirkung, diese zeigt sich aber vor allen Dingen schneller und auch bei starkem Energie-Ungleichgewicht innerhalb von Minuten. Es ist jedoch schwer, zwei gleiche zu finden.

Fallbeispiel: Sein perfekter, gerader Wuchs und der besondere trigonale Spitzenhabitus symbolisieren auch für mich die perfekte Einheit und Harmonie von Körper, Seele und Geist. Eine Frau, die ihre Tochter zu mir begleitete und eigentlich gar keine Probleme hatte, wählte ihn bei mir eher zufällig aus. Eigentlich hielt diese Frau nichts von Edelsteinheilkräften, sie akzeptierte aber die Meinung ihrer Tochter, daß eine Steinberatung ja nichts schaden könne. Während der ganzen Beratung blieb diese Frau still sitzen und schaute sich die ausgebreiteten Steine scheinbar gar nicht an. Am Schluß der Beratung hatte ich den Impuls, sie fragen zu müssen, welcher Stein ihr denn gefallen würde, einfach so. Spontan griff sie zum Dow-Kristall und ließ ihn nach ein paar Sekunden erschrocken wieder los. Die etwas scharfe Energie des Kristalls hatte sich nicht nur surrend und vibrierend den Arm heraufgezogen, sondern war an einer Operationsnarbe am Kopf recht schmerzhaft spürbar geworden. Ehe ich etwas sagen konnte, griff sie wieder zu und ließ den Stein nicht mehr los. Ich wußte nichts von der Operation am Kopf. Man sah auch keine Narben. Die Frau erkundigte sich nervös, ob ihr das nicht schaden könne, umklammerte aber weiterhin den Stein. Er wurde heiß. Ich mußte ihr versprechen, unbedingt einen Dow-Kristall zu besorgen, wenn ich beim Stöbern in den einschlägigen Läden der Gegend einen finden würde. Natürlich wollte sie alles über den Stein wissen. Ich konnte ihr auf den Kopf zusagen, daß sie gelinde gesagt, nach absoluter Perfektion und Harmonie strebt, obwohl sie weiß, wie illusorisch das ist. Ihr ganzes Leben sei auf Erkenntnissuche und eher spirituelle Ziele hin ausgerichtet, ohne daß sie ein Tyrann und Sektierer sei. Da fing ihre Tochter schon an zu lachen. Die Mutter sei schon immer eine sehr ernsthafte Person gewesen, mit Einstellungen und einer Lebensführung, die außergewöhnlich und der Zeit voraus waren. Rassismus, Geiz, Konsumwahn und Egoismus hätten die Mutter schon in den Wohlstandsjahren (50er und 60er Jahre) abgestoßen und zu einer besonderen Erziehung der Tochter geführt. Obwohl die Mutter, nach Angaben der Tochter, so einiges im Leben hatte mitmachen müssen, unter anderem die schwere Kopfoperation, hätte sie nie den Mut verloren und an eine Hilfe von oben geglaubt. Mit viel Eigeninitiative hätte sie alle Schicksalsschläge selbst gemeistert. Das imponierte auch allen Bekannten und Verwandten sehr.

Dieser Charakterisierung des Dow-Kristall-Liebhabers braucht man nichts mehr hinzuzufügen.

Charakter/Motto: **Der Perfekte.**

DUMORTIERIT

Chemische Formel:
$Al_7O_3(BO_3)(SiO_4)_3$
Kristallgitter:
rhombisch
Licht: Sonne

Aussehen: Opak, graublau bis dunkelblau, mit schwärzlichen Sprengseln und/oder Flecken, oft auch kleine rostartige Fleckchen inselartig dazwischen gelagert.

Wirkungen: Dumortierit ist in seiner Wirkung vergleichbar mit Serpentinen, sozusagen ein Serpentin in Blau, allerdings mit stark jupiterisch-jovialer Komponente: Er macht gelassen, entstreßt nervlich. Wenn man »sauer« ist, entsäuert er vor allem das Gemüt. Dumortierit fördert die Tendenz, einen gelassenen Abstand zu den alltäglichen Dingen aufzubauen (als Hosentaschenstein). Daher kann er zum Beispiel nach hektischeren Tagesverläufen blutdrucksenkend und einschlaffördernd wirken (unters Kopfkissen oder aufs 5. Chakra legen). Als Anhänger (Kette) bei kratzigem Gefühl im Hals (Kneipenluft).

Fallbeispiel: Bei mir minderte Dumortierit die Lust an der Zigarette. Als ich das erfahren habe, wußte ich noch nicht, daß er Mohshärte 8,5 hat. Damit ist er härter als Bergkristall, Topas und Smaragd. Offensichtlich wirken sich diese Härte (im Sinne von Durchsetzungskraft) und auch die Effekte des rhombischen Gittersystems (siehe auch Seite 67 »Rhombisches Gittersystem«) auf seine Eigenschaft, mir das Nikotin zu verleiden, nachhaltig aus. Erst Wochen nach strikter Dumortieritkarenz schmeckten die Kippen wieder. Für den Gernraucher sind Chrysopras (gegen Gier, Ängste, Süchte) und der Gesundheitsfetischist Magnesit (entgiftend) schon ein schwerer Schlag. Nun haben diese beiden noch einen Dritten im Bunde.

Charakter/Motto: **Leben und Leben lassen.**

Chemische Formel:
SiO_2
Familie: Quarz
Kristallgitter:
trigonal,
makrokristallin
Licht: Sonne

Aussehen: Opake, durch Eisenoxide eventuell gelb, bräunlich oder durch Hämatiteinschlüsse rot gefärbte kleine Doppelender.

Wirkungen: Ideal zum Überbrücken von Chakren, zum Beispiel anstelle von kleinen Herkimer-Diamanten oder wenn die Leitungskapazität der dunkelgrünen Schörl-Stäbchen nicht mehr ausreicht. Eisenkiesel verströmen eine klare, kraftvolle Energie aus jeder Endung und wirken belebend durch den Eisengehalt, sind also nicht so neutral wie klarer Quarz. Eben deshalb sind sie bei Auflagen, bei denen Energie in den Lichtkörper eingebracht werden soll, sehr wertvoll. Ideal beim Auflegen auf den unteren Chakren, gut kombinierbar mit Rubin, Hämatit, Granat, Jaspis, bei Chakraunterfunktion, Schwächezuständen und über Narbengewebe, das Energie von Haus aus nur schwer ab- oder weiterleiten kann.

Charakter/Motto: **Der Muskelschlumpf.**

FALKENAUGE

Chemische Formel:
SiO_2
Familie: Quarz mit
Einlagerungen von
Krokydolith (mono-
klin:
$Na_2Fe_4[OH|Si_4O_{11}]_2$)
Kristallgitter:
trigonal
Licht: Sonne

Aussehen: Dunkler, opaker Stein mit schillerndem Glanz und seidig glänzenden Streifungen. Verkieselt der Krokydolith, wandelt sich das Falkenauge zum (gelbbraunen) Tigerauge um. Ab und zu findet man im Handel schöne Übergangsstücke. Sie vermitteln die Heileffekte beider Steinarten.

Wirkungen: Wie das Tigerauge ist der »Falke« ein ausgezeichneter Schutzstein, vermittelt jedoch noch zusätzlich Erdung: zum Beispiel bei Auflagen auf dem 1. Chakra und den Knie- und/oder Oberschenkelnebenchakren. Zur Meditation über all die Dinge, denen Sie auf den Grund gehen wollen, ist es bestens geeignet (einfach anschauen, aufs Dritte Auge legen oder in der linken Hand halten). Der Stein vermittelt eine gelassenere, relaxte Sicht der Dinge, läßt uns darüber stehen. Daher macht er nicht verbissen. Falkenauge ist mit allen Steinen kombinierbar und besonders geeignet für alle Körperzonen vom Nabel abwärts.

Charakter/Motto: **Von hier oben sieht vieles ganz anders aus.**

*Dieser Stein aus
Mexiko ist ein
Gemisch aus
↑ Achat und
↑ Opal.
Licht: Mond*

Aussehen: Opake, dunkle Achatlagen, in denen kleine (Feuer-) Opalnester liegen. *Wirkungen:* Warum zwei Steine nehmen, wenn man doch beide in einem haben kann? Dieser feurige kleine Mexikaner erinnert an einen Chilitopf: scharf, pikant und wärmend, sonst wäre es eben kein echtes Chili. Der »heiße« Gefühle mobilisierende Feueropal gibt dem eher kühlen Achat den pikanten Pepp. Feuerachat macht extrovertiert, wer ihn trägt, öffnet sich seiner Umwelt, hat aber den schützenden Achateffekt gleichzeitig zur Verfügung. Also ist Feuerachat ideal für Leute, die sich in der ersten Begeisterung grundsätzlich zu weit vorwagen – oder für das Sternzeichen Jungfrau, dem eine Prise Chaos (aber mit Rückversicherung, bitte schön!) gut tun würde. Der Achat schützt, der Feueropal treibt an, beide wirken wohltemperiert. *Physisch* wirkt Feuerachat bei kalten Fingern und Durchblutungsstörungen.

Charakter/Motto: **Die Flamme.**

FLINT, KIESELSTEIN

Chemische Formel:
SiO_2
Familie: Quarz
Kristallgitter:
trigonal
Licht: Sonne

Aussehen: Chalzedonartiger Quarz, beim Flint mit Beimischungen organischen Ursprungs. Manchmal weist er sogar sichtbare, kleine Fossilieneinschlüsse auf. Flintsteine sind oft einfarbig lehmfarben oder grauweiß. Die Steinenden sind meist scharfkantig und gekerbt, wodurch die Steine wie bearbeitet aussehen. Daher erinnern viele Flintsteine an steinzeitliche Schabewerkzeuge oder Faustkeile. Verkieselter Quarz (Kieselstein) hat sehr oft Querbänder aus hellem milchigen Quarz oder anderem dunkleren Gestein (zum Beispiel Granitadern). Von opak weiß bis schwarz sind alle Farben möglich.

Wirkungen: Ich fasse hier die Kieselsteine (Flußkiesel) und den oft gelbbraunen, aus alten Meeressedimenten in Lagen zusammengepreßten Flint aufgrund der identischen Heileffekte, die diese kraftvollen Steine vermitteln, zusammen. Beim nächsten Spaziergang lohnt es sich, nach schönen Steinchen Ausschau zu halten. Natürlich ordert der feine, vornehme Heiler wenigstens die schwedische Endmoränenware. Unsereiner holt sich echte, kleine »Proleten« vom Strand (dann wenigstens auf dem noblen Sylt) oder vom Rheinufer. Körperlich wirken diese bunten Individualisten enorm gegen Bulimie und Magersucht, unstillbaren Liebeskummer und Appetitschwäche, weil sie den Appetit regulieren. Hier sind opak weiße Kieselsteine mit roten Einschlüssen oder einfarbig rote mit weißen Quarzadern am besten. Bei nervöser Erschöpfung schirmen alle Flintsteine die Nerven ab und viele Kieselsteine, besonders die einfarbig schwarzen mit weißen oder

roten Adern. *Seelische Wirkung:* Sie lindern den Schmerz der Seele.
Als Bannsteine wirken Kiesel sehr gut bei magischen Operationen.
Sicherlich hat jede (erfolgreich praktizierende) Hexe eine Kollektion
dieser Steinchen, ein jeder für seinen ganz speziellen Einsatzzweck.
Selbstgesammelte, besonders mit Quarz- oder Granitadern durch-
zogene Exemplare peppen Ihren Schutzkreis und überhaupt jedes
Steinkraftfeld auf. Als im wahrsten Sinne des Wortes zu verwendende
Lückenbüßer im Steinkreis (gut bei den teuren australischen Chryso-
prasen) oder als zusätzlicher Extra-Innenkreis für besonders vorsichtige Personen, aber auch bei Coelestin-Auflagen, sind sie unschlag-
bar in ihrer kraft- und schutzspendenden Wirkung.
Charakter/Motto: **Der Magier.**

FLUORIT

Chemische Formel:
CaF_2
Kristallgitter:
kubisch
Licht: Sonne

Aussehen: Am schönsten sind die aus Illinois, meist als weiße, blau-lila oder grünlila Spaltoktaeder (wie zwei an der Basis zusammenge-klebte Pyramiden), eventuell mit farbgebenden Beimischungen und/oder Pyriteinschlüssen (golden glänzend wie Weihnachtsflitter).

Wirkungen: Er fördert allgemein das Erkennen. Mentale Muster wer-den bewußt wahrgenommen. Er eignet sich prima zum Meditieren, wenn Sie kreativ arbeiten (Werbung, Modebranche, Forschung), und läßt keine Ruhe, bis man glaubt zu wissen, was hinter den Dingen steckt. Solange wechselt er ständig seine Farbe – und nach jeder Beschäftigung mit ihm noch einmal.

Weißer Fluorit: Dieser Stein wirkt *physisch* bei Osteoporose, gut mit Koralle zusammen, wenn sie auf den betroffenen Regionen aufgelegt werden. Oder Sie stellen ein Elixier aus roter Koralle und weißem Fluo-rit separat her, das Sie erst nach Fertigstellung zusammenmixen, und von dem Sie dann 4 bis 5 Tropfen 3 x täglich einnehmen.

Charakter/Motto: **Erkenne Dich selbst (brrrr ...).**

Chemische Formel:
mir nicht bekannt
Licht: Sonne

Aussehen: Opak, orangebraun, golden glitzernd.

Wirkungen: Goldfluß wird als synthetisches Produkt von vielen Menschen abgelehnt. Nach einer Händleraussage wird er angeblich von Mönchen in einem italienischen Kloster künstlich gezüchtet. In letzter Zeit häufen sich günstig angebotene Trommelsteine auf dem Markt. Meine beiden Cabochons zeigen heilende Wirkungen, daher stehe ich dazu, diesen Stein als Heilstein aufzulisten. Es könnten die berühmt-berüchtigten Placeboeffekte sein, mit denen Goldfluß aufmunternd aufs Gemüt wirkt und belebend auf den Körper. Vielleicht ist es auch nur der schöne Name und das ansprechende Äußere (wie so oft!). Es könnte auch das Programm sein, das in meinen Steinen mit Verstärkerwirkung von Tag zu Tag schon ein Weilchen läuft.

Fallbeispiel: Ich kombiniere Goldfluß gern mit Sonnenstein, Bernstein und Citrin (alle um den Nabel herum oder entlang dem unteren Brustkorbrand auflegen). Diese Auflage wirkt gegen alles, was uns »auf den Magen schlägt« oder »Bauchschmerzen« verursacht, ohne euphorisch zu machen.

Charakter/Motto: **Alles im Fluß.**

HÄMATIT

Chemische Formel:
Fe_2O_3
Kristallgitter:
trigonal
Licht: Sonne

Aussehen: »Männliche« Steine mit Spuren von Titan, schwarz, »weibliche« bunt angelaufen. Dunkelrote, wie gegossen wirkende Steine heißen auch Glaskopf. Meist sieht er opak, metallisch glänzend und bleifarben (schwarzgrau) aus.

Wirkungen: Als Schutzstein zeigt er schnelle Wirkungen. Als typisches Erz wirkt er in erster Linie *körperlich,* aber genauso auf Seele und Geist. Schleift man Hämatite, färbt sich das Schleifwasser rot, daher kommt sein anderer Name: Blutstein (nicht mit Blutjaspis, dem Heliotrop, zu verwechseln). Hämatit wirkt physisch aufbauend, stärkend und blutbildend. Er verbessert auch die Sauerstoffbindungskapazität des Blutes, denn im Hämatit ist Eisen an Sauerstoff gebunden. Sauerstoff vermittelt dem Körper mehr »Yang«-Energien. Das gibt dem Hämatit eine leicht aggressive, kriegerische Note (Aggressivität ist auch »Yang«).

Die roten Blutkörperchen sehen wie kleine, in der Mitte eingedellte Scheibchen aus. Daher ist zur Blutbildung, bei Anämien, eine Disc-Kette (hat nichts mit Computern zu tun), die die Form der roten Blutkörperchen nachahmt, besonders günstig. Kugelketten empfehlen sich bei allgemein schwachem Kreislauf und zarter Konstitution (auch bei Kindern, kombiniert mit einer dunkelroten, ungefärbten Korallenkugelkette) sowie chronisch kalten Händen und Füßen.

Die hohe Dichte des Hämatits, der »Brennstoff« Sauerstoff und der hohe »feurige« Eisengehalt heizen dem Körper, begünstigt durch die niedrige Mohshärte und das blickdichte, opake Aussehen des Steines ein.

Hämatitschwingungen regen energetisch unterversorgte Gebiete an, um sie anschließend auszugleichen und ruhig fließen zu lassen (Effekt des trigonalen Gitters). Da er nicht die Härte des ebenfalls trigonalen Bergkristalls hat, wirkt er lediglich lokal auf Energiesammelbezirke ein. Auf die unteren Chakren oder unter die Fußsohlen gelegt (besonders kleine Stufen), erdet Hämatit kraftvoll. Das hilft besonders bei schlechtem Kurzzeit- und Zahlengedächtnis, Vergeßlichkeit, und Zerstreutheit. Leider vergesse ich viel zu oft, meine Kette zu tragen. Hämatit entspannt die Nerven durch die verbesserte Erdungsfähigkeit. Seine etwas kriegerische Note führt dazu, daß man nach erwiesenen Ungerechtigkeiten zum Aufmucken animiert wird. Man macht seinem Ärger kurz, aber deutlich Luft, und in der Regel begreifen die betreffenden Personen das Protestieren sehr gut und nehmen es nicht krumm. Für mich ist Hämatit marsisch. Mars kämpft fair, nicht so schön aus dem Hinterhalt wie Pluto, und fairer, notfalls lautstarker Protest ist den meisten Leuten lieber als wochenlange beleidigte Mienen und Diva-Gehabe.

Das unscheinbare Äußere des Hämatits täuscht: der Stein ist sexuell gepolt, verführt uns als »Männchen« (titanartig schwarz) oder als »Weibchen« (dann benzinbunt schillernd) zum Kauf. Es ist für jeden etwas dabei. Zwitter gibt es natürlich auch. Sexualität, aber auch die beliebten Flirts mit dem anderen (oder gleichen) Geschlecht haben immer etwas mit Selbstdarstellung, Selbstbehauptung, aber auch Aggressivität zu tun. Schließlich dringt man in den Privatbereich, in das Territorium, einer anderen Person ein. Da scheint sich eine Prise Hämatit-Schwingung immer zu lohnen.

In alten Kulturen galt der Hämatit als Amulett des Kriegers (mit beruflich bedingten hohen Blutverlusten mußte er stets rechnen) und der Weisen Frauen (die die Verletzten nach der Schlacht behandelten) (vergleiche R. FLOREK, 1989). Dem Krieger gab der Stein Mut, Schutz, Kraft und Blut, die Weise Frau nutzte ihn zum Wundzauber (Sympathiemagie), aber auch für visionäre Sichten und Gesichte (siehe auch Seite 274 »Szenario-Steine«).

Fallbeispiel: Meine Kette, die aus inzwischen schon auf Hechtangelfaden aufgezogenen Hämatitscheibchen (Discs) besteht, wird bei mir blutarmem Gesellen immer sehr schnell heiß (gut, weil ich immer friere) und reißt regelmäßig. An den gerissenen Stellen hat der Hämatit dann oft rote Stellen am Bohrloch.

Den sexuellen Hämatitaspekt habe ich vor einigen Monaten einmal bei der Kettenprogrammierung einer Frau, der im Wurzelchakra eine erhebliche Menge Rotenergie fehlte, ausgenutzt. Der äußerst gepflegten und attraktiven Frau liefen nach dem ersten Abend alle Männer weg. Nie gab es ein zweites Treffen auf ein Bierchen oder einen Kaffee. Außerdem bekannte sie, von einem ihr relativ widerlichen, aber sexuell stark auf sie wirkenden Mann angezogen zu sein. Dabei könne sie ihn überhaupt nicht leiden. Offensichtlich strotzte genau dieser Mann von Wurzelchakraenergien, die diese Frau so benötigte. Menschen, die diesbezüglich eher sparsam ausgestattet sind, spürten unbewußt, daß da jemand eine Ladung Rotenergie abzapfen wollte. Und an einem Abend kann ein bedürftiger »Energievampir« ganz schön viel aufsaugen. Das kennen wir ja auch von jenen Menschen, die reihum im Bekanntenkreis (mit Erholungspause für jedes Opfer – wie rücksichtsvoll!) Energien in Form von Anteilnahme schnorren und das erschöpfte Opfer, bei dem sie sich ausgeruht haben, leergesaugt zurücklassen. Jedenfalls bekam diese Frau eine (männliche) Hämatitkette und beobachtete schon Tage später die Reaktionen ihrer Bekannten und Freunde mit Erstaunen: Manche dachten, sie sei zur Kur gewesen oder im Schönheitsinstitut oder wenigstens beim Frisör, aber irgend etwas war doch anders ... Probleme, Bekanntschaften zu schließen, hat diese Frau nicht mehr.

Charakter/Motto: **Der Spannende.**

HELIOTROP

Synonym:
Blutjaspis
Chemische Formel:
SiO_2 *mit Chloritein-*
schlüssen und
Hämatitanteilen
Familie: Quarz
Kristallgitter:
trigonal
Licht: Mond

Aussehen: Opak, dunkelgrün, mit roten und gelben Flecken.

Wirkungen: Er ist ein guter Körperschutz- und -pflegestein. Wenn er noch zusätzlich zu den roten ein paar gelbe Fleckchen hat, ist er der beste bei eitrigen Entzündungen im Bereich des 4. und 5. Chakras, vor allem jenen mit Etagenwechsel* bei und nach Erkältungen, verschleppten grippalen Infekten, dicken Mandeln etc. (im Winter im Haus haben!). Nach Infektionen kann man ihn zusammen mit grünem Kalzit zum »Löschen« der Krankheitsschwingung lokal aufs 4. Chakra auflegen, wobei schlechte Qualität oft kaputtgeht. Wenn die Steine »qualmen«, sollten sie durch neue ersetzt werden. Allgemein wirkt der Heliotrop gegen Ermüdung (2., 3., 4. Chakra), Erschöpfung, entkrampft den Uterus, den Darm (alle Hohlorgane) und fördert durch seine stark entgiftende Wirkung die Wundheilung, unterstützt beim »Schlacken-Ausschwemmen«, bei Diäten, nach der Sauna, Lymphdrainage, Safttagen, ungewohnten Sportarten, nach körperlichen Raubbauphasen und Hektik (Umschulung, Prüfungen, Hausbau etc.). Zum langfristigen Tragen wählen Sie am besten Donuts oder dicke Kugeln mit viel Dunkelgrün und deutlich abgegrenztem Rot, das nicht verschliert ist und kein Gelb enthält. Gut ist auch eine Kombikette mit Türkis, Achat, Karneol, Jade, Hämatit. Tip: Radikal entgiftend wirkt ein Donut in Verbindung mit einer echten, unbestrahlten Rauchquarzkette.

Charakter/Motto: **Die Mayr-Kur: entgiftend, entschlackend, immunstärkend.**

---

* Die Krankheitserreger breiten sich von der oberen Etage (Kopf) weiter in die untere Etage (Lunge, Bronchialbaum) aus.

HERKIMER-DIAMANT

Chemische Formel:
SiO_2
Familie: Quarz
Kristallgitter:
trigonal, makrokristallin
Licht: Sonne

Aussehen: Es handelt sich um oft relativ kurze, fast künstlich aussehende, klare Doppelender, die meist einen pseudohexagonalen Spitzenhabitus (↑ »Bergkristall«, Sonderformen) haben, das heißt bleistiftspitz an jedem Ende auslaufen. Herkimer-Diamanten – nach ihrem Fundort Herkimer in den USA benannt – besitzen meist praktisch keine Prismenflächen (vergleiche Seite 76 »Abbildung 3«) mehr, und gesellig, wie sie nun einmal sind, wachsen sie selten allein. Oft stehen viele zusammen und sind aneinander, übereinander, miteinander verwachsen, ja, sie durchwachsen sich sogar. Der Glanz dieser kleinen Steine ist unbeschreiblich, sie strahlen wie sonst nur Zirkone und Diamanten – daher auch der Name Herkimer-»Diamant«.

Wirkungen: Ich besitze einen kleinen, einsamen Herkimer mit feinen schwarzen Einschlüssen, den ich für Auflagen aufs Dritte Auge gern einsetze. Herkimer-Diamanten eignen sich aus Platzgründen in Auflagemustern besser als Überbrückungsstein als normale, relativ große Bergkristalldoppelender. Durch die beiden bleistiftspitz endenden Spitzen ist der Überbrückungseffekt viel besser als bei den einfachen, simpleren Doppelendern, bei denen beide Spitzen oft stumpf und unregelmäßig geformt sind. Herkimer-Diamanten sind so klein, daß man die Distanz zwischen dem 6. und 7. Chakra ideal überbrücken kann, ohne daß die Energie zu weit seitlich wegfließt. Das ist oft der Fall bei kurzen, nicht aus Herkimer stammenden Doppelendern.

Charakter/Motto: **Der Strahlende.**

Chemische Formel:
Rhombischer
Anthophyllit
$(Mg,Fe)[OH|SiO_{11}]_2$
mit einem Kern aus
monoklinem Phlo-
gopit $(KMg_3[(F,OH)_2$
$AlSi_3O_{10}])$
Licht: Sonne

Aussehen: Glänzende, etwa hühnereigroße, silikathaltige Kugeln mit einem golden schimmernden Kern aus Phlogopit und einer nadelig, asbestartig aussehenden Schale aus Anthophyllit – für die auch eingefleischte Boji-Fans ihr Pärchen glatt mal stehenlassen werden!

Ausnahme: Diese Sonderimporte (Fa. Krantz, Bonn) aus Tschechien werden zum Reinigen nicht in Salz gelegt, sondern nur mit Sonnenlicht (kann Wochen dauern!) und Wasser geläutert.

Wirkungen: Zum Abkürzen von Grübellitaneien und bei Selbstzweifeln nimmt man je eine Steinhälfte in jede Hand. Der Stein arbeitet nach dem Prinzip mehrerer, ineinander geschachtelter Überraschungseier – in jedem Ei befindet sich ein neuer, erfreulicher Aspekt des Selbst. Auch alte Meckerer wie ich werden auf diese Art und Weise schachmatt gestellt: Sooo viel Positives haut jeden Selbstzweifel um und setzt enorme Lebenskräfte völlig locker und spielerisch frei.

Charakter/Motto: **Der Ost-Boji, nur besser.**

HOLZ

*Siehe auch
Seite Seite 274
»Szenario-Teil«
Licht: Sonne*

Wirkungen: Egal, ob versteinert, opalisiert, achatisiert, verquarzt oder verkieselt – ich liebe alle Sorten. Unter den Fußsohlen (wenn es sein muß, gestapelt!) plaziert, hat es den gegenteiligen Effekt mittelalterlicher, entzündeter Scheiterhaufen: erdend, genügsam machend, beruhigend. Man bekommt wieder ein Bein auf den Boden beziehungsweise gewinnt (wieder) festen Boden unter den Füßen.

Charakter/Motto: **Sturmfest und erdverwachsen.**

Synonyme:
Dichroit, Cordierit,
Wassersaphir
Chemische Formel:
$Mg_2Al_3[AlSi_5O_{18}]$
Kristallgitter:
rhombisch
Licht: Sonne

Aussehen: Transparent, zart blau bis blaulila, je nach Lichteinfall und Träger.

Wirkungen: Er strahlt etwas Sanftes, Entstressendes ab, zarte, aufmunternde Energien, die bei Splitterketten etwas intensiver sind als bei Kugelketten, jedoch stets angenehm unaufdringlich. Der Iolith ist ein idealer Nervenstabilisator, wenn wir uns auf neue Situationen einstellen müssen, die uns erst ungewohnt, ja bedrohlich erscheinen. Bei Dauertragen (Kugelkette) kann man Veränderungen auf einmal vertragen, findet sich mit Ihnen ab und kann sogar aus den neuen Erfahrungen viel Positives ziehen und dazulernen. Iolith erhöht auf diese Weise die geistige Flexibilität und Verarbeitungsfähigkeit.

Charakter/Motto: **Der Kuschelige.**

JADE

Chemische Formel:
$NaAl[Si_2O_6]$
Kristallgitter:
monoklin
Licht: Sonne und
Mond, lila Jade: nur
Mond

Aussehen: Lila, gelb oder dunkelgrün, opak, mattschimmernd, oft mit Streifungen oder Flecken.

Wirkungen: Jade ist oft ein Oberbegriff für Jadeit und Nephrit. Sie kühlt, beruhigt, gleicht aus, fügt die fehlende Qualität automatisch hinzu (beispielsweise zu wenig Darmmotorik oder Speichelfluß oder ähnliches). Schwellungen und Stauungen, besonders im Brust- (4. Chakra!) und Bauchraum, dicken Füßen (und Knien) wirkt sie entgegen. Darüber hinaus ist sie fiebersenkend, nach Gastritis magenstärkend, außerdem verjüngend und entgiftend (besonders grüne Jade). Jade festigt auch labile Wirbel und schwache Seitenbänder (verrenkter Hals, steifes Kreuz) und läßt Prellungen abschwellen. Alle Farben der Jade wirken Fäulnisbildung entgegen. Diese Wirkung und ihr entgiftender Effekt machen Jadeauflagen auf den Bauchraum bei Blähungen, Darmkuren, bei und nach Colon-Hydrotherapien und Symbioselenkungskuren, gern auch zusätzlich innerlich als Elixier eingenommen, so wertvoll. Wie sagten die Araber? Der Tod sitzt im Darm. Vielleicht ist das der Grund, warum Jade langlebig machen soll – abwarten. Wenn sie auf dem 4. Chakra aufgelegt wird, wirkt Jade allgemein tröstend, verzeihend (lila Jade).

Magnetit-Jade: Lokal aufgelegt gut für alle Drüsen (harmonisierend).

Gelbe Jade: Bei Nervosität und peinigender innerer Unruhe und zerrissenem Nervenkostüm. Sie ist Balsam für eine nervöse Blase, bei Sextanerbläschen, Blaseninkontinenz (zum Beispiel nach Geburten). Sie wirkt nach Harnweginfektionen aufbauend.

Charakter/Motto: **Das Geschenk.**

Chemische Formel:
SiO_2 mit den unter-
schiedlichsten Bei-
mischungen
Familie: ↑ Quarz
Kristallgitter:
trigonal
Licht: Mond

Aussehen: Jaspis ist ein opaker, in allen Farben von Gelb bis Schwarz vorkommender, oft auch gemusterter Stein. Die Farben ergeben sich durch die unterschiedlichen Beimischungen, oft aus (geschichteten) verschiedenen Lagen aus Chalzedonlagen und/oder eisenhaltigen Erz- beziehungsweise Silikatanteilen.

Wirkungen: Jaspis hat etwas Kriegerisches, etwa so wie der Hämatit. Das liegt am hohen Eisengehalt, vor allem der roten Steine (Silex). Jaspis macht Mut, solange man ihn trägt, setzt manchmal ungeahnte Energien frei, macht wehrhaft, aber nicht zickig. Alle Jaspis-Arten wirken ungemein entgiftend, erdend, schützend und sind preiswert.

Gelber Jaspis: Darm, Leber, Galle, Nieren, Blase (gut mit Jade und Bergkristall zusammen).

Charakter/Motto: **Der Urologe.**

Grüner Jaspis (Plasma): Stärkt die Lebensfreude.

Roter Jaspis (Silex): Er wirkt blutbildend, aufbauend, kraftspendend. In den Knauf des Schwertes »Balmung« unseres Nationalhelden Siegfried (Nibelungensage) soll ein roter Jaspis eingelassen gewesen sein. Auflagekombinationen mit Rubinscheiben und rotem Karneol auf dem 1. und 2. Chakra wirken nach einem anstrengenden Tag belebend, vor allem, wenn man noch etwas Schönes vorhat ...

Charakter/Motto: **Der Gladiator.**

KALZIT

Synonym:
Kalkspat
Chemische Formel:
$CaCO_3$ mit
farbgebenden
Beimischungen
Kristallgitter:
trigonal
Licht: Sonne

Aussehen: Kalzit kann opak, weiß, gelbbraun (goldfarben), orange (↑ Orangenkalzit), rosa, rot, blau, grün oder lila sein.

Blauer Kalzit: Worauf warten Sie? Was auch immer Sie wollen, tun Sie es! Sie können allen Leuten von Ihren neuen Projekten erzählen (blauer Kalzit in Kombination mit blauem Chalzedon auf dem 5. Chakra machen geschwätzig, also drauf auf das Halschakra mit den beiden), denn es wird alles gelingen.
Charakter/Motto: **Der Persilschein.**

Goldener Kalzit (Bernsteinkalzit): Er gibt Zuversicht und inspiriert zu neuen Ideen, gibt aufkeimenden neuen Ideen »Substanz« und hilft, sie in die Tat umzusetzen.
Charakter/Motto: **Die Muse.**

Grüner Kalzit: Bei eitriger Bronchitis (aber auch Raucherhusten) nicht zu kleine Stücke im Brustbereich auf Lunge und Bronchien auflegen. Sie regenerieren das Gewebe, dank ihrer metamorphen Entstehung »beenden« sie die Erkrankung und setzen Heilungsenergien im Bereich des Herzchakras (4.) frei.

Grüner Kalzit regeneriert, kann auf die Lendenwirbelsäule gelegt oder nach überstandener Grippe oder Husten zum Löschen der Krankheitsschwingung (4. Chakra) verwendet werden. Sie sollten lieber größere Steine kaufen, sie zerbrechen leicht, wenn man sie nicht sofort beim Warmwerden ersetzt.

Charakter/Motto: **Der Hustentee.**

Rosa Kalzit: Dieser Kalzit gibt dem Verstand den lang ersehnten Frieden (Rosenquarz dagegen tröstet eher körperlichen Schmerz und seelischen Kummer) und »nährt« den Mentalkörper. Meist nimmt man ihn nach einer längeren Trauerphase. Nun kann man sich wieder öffnen, am Leben teilnehmen: das Schlimmste ist überstanden. Man ist gereifter, erwachsener geworden, der Groll ist verflogen. Als Kopfkissenstein oder Handschmeichler stabilisiert Ihnen der rosa Kalzit diesen Zustand. Für Kinder ist er gut gegen Heimweh oder bei längerem, erzwungenermaßen notwendigem Klinikaufenthalt.

Charakter/Motto: **Man lernt stets dazu.**

Weißer Kalzit: Spricht den Mentalkörper an, macht Lust, über alles nachzudenken, wirkt ordnend und klärend bei unklaren und wirren Gedankenabfolgen, außerdem ist er nicht schlecht bei Problemen mit der verschlissenen Wirbelsäume (»abgenutzte« Knochen) und Osteoporose (Elixier trinken und als Badezusatz verwenden). Klarweißer, optischer Kalzit heißt auch *Doppelspat.*

Charakter/Motto: **Mehr Input!**

KARNEOL

Chemische Formel:
SiO_2 mit
eisenhaltigen
Beimischungen
Familie: Quarz
(↑ Chalzedon)
Kristallgitter:
trigonal
Licht: Mond

Roter Karneol: *Aussehen:* Karneol kann uni-fleischfarben und schwach durchscheinend aussehen, aber auch geringelt mit gelben, weißlichen und braunschwarzen Ringelchen beziehungsweise Streifen.

Wirkungen: Der rote Karneol ist einer meiner Lieblingssteine. Er war schon bei den Babyloniern und Ägyptern bekannt und beliebt. Viele der alten Hochkulturen überall auf der Welt wußten seine Wirkungen zu schätzen. Seit der mittleren Steinzeit (vergleiche GUHR und NAGLER, 1989) ist er ein Begleiter des Menschen, ein echter »Evergreen«. Der einfarbige rotorange Stein wirkt auf dem 2. Chakra am besten. Er erdet dann mild, macht einfallsreich und kreativ. Er zieht seinen Träger ins Fleisch (in den physischen Körper hinein), belebt aber auch das müde, abgearbeitete Fleisch, wenn man eine Kette länger trägt. Der geringelte rote Karneol hat dieselben Effekte und ist ein nicht zu unterschätzender Schutzstein. Karneol putscht nicht auf, er verleiht Wohlbefinden. Man kann ihn besonders gut auch nachts tragen, vor allem bei nächtlichem Schwitzen (ohne begleitendes Fieber). Da Karneol extrem stark die Seele an den Körper bindet, ist er allen jenen, die ihre irdische Hülle (zeitweilig) aus den verschiedensten Gründen verlassen (müssen), zu empfehlen – falls sie das nicht ohnehin schon längst wissen.

Charakter/Motto: **Der Kreative.**

Gelber Karneol: Aussehen: Er sieht eigentlich recht unattraktiv gelbgrün (meine Schwester sagt immer »rotzgrün«) und schwach durchscheinend aus, eventuell mit weißgelblichen Ringelchen.

Wirkungen/Fallbeispiel: Als ich eine schöne Kette im Katalog sah, mußte ich die natürlich unbedingt haben. Eine Weile lag sie testbereit auf dem Regal herum. Die Farbe fand ich immer noch nicht so berauschend. Aber dann, mit leicht verkorkstem Magen und regem Wechsel zwischen einer Art Durchfall und normalen Phasen, da stach sie mir ins Auge und war die schönste Kette von allen. Gelber Karneol wirkte bei mir stabilisierend und ausgleichend im Verdauungstrakt. Ich hatte auch sofort wieder richtig Appetit auf Herzhaftes (Gewichtsverluste kann ich mir nicht leisten), und die alte Kraft (eher bescheiden, aber spürbar, wenn sie *nicht* da ist) kam sehr schnell wieder zurück.

Charakter/Motto: **Das rohe, geriebene Äpfelchen.**

KORALLE

Chemische Formel: $CaCO_3$ mit organischer Substanz
Kristallgitter: trigonal, kryptokristallin
Licht: Sonne, (schwarze Koralle: Mond)

Wenn Sie bereits eine Korallenkette oder ein Aststück einer Koralle besitzen, können und sollten Sie sie als Heilstein nutzen. Um die Korallenriffe und die Edelkorallenbestände zu schonen, kann man alternativ zur roten, rosa und weißen Koralle Fluorit und Orangenkalzit sowie weißen Kalzit verwenden und alternativ zur schwarzen Disthen, Saphir, Ulexit und weißen Phantomquarz. Alle Korallen stärken unser »inneres Kraftwerk«, lassen den Körper Reserven anlegen; Kugelketten sind besonders gut als Geschenk für schnell wachsende Kinder.

Rosa Koralle: Öffnet die Augen für das Schöne, stimmt heiter, macht feinsinnig. Die Kugelkette tragen Sie also zur Vertiefung schöner Sinneseindrücke (Konzerte).

Charakter/Motto: **Die kleine Meerjungfrau.**

Rote Koralle: Der Wirbelsäulenstein, besonders bei Osteoporose, Abnutzung, »Verschleiß«. Rote Koralle gibt Lebensfreude und wirkt blutbildend. Am besten tragen Sie eine dunkelrote (ungefärbte!) Kugelkette über mehrere Monate tagsüber und reinigen sie jeden Abend unter Wasser.

Schwarze Koralle: Macht als Kette getragen wachsam und fördert ein gesundes Mißtrauen bei vertrauensseligen Leuten.

Weiße Koralle: Wirkt am stärksten aufbauend auf die Knochen (dieselbe Bälkchenstruktur wie bei unseren Knochen und ein biologisches Material).

Chemische Formel:
$PbCrO_4$
Kristallgitter:
monoklin
Licht: Sonne

Warnung: Krokoit ist giftig, daher nur zur Auflage, nicht für Bade-essenzen, Elixiere oder als Zusatz in Ölen und Lotionen verwenden.

Aussehen: Krokoit ist opak, sieht glänzend rotorange aus. Oft kristallisieren nur kleine, spitze Nädelchen auf dem Muttergestein aus. Ich habe einen dickeren Kristall, der wie ein Faserbündel aussieht und aus meinem bevorzugten Heilsteinland Australien stammt.

Wirkungen: Über das monokline Gitter des Krokoits, das die Gefühlsebene anspricht, und die sexualchakrafreundliche Farbe des Steins kann das Blei anscheinend, vom Chrom gemanagt, eine sehr milde und gnädige Wirkung vermitteln. Diese »Gnade« trifft vor allem den Körper des Leidenden: Krokoit dämpft die unmittelbaren Folgen des »ersten Schocks«, wenn man noch gar nicht in der Lage ist, den Liebeskummer mit etwas Abstand zu verarbeiten. Er löst sie auf, gibt so dem Gefühlskörper, der anschließend reagieren muß, etwas Luft. Nun kann man die klassischen Tröster wie Rosenquarz und Kunzit verwenden. Je frischer der Schock ist, je größer der Weltschmerz ist, desto besser wirkt der Krokoit. Chrom und Blei (Durchschlagekraft) arbeiten hier ideal zusammen. Man sollte Krokoit auf Vorrat im Haus haben, denn es kann eventuell dauern, bis man ein schönes Exemplar gefunden hat. Verwöhnen Sie Ihren Stein mit reichlich Sonnenlicht.

Fallbeispiel: Kürzlich ist mein Krokoit zerbrochen, genau in der Mitte entzwei. Todesursache: eine größere Anzahl liebeskummergeplagter Besucher, die mich aus aktuellem Anlaß besuchten und sich den Krokoit griffen. Auf meinem Steinfriedhof wird er aber erst landen, wenn sich ein würdiger (sprich: mindestens doppelt so großer) Nachfolger gefunden hat. Chromhaltige Steine werden schon einmal gewählt, wenn man unter Druck steht. Mich wunderte nur, daß ein Stein, der gleichzeitig auch einen ebenso hohen Anteil an Blei enthält, als idealer Tröster in Herzensangelegenheiten fungieren kann. Schließlich ist Blei dem Saturn unterstellt, und der hat eigentlich gar kein Liebesleben.

Charakter/Motto: **Der Liebeskummerstein.**

Chemische Formel:
$LiAl[Si_2O_6]$
Familie: Spodumen
Kristallgitter:
monoklin
Licht: Mond

Aussehen: Zart durchscheinend, rosa, eventuell mit orangen Farbfeldern. Der grüne Vertreter heißt Hiddenit.

Wirkungen: Die feine, sehr zarte und hohe Schwingung des Kunzits besänftigt Herz und Gemüt, tröstet und entfernt durch Anhebung der vorhandenen, dichteren Schwingung auf das Kunzitniveau vor allem seelischen Kummer und Schmerz. Seine Schwingung kann als unpersönlich empfunden werden, als »zu kalt«. Dann sollte man zusätzlich noch Rosenquarz auf das Herzchakra legen. Auf dem Kehlchakra hilft er auch gegen Globusgefühl (»Kloß« im Hals) wie kein anderer Stein, insbesondere wenn es durch unterdrückte Wünsche und unerfüllte Sehnsüchte hervorgerufen worden ist. Kunzit spendet Trost, aber in einer höheren Vibration und Frequenz als die »alten« Fische-Äon-Steine. Er ist schon ganz »Wassermann«, hat also auch etwas Auflösendes (daher nicht für jeden als Heilstein geeignet): Daher ist er gut lokal auf Myogelosen (Muskelverhärtungen), auf verkürzten Sehnenansätzen (auch bei Tennisarm) einsetzbar. Da Kunzit den neuen achten Farbstrahl (rosa) verkörpert, kann er auch schlecht heilendes Gewebe in hohe Heilvibration versetzen, die auf den ganzen Körper (verjüngende Effekte) oder auch nur auf die Wirbelsäule wirkt. Als Körperachse und Kanal für feinstoffliche Energien assimiliert sie Kunzitenergie, was Fehlhaltungen und Haltungsschäden verhindern kann. Nach Bergkristallauflagen verlängert Kunzit die Phase des Wohlbefindens, er »streckt« die Bergkristallfrequenzen. Der Hiddenit hat auf das Herzchakra eine fast identische Wirkung wie der manganrosa gefärbte Kunzit.

Charakter/Motto: **Die Botschafterin des neuen Äons.**

LABRADORIT

Chemische Formel:
$(NaAlSi_3O_8l$
$CaAlSi_3O_8)$
Familie: ↑ Feldspat
Kristallgitter: triklin
Licht: Mond

Aussehen: Geheimnisvoll taubenblau, grünlich bis rosablau und weiß schillernd, opak.

Wirkungen: Labradorit gilt bei vielen als typischer »Atlantisstein«. Ich schätze ihn als kraftvollen ↑ Schutzstein. Körperlich wirkt er gut bei Rheuma, Schulter-Arm-Syndrom, eingeklemmten Nerven im Hals- und Brustwirbelsäulenbereich. Er nimmt Schmerzen im Versorgungsgebiet des 5. Chakras, vor allem nach Schmerzspritzen, Quaddelungen und Einrenkungen (chiropraktische Maßnahmen) im Bereich Nacken, Schultern, Arme und obere Brustwirbelsäule. Wer die etwas beklemmend wirkende Tiefe dieses neptungeprägten Steines nicht verträgt, kann als Ersatz zum Spektrolith greifen (ebenfalls ein Feldspat). Spektrolith verkörpert alle fröhlichen, bejahenden Labradoritaspekte (davon gibt es nicht viele) und ist eine Art »Light«-Version seines etwas dämonisch-abgründigeren Bruders, viel harmloser, viel flüchtiger in seiner Wirkung.

Charakter/Motto: **Stille Wasser sind tief.**

LAPISLAZULI

Chemische Formel:
$Na_8[Sl(AlSiO_4)_6]$
Kristallgitter:
kubisch
Licht: Sonne

Aussehen: Lapislazuli ist ein intensiv dunkelblaues, opakes Gestein.

Wirkungen: Bitte verwenden Sie als Heilstein nur die afghanische Superqualität mit deutlich goldenen Pyritpünktchen (nicht bemalt mit Weihnachtsflimmer aus der Spraydose). Lapislazuli ist ein Gemenge aus Albit, Pyrit und Lasurstein. Seit altersher ist er der Venusstein schlechthin, sorgt für Freundschaften, klärt aber auch den Verstand, besänftigt, gibt Visionen (im alten Ägypten nur der Priesterkaste beziehungsweise Gott-Pharao vorbehalten, daher auch »der königliche Stein«). Mental gilt er als Illusionskiller, man rechnet gegeneinander auf – und dann ab! Wer Lapislazuli wählt, mistet damit alte (Gedanken-)Muster aus, lebt nun nach eigenen Maßstäben.

Lapislazuli hat auch körperliche Heilwirkungen. Ähnlich (oder gern auch kombiniert mit) wie blauer Chalzedon, Chrysokoll, blauer Turmalin und Aquamarin wirkt er gegen Heiserkeit, Räusperzwang, Halsschmerzen und andere Erkrankungen, die auf Fehl- oder Minderfunktionen des Kehlchakras beruhen.

Fallbeispiel: Ich schätze Lapislazuli-Elixier im Badewasser bei Hitzepickeln, kleinen Ausschlägen, Waschekzemen und ähnlichen kleinen Hautproblemen, vor allem wenn sie nässen.

Charakter/Motto: **Jetzt wird abgerechnet (make my day!).**

LEPIDOLITH

Chemische Formel:
$KLi_2Al[(F,OH)_2]Si_4O_{10}]$
Kristallgitter:
monoklin
Licht: Mond

Aussehen: Lepidolith ist ein opaker, rosa- bis lilafarbener Lithiumglimmer, der trübe und bröselig wirkt.

Wirkungen: Er ist einer meiner Lieblinge, denn er wirkt stark schmerzlindernd, geradezu betäubend bei körperlichen und seelischen Schmerzen. Er wird auf irritierte/gereizte Nerven(verläufe) gelegt, zum Beispiel bei Tennisarm, Phantomschmerz, Schulter-Arm-Syndrom (besonders bei Arbeitsüberlastungen), aber auch bei leichten Erfrierungen. Bei letzterem wirkt er nicht so »kalt« wie Labradorit oder Kunzit. Lepidolith besänftigt seelisch und beseitigt Erinnerungen und Mißhandlungstraumen aus der Kindheit, läßt es zu, daß sie verarbeitet werden können ohne Haß und Groll.

Im Schutzkreis kann man gegen Nervenschmerz Lepidolith, Labradorit und Chrysopras benutzen (auf den Handchakren lassen). Als Bestandteile des Schutzkreises lassen sich die genannten Steine zum Beispiel zwischen Sodalith und Bergkristall »einflicken« und wirken bei Nervenentzündungen (Neuritis) oder Reizungen der Nerven.

Charakter/Motto: **Der Nervenbalsam.**

Synonym:
Sugilith
Chemische Formel:
Kalium, natrium-,
eisenhaltiges
Lithiumsilikat
Kristallgitter:
hexagonal
Licht: Mond

Aussehen: Undurchsichtig lila mit schwärzlichen Streifungen.

Wirkungen: Es wurde ihm vieles nachgesagt: Er soll gegen Krebs helfen, alles heilen können, Wunder wirken und Meditationen zum Erlebnis machen. Da bis jetzt nur ein Fundort bekannt ist (ab und zu geistern mal Imitate über den Markt), hatte Luvulith außer seinem Wunderimage noch den zusätzlichen Reiz, selten zu sein. Und wurde gekauft und gekauft und immer teurer. Bei mir hält er sich, außer bei gutgelungenen meditativen Verrichtungen, mit Spektakulärem sehr zurück. Er ist für mich männlich, ein männlicher Amethyst sozusagen, daher liebe ich K. RAPHAELLS Namen »Lord Luvulith« für ihn. Er bringt Schwung ins Oberstübchen, nagt an starren Gedankenmustern, zerbröselt festgefahrene mentale Programme, wirbelt im Dritten Auge herum und scheucht alle Ideen auf. Er stochert gern, daher sollte man ihn nur in stabiler Stimmungslage, die einem garantiert vermiest wird, verwenden. Dennoch wird man nicht zum Meckerer, im Gegenteil, Luvulith söhnt den Verstand mit dem Körper aus. Das macht zufriedener. Der Stein vermittelt im wesentlichen mentale und geistige Effekte.

Charakter/Motto: **Das Förderband.**

MAGNESIT

Chemische Formel:
$MgCO_3$
Kristallgitter:
trigonal
Licht: Sonne

Aussehen: Opak, weiß, marmorhaft geädert (oft nachträglich von Händlern plump mittelblau eingefärbt).

Wirkungen: Er gehört zur Grundausrüstung jedes Heilsteinverwenders. Am besten schaffen Sie sich zwei recht große, dicke an. Magnesit entgiftet den Körper mit Hingabe, wird oft sehr heiß. Er mistet alles, was andere Steine vorgelockert haben oder aus Kapazitätsgründen nicht absorbieren (»schlucken«) konnten, radikal aus. Zunächst meditiert man am besten nur mit je einem Magnesit in der Hand im Steinkreis, später setzt man ihn nach oder während jeder Behandlung, bei der man keinen Bergkristall in der Hand hält, ein. Eine einwöchentliche Vorbehandlung der Aura mit Magnesit bewirkt, daß Ihnen später weniger gute, teure Spezialsteine wegen Überbelastung kaputtgehen – diese Erfahrung mußte ich erst leidvoll machen, anderen ging es ähnlich. Reinigen nie vergessen! Seelisch-geistige Entgiftung, das heißt reges Traumerleben, kann unter Magnesiteinfluß stattfinden. Es lohnt sich, ein Traumtagebuch zu führen und über die gesehenen Bilder nachzudenken (mit Saphir, Kalzit, Luvulith).

Charakter/Motto: **Der Entgifter.**

Chemische Formel:
Fe_3O_4
Kristallgitter:
kubisch
Licht: Mond

Aussehen: Opak und matt schwarz glänzend, manchmal als kleiner Oktaeder wachsend.

Wirkungen: Magnetit ist für mich das lunare Schwesterchen des marsischen Hämatit, und genau so läßt sich dieser Stein auch verwenden: Zur Stärkung der magnetischen, lunaren Kräfte, zur Aufladung des Körperkraftfeldes, besonders effektiv in den zwei Tagen vor Vollmond bis Vollmond. Er kann auf alle großen, schmerzenden Gelenke, besonders durch Rheuma und Verschleiß verursacht, aufgelegt werden. Ohrgeräusche, die durch niedrigen Blutdruck hervorgerufen werden, hören auf, wenn man Magnetit auf das äußere Ohr legt. Als Badezusatz wirkt er belebend und schmerzstillend, besonders in Heilerdebädern mit dem magnetischen »AION A« (Schweizer Präparat). Damit kommt man bei Knieschmerz über jede feuchte Jahreszeit.

Fallbeispiel: Mir ist er unentbehrlich für die leidigen Schmerzen im rechten Knie. Magnetit und eine Hämatitstufe oder eine Kette (am besten zur Urrune geformt über das Knie legen) aus Hämatit dazugelegt – helfen fast immer.

Charakter/Motto: **Der Magnetiseur.**

MALACHIT

Chemische Formel:
$Cu_2[(OH)_2|CO_3]$
Kristallgitter:
monoklin
Licht: Mond

Aussehen: Grün-schwarze Wellenmuster im opaken Stein, oft »Augen«.

Wirkungen: Wo Sie ihn auch auflegen, da fördert er recht grob und ungeschlacht alles zutage. Er wirkt also im Prinzip auf jedes Organ, die Kombination mit anderen Steinen bestimmt die Wirkung: Mit Jaspis kräftigt er schwaches Bindegewebe, mit Bernstein oder Citrin wirkt er bei unklaren Magen-Darm-Geschichten. Sprachheilung (Es-nicht-über-die-Lippen-bringen-Können) findet zusammen mit Indigolith, Chalzedon oder Chrysokoll (einfach 2 Ketten tragen, am besten ca. 45 cm) statt. Malachit setzt stockende Energien in Bewegung, heilt und entgiftet die Leber. Sonst (außer Leber/Galle) zeigt er nur an: Hier muß etwas getan werden. Nach dem Auflegen wird er fast immer sehr heiß. Dann sollte man ihn austauschen gegen einen neuen. Es ist überhaupt besser, nur große anzuschaffen, die mehr verarbeiten können. Meine haben alle »Schmisse« bekommen, trotz Reinigung (wirklich jedesmal!) und Austauschen. Die hohe spezifische Dichte des Steines zeigt die starke physische Wirkung an.

Fallbeispiel: Bei mir hat er bei Nierendruckgefühl super entstauend gewirkt (Kugelkette) und die Schmerzen bei Nierenkoliken gemildert.

Charakter/Motto: **Der Stöberer.**

Abbildung:
links: Eisen-Nickel-
Meteorit, rechts:
Tektit
Licht: Mond

Lassen Sie sich doch mal von Außerirdischen heilen:

Chondrit: Steinmeteorit aus Silikatmineralien und Graphit (also kohlenstoffhaltig), je nach Fundort auch als Gesteinsglas vorkommend, uneinheitliche Zusammensetzung. Er wirkt physisch aufbauend (roborierend) und gegen Blutarmut bei allen, die seine hohe Schwingung aushalten können.

Charakter/Motto: **Der Lebensspender aus dem All.**

Eisen-Nickel-Meteorit (Farm Goamus, Namibia) Ein silbriges Lamellensystem wird auf den geschliffenen, geätzten Flächen sichtbar. Bis heute ist es nicht gelungen, diese Lamellen künstlich zu erzeugen. Der Eisen-Nickel-Meteorit wirkt bahnend für (neue oder wiederentdeckte) Ideen und neue Denkprogramme und Visionen. Doch Vorsicht! Nach längeren Meditationen hat man das Gefühl, das Gehirn wäre herausgesaugt und neu zusammengesetzt wieder eingebaut worden. So etwas hält nur Mr Spock unbeschadet aus.

Charakter/Motto: **Außerirdisch wie Mr Spock von der »USS-Enterprise«.**

Moldavit (Budweis, Böhmen): Der Glasmeteorit ist dunkelgrün, glasartig mit narbig-unebener Oberfläche. Bei Grippe läßt sich Moldavit auch gut zusammen mit grünem Kalzit und *Indochinit* (der schwarze Meteorit aus Thailand) auflegen. Glasmeteorite wie der

METEORITE

Abbildung:
Moldavit

Moldavit ziehen die Seele zum Licht, sie beflügeln die Phantasie, als Kopfkissenstein bei Nacht initiieren sie die verrücktesten Träume. Je reger die Phantasie des Schlafenden ist, desto heftiger die Effekte. So mancher behauptet, auch eine Kontaktaufnahme zu anderen Galaxien sei mit Moldavit möglich. Sein zartes Flaschengrün löst bei mir jedenfalls alle Sicherheitsleinen und läßt mich abheben.
Charakter/Motto: **Die kosmische Flaschenpost.**

Tektit/Indochinit (Australien und Thailand): Narbig aussehende, undurchsichtige, dunkle Kugeln oder eiförmige Gebilde, die auch »kosmisches Glas« heißen und bei Meteoriteneinschlägen entstehen. Sie haben eine uneinheitliche Zusammensetzung. Tektite helfen gegen Grippe, Computerstrahlung und Leistungsschwäche – wenn man sie vertragen kann.
Charakter/Motto: **Der Strahlenkiller.**

MILCHQUARZ

Chemische Formel:
SiO_2
Familie: Quarz
Kristallgitter: trigo-
nal, makrokristallin
Licht: Sonne

Aussehen: Weiß, durch Flüssigkeitströpfchen (oder Gasblasen) undurchsichtig, milchig.

Wirkungen: Er wird oft kaum beachtet und als ein wenig minderwertig angesehen, weil er nicht so schön klar ist wie der klare Bergkristall. Milchquarzstufen, die zentral im Zimmer plaziert sind, verbessern das Raumklima und wirken entspannend und beruhigend. Körperlich wirkt dieser Quarz substanzaufbauend und nährend. Nicht nur Kalorien, sondern auch Vitamine, Spurenelemente und Vitalstoffe können durch das längere Tragen einer Milchquarzkette um den Hals bei jeder eingenommenen Mahlzeit besser und schonender (ohne Blähungen oder Müdigkeit nach dem Essen) aufgenommen werden. Als ideales Mastfutter wirkt eine Kombination mit Heliotrop (Kette/Anhänger). Wer nicht zunehmen, aber seine Nährstoffe besser assimilieren (aufnehmen) möchte, der trage Milchquarz allein. Gut bei Morbus Crohn, Reizkolon, Divertikeln, Gastritis und ähnlichen Erkrankungen.

Charakter/Motto: **Die Milchquarzschnitte, der feinstoffliche Energieriegel.**

MONDSTEIN

Chemische Formel:
[KAlSi$_3$O$_8$]
Familie: ↑ Feldspat
Kristallgitter:
monoklin
Licht: Mond

Aussehen: Milchig, weißlich schillernder Stein, die (teuren) Ceylonesen mit Blauschimmer.

Wirkungen: Der Stein ist wasserhaltig und nur mit Mondlicht energetisiert als Heilstein zu gebrauchen (Vollmond ist als erstes Licht bei Neulingen ein Muß). Mondstein wirkt auf alle Körpersäfte, besonders den Lymphfluß, soll fruchtbar machen, reguliert auf jeden Fall den unregelmäßigen Monatszyklus bei längerfristigem Auflegen aufs 2. (3.) Chakra. Er intensiviert beziehungsweise steigert das Gefühlsempfinden (vielleicht deshalb als Fruchtbarkeitsstein so bekannt), macht aber Sensible übersensibel (Reizüberflutung möglich!).

Charakter/Motto: **Die Mondin.**

Chemische Formel:
SiO_2 *mit Einschlüssen*
Familie: Quarz
(↑ Chalzedon)
Kristallgitter:
trigonal,
mikrokristallin
Licht: Sonne

Aussehen: Weißlich, leicht transparenter Stein mit Mineraleinschlüssen, die wie versteinerte Moospflänzchen aussehen.

Wirkungen: Moosachat hat alle unter »Baumquarz« beschriebenen Effekte. Alle Chalzedone haben eine gewisse Fließsignatur, das heißt, sie bewegen etwas. Das kann der Lymphfluß sein und der Milchfluß (weißer Chalzedon), der Sprachfluß (blauer Chalzedon), der Gefühlsfluß (die Baumquarze), der Willensfluß beim Moosachat. Man kann sich in eine fixe Idee oder ein vorgefaßtes Gedankenmuster verrennen und meinen, wenn man nur recht viel Bemühungen und Investitionen aller Art konzentriert auf das erstrebenswerte Ziel richtet, dann müsse das doch zu knacken sein. Moosachat wird deshalb gern von Leuten ausgewählt, die nicht akzeptieren können, daß alles seine Zeit braucht und man den Dingen ihren Lauf lassen muß. Übers Knie brechen und vor der Zeit erzwingen, das ist eben nicht drin. Moosachatketten lassen sich gut mit Iolithketten kombinieren.

Charakter/Motto: **Man kann nichts erzwingen.**

MORGANIT

Chemische Formel:
$Al_2Be_3[Si_6O_{18}]$
Familie: Beryll
Kristallgitter:
hexagonal
Licht: Sonne

Aussehen: Zartrosa durch Mangan, Kupfer, Nickel und Eisen gefärbt und in Edelsteinqualität herrlich wasserklar, sonst auch milchig rosa-weiß.

Wirkungen: Dieser Stein (siehe auch Seite 280 »Beryll-Familie«) ent-streßt und nimmt das Gefühl, unter permanentem Druck zu stehen. Gleichzeitig vermittelt er ein luftigleichtes, lebensbejahendes Gefühl. Er öffnet das Herzchakra, lenkt dadurch die Aufmerksamkeit auf alle schönen Dinge. *Physische Wirkung:* günstig bei allen Herzproblemen und unregelmäßigem Puls. Nehmen Sie ihn nach einem Tag voll Jubel und Trubel als Handschmeichler zum Streßabbau. Morganit ist ein schönes Geschenk für supertrockene und pragmatische Zeitgenos-sen. Er macht einen schönen Teint, löst Verspannungen, ist gut bei har-ter Bauchdecke (besonders mit Verstopfungsneigung wegen Spas-men und Schmerzen).

Charakter/Motto: **Ein gestreßtes Herz will rosa Beryll.**

Chemische Formel:
$CaCO_3$ und organi-
sche Substanz
Kristallgitter:
je nach Gattung
und Art
Licht: Sonne

Aussehen: Farben und Formen sind je nach Gattung und Art verschieden.

Wirkungen: Sie machen freundlich, freudig, kontaktfreudig. Wenn sie als Anhänger getragen werden, erleichtern sie uns das Aufeinander-Zugehen (gut bei Schüchternheit). Sie stärken die Knochen und wirken super bei Neigung zu Sodbrennen und Gastritis (Magenschleimhautentzündung), die von zu viel Hektik herrühren. Muscheln entstressen den Körper. Schneckenhäuschen wirken genauso wie Muscheln, es ist also nicht nötig, das Bestimmungsbuch am Strand aufzuschlagen.

Charakter/Motto: **Nicht alles so eng sehen.**

Nephrit

Abbildung oben:
Jade, unten:
Nephrit
Chemische Formel:
$Ca_2(Mg,Fe)_5$
$[(OH,F)|Si_4O_{11}]_2$
Kristallgitter:
monoklin
Licht: Mond

Aussehen: Leicht transparent, dunkelgrün mit hellgrüner bis gelblicher Maserung.

Wirkungen: Dieser Stein hat ein bißchen etwas vom Chalzedon und ein wenig von der wachsartigen, kühlen grünen Jade, nicht nur von der Farbe, sondern auch von der Heilwirkung her. Nephrit bringt Energien zart in Fluß (wie Chalzedon). Das allein kann schon schmerzbeseitigend wirken. Außerdem hat er auch die Antifäulniswirkung der Jade. Daher sind Lokalauflagen mit Nephrit, besonders im Bauch- und Brustraum oder auf verheilenden Wunden, günstig. Zur Kräftigung der Nierenfunktion und allgemein bei Krankheiten des Urogenitaltraktes kann man Nephritketten tragen, Elixiere einnehmen oder mehrere Steine auf Höhe von Nieren, Blase und Harnleiter auflegen. Nephrit ist ein basisches Silikat, daher kräftigt er auch das Bindegewebe im Bereich Blase/Uterus und wirkt Brennen beim Wasserlassen, das durch chronisch sauren Harn hervorgerufen wurde, entgegen. Kombinationssteine: Gelber Jaspis, Jade, Citrin, Malachit (besonders bei Krämpfen). Auf das Herzchakra kann man gut Nephrit kombiniert mit grünem Kalzit und Citrin (gegen Beengungsgefühl im Brustkorb) bei eitrigem Husten, Asthma, Grippe und ähnlichem auflegen.

Charakter/Motto: **Der Liebling des Nieren-Meridians.**

OBSIDIAN

Varietäten:
Apachenträne,
Rauchobsidian
Chemische Formel:
Gesteinsglas, keine
Angaben wegen
der uneinheitlichen
Zusammensetzung
Kristallgitter:
amorph (kein
Gitter)
Licht: Mond

Aussehen: Meist opak tiefdunkelgrün bis schwarz, oft mit zartem (Goldfarben-)Glanz; er ist ein vulkanisches Glas, hämatit- und/oder magnesithaltig. Der Glanz kommt von winzigen, feinverteilten Gasbläschen.

Rauchobsidian: *Aussehen:* Im Gegenlicht sieht er schokoladenbraun und transparent aus, ansonsten erscheint er opak und eher tiefdunkelgrün bis schwarz, selten mit zartem Goldglanz. Je nach Blickwinkel spiegelt dieser Stein, ein vulkanisches Glas, alles anders. So wie ein Vulkanschlot ansonsten unerreichbares, in der Tiefe liegendes Material zutage fördert, bringt auch der Obsidian Verborgenes und Verschüttetes an den Tag.

Der Glanz des Obsidians, hervorgerufen durch feinverteilte winzige Gasbläschen, fungiert als schadenfrohes Rampenlicht für alles tief in der Seele Gefundene und an die Oberfläche Gezerrte und leuchtet jedes Szenario voyeurhaft-genüßlich aus. Der hohe Magnetit- beziehungsweise Hämatitgehalt heizen die spannungsgeladene Situation noch weiter auf. Ja, Obsidian ist nun mal der Rocker unter den Heilsteinen. Uncharmant, aber mächtig, wurde dieser alte Heilstein schon von vielen Völkern geachtet und gefürchtet.

Auf körperlicher Ebene stillt der Rauchobsidian Blutungen (wie alle Obsidiane), löst rabiat Blockaden auf Körper-, Seelen- und Gefühlsebene. Er füttert auch in den müdesten Körper Energien und Bewegung in jede Aura. Bei Schockzuständen (Energiestillstand) kann man ihn daher gut verwenden.

Obsidian

Charakter/Motto: **Warum denn nett sein, wenn es etwas grausamer auch geht.**

Schneeflockenobsidian: Dieser Stein sei Zartbesaiteteren angeraten. Der hat kleine, strukturierte Feldspatinselchen, die seinen amorphen, wilden Habitus mildern. Schneeflockenobsidian wirkt auch bei Darmkrämpfen, okkulten Blutungen im Verdauungssystem (positiver »Häm-Okkult«-Test), kalten Händen und Füßen (Badezusatz herstellen). Bei gicht- und rheumaartigen Schmerzen Obsidian lokal auflegen, mit Türkisen oder Turmalinstäbchen umlegen. Obsidiannachwirkungen: Nach seinem Einsatz kann der Stein nicht nur beleben, sondern auch in der darauf folgenden Nacht wilde Träume verursachen. Bei *Mahagoniobsidian* kommt das nicht so extrem vor.

Bei Obsidian bitte nie die erdenden Steine vergessen und Behandlungen immer mit Onyx-, Holz- oder Rauchquarzauflagen ausklingen lassen.

Regenbogenobsidian und goldglänzender *Rauchobsidian* lassen sich wie eine Bergkristallkugel zur Kristallschau einsetzen. Aber Warnung! Dann ist der/das

Charakter/Motto: ***Der Spiegel von Schneewittchens Stiefmutter.***

Chemische Formel:
Si_2O
mit eisenhaltigen
Beimischungen
Familie: ↑ Quarz
(Achate)
Kristallgitter: trigo-
nal, kryptokristallin
Licht: Sonne

Aussehen: Opak, schwarz, matt, unifarben (Onyx), oft mit weißen oder weiß-rotgelben Adern durchzogen (Sardonyx).

Wirkungen: Beide vermitteln das Gefühl, (endlich wieder) festen Boden unter den Füßen zu haben, ein Sicherheitsgefühl und entstressen (Kugelkette). Onyx ist ideal für Leute, die dazu neigen, sich in ihren Gefühlen zu verlieren oder sich in allen möglichen Aktivitäten regelmäßig heillos zu verzetteln. Dieser saturnbeherrschte Stein leitet zu Disziplin und Bedachtsamkeit an und hat eine antidepressive Wirkung, vor allem mit Citrinen kombiniert. Saturn, als Herrscher über die Zeit, lehrt, sich die Zeit einzuteilen und nüchterner zu bleiben. Sardonyx wirkt ebenso erdend wie Onyx, aber auch stark bannend. Ein Sardonyx-Cabochon-»Auge« bannt das Geld ins Portemonnaie, und Saturn macht der Geldbörse »Gewicht«. Negative, dem Saturn unterstellte Gepflogenheiten können mit Sardonyx gebannt werden (Kälte, Strenge, Fanatismus, Geiz, Verschlagenheit).

Charakter/Motto Onyx: **Der Bodenständige.**

Charakter/Motto Sardonyx: **Das Sparschweinchen.**

Oolith

Chemische Formel:
Schalen von
Eisenerz, die sich
um einen Kern
herum anlagern, oft
mangan- oder man-
gan- und schwer-
metallhaltig
Licht: Sonne

Aussehen: Opak, mit dunkelbraunen, kleinen Augenflecken auf hellerem, grünbeigefarbenen Hintergrund.

Wirkungen: Diese Steine sind durch den Eisenstoffwechsel bestimmter mariner Bakterien unterseeisch entstanden. Im Laufe der Jahrzehnte schieden sie Eisenkonkretionen ab, die im Laufe der Zeit als Meeressediment versteinerten. Oolith hilft bei Verfolgungswahn und schwachen Nerven (Hosentaschenstein) durch seine bannende Wirkung. Er schwächt vorhandene negative Beeinflussungen ab und ist ein hervorragender vorbeugender Schutzstein gegen magische Beeinflussungen, falls solche vorhanden sind. Ansonsten nimmt er dem Träger diese Wahnidee und schützt vor Rückfällen in derlei Denkweisen, beseitigt fixe Ideen und gibt gesundes Selbstvertrauen und etwas mehr Realismus ein.

Charakter/Motto: **Mir entgeht nichts, ich sehe alles.**

Chemische Formel:
$SiO_2 \cdot n\,H_2O$
Kristallgitter:
amorph
Licht: Mond

Aussehen: Opaker, wasserhaltiger, amorpher, bunt in wirklich allen Farben schillernder Stein aus erstarrtem Kieselsäuregel (Edelstein-qualität), auch braun oder tiefblau mit schillernden anderen Farben, als Boulder-Opal (aus Australien) Schneckenhäuschen ausfüllend.

Wirkungen: Er verstärkt alle im Moment der Auflage bestehenden Gefühle (also bei Kummer lieber nicht auflegen). Der *Feueropal* ist herrlich knallorange, glasig schimmernd. Dieser Stein peitscht die Unternehmungslust an, gibt Mut. Legen Sie ihn auf dem 2. Chakra auf bei Menstruationsbeschwerden aller Art. Liegt er auf dem 1. Chakra, macht er warme Füße und gibt Mumm, wenn man sich generell schlecht wehren kann. Er hellt miese Laune auf, teilweise, weil man sich wilde Rachepläne genüßlich ausdenkt. Dennoch wirkt er milder als Diamant (nicht so hart) und Obsidian (grausamer Skorpionstein).

Seelisch-geistig: Opale fördern die geistige Wendigkeit.

Charakter/Motto: **Das Brennglas der Gefühle – der Gefühlsver-stärker.**

Opalith

Chemische Formel:
$SiO_2 \cdot n\, H_2O$
Kristallgitter:
amorph
Licht: Sonne

Aussehen: Opak, von beigebraun marmoriert bis hin zu gelbbraun mit feinen schwarzen Adern sind alle Farbabstufungen bei Opalith möglich. Es handelt sich um Opal in Nicht-Edelsteinqualität (gemeiner Opal).

Wirkungen: Sie sollten eine Kugelkette plus Hosentaschenstein (ab und zu den Stein aufs 4. Chakra legen) einsetzen beim nagenden Gefühl, wieder mal alles falsch gemacht zu haben und/oder alles Neue verkorkst begonnen zu haben. Oft haben diese Muster als karmische Altlasten ein beträchtliches Alter und beherrschen den Mentalkörper. Opalith fahndet nach diesen alten Störfrequenzen, retuschiert sie, egalisiert sie, ganz langsam und fein, damit man sich an jeden Zwischenstatus in Ruhe gewöhnen kann. Vorteil: man merkt nichts von seinem Tun und Treiben im Tagesbewußtsein, aber im Traum kann eventuell der Bär los sein. Immerhin, was weg ist, ist weg. Opalith macht den Rücken frei, ein paar Monate bis Jahre Tragezeit (Kugelkette) sollte man allerdings schon einplanen. Opalith ist zwar nur gemeiner (einfacher) Opal, aber er ist nicht gemein.

Charakter/Motto: **Wir basteln uns ein neues Image.**

ORANGENKALZIT

Chemische Formel:
$CaCO_3$
Kristallgitter:
trigonal
Licht: Mond

Aussehen: Er ist opak, schön apfelsinenorange, schwach durch-scheinend; es gibt auch trüb-weiße Kalzite (Mentalkörper), blaue (5. Chakra), rotorange und rotbräunliche Kalzite (2. Chakra); alle sind metamorph entstanden, Deckname im Mineralienhandel (da oft sehr billig aus Mexiko): Kalkspat, also ein Karbonat wie Aragonit. Kalzit hat aber ein trigonales Gitter, Aragonit ist rhombisch (wirkt entsäuernd).

Wirkungen: Orangenkalzit ist der Tip für lädierte Bandscheiben, besonders bei Prolapsgefahr oder bereits operiertem Bandscheiben-vorfall, zur Nachbehandlung oder zum Hätscheln aller Bandscheiben über und unter der Problemzone. Am besten legen Sie ihn nach Spritze, Bestrahlung, Bewegungsbad oder Massage auf. Mit Bergkri-stallspitzen oder jede Menge Kugelketten (Bergkristall und/oder Oran-genkalzit) um das Zentrum gehäuft – oder auf den Rückenstrecker Ketten in Bahnen (längs) auflegen.

Charakter/Motto: **Der Orthopäde.**

PADPARADSCHA

Chemische Formel:
Al_2O_3 mit Spuren
von Eisen und/oder
Titan
Familie: ↑ Korund
Kristallgitter:
trigonal
Licht: Sonne

Aussehen: Er heißt aufgrund seiner rötlichgelben bis gelben Farbe auch gelber Saphir. Ich habe leider nur einen sehr kleinen Stein, eingelassen in ein Amulett (Mitte links).

Wirkungen: Die hohe Mohshärte (9) und den klärenden, den Mentalkörper inspirierenden Effekt hat er mit seinem Bruder, dem blauen Saphir, gemeinsam. Er gilt genauso als Schutzstein und Glücksbringer. Vielleicht wird er *Ihr* Urlaubsmitbringsel aus Indien oder Ceylon? In Deutschland ist er selten im Handel und dann ziemlich teuer.

Charakter/Motto: **Der Glücksbringer.**

PERIDOT

Synonyme:
Olivin, Chrysolith
Chemische Formel:
$(Mg,Fe)_2[SiO_4]$
Kristallgitter:
rhombisch
Licht: Mond

Aussehen: Transparenter, intensiv gelbgrüner Stein.

Wirkungen: Dieser Stein muntert auf: Peridot macht froh! Er gibt Sinn für eine gewisse Lebensqualität – darunter macht man es nicht mehr nach längerem Tragen einer Peridotkette beziehungsweise mehreren, denn im allgemeinen gibt es nur Ketten mit relativ kleinen Kugeln oder facettierten Steinchen. Physisch wirkt Peridot phantastisch entgiftend, vor allem im Bauchraum. Er spricht aber nicht nur den Bereich Solarplexuschakra an. Peridot ist für mich ein sehr uranischer Stein. Er hat etwas mit Kontraktion und Elektrizität zu tun, wirkt etwas subtil, vor allem auf größere Zellmassen, wie zum Beispiel die zahlreichen Zellen eines (menschlichen) Körpers. Er optimiert die Membranspannungen der Zellen, nimmt also Einfluß auf elektrisch geladene Flächen.

Fallbeispiel: Meiner Schwester habe ich zwei Peridotketten im Anschluß an eine längere Rauchquarztragephase (Rauchquarz hat Strahlungssignatur und wirkt entgiftend) umgehängt, etliche Wochen nach einer Hautkrebsoperation. Der Rauchquarz hat erst einmal entgiftet und die Zellen vor weiteren UV-Schäden bewahrt, die Kombination Rauchquarz mit Peridot munterte psychisch auf und wirkte erdend (Rauchquarz ist *der* erdende Stein schlechthin). Gleichzeitig wurde den Zellen aber auch über die Peridotschwingung eine Normspannung vorgegeben, die ihnen sozusagen als neuer Richtwert dienen sollte. Die Peridotketten wurden alle gelb. Ich nahm sie dann in Pflege und ersetzte sie durch neue.

Charakter/Motto: **Peridot macht froh!**

PERLEN

Chemische Formel:
$CaCO_3$ *mit*
$C_{32}H_{48}N_2O_{11}$ *und*
H_2O
Kristallgitter:
rhombisch oder
trigonal
Licht: Sonne

Aussehen: Unregelmäßig silbrig weiß, undurchsichtig, meist etwas eiförmig.

Wirkungen: »Perlen sind Tränen«, heißt es; es ist eher der Kaufpreis für eine echte Südsee- oder Süßwasserperle, der einem das Wasser in die Augen treibt (vergessen Sie also getrost diesen Spruch). Die Zuchtperle hat nicht umsonst den Charme von KZ-Legehenneneiern oder Gentomaten. Sie ist zum Heilen ungeeignet, weil die Schwingung »Trauma« (das heißt das gewaltsame Einbringen eines Implantats in den zarten Muschelkörper aus Gewinngier) in ihr als wachstumsbestimmender Impuls unlöschbar bleibt. Echte (Natur-)Perlen können auch oval sein zum Auflegen. Sie tragen sie am besten als Kette oder Armband – nie allein auflegen –, dann machen sie eine schöne Haut, stärken die Wirbelsäule und bereichern das Gefühlsleben.

Charakter/Motto: **Die Schönheitscreme.**

PETALITH

Chemische Formel:
Silikat, dessen For-
mel mir nicht
bekannt ist
Licht: Mond

Aussehen: Milchig trüber, zartrosa getönter Stein, der mit netzarti-
gen weißen Strukturen durchzogen ist.

Wirkungen: Petalith fiel mir kurz nach einer Rückführung in die
Hände. Er erleichtert die Integration und Umsetzung aller Erkenntnisse, die man so aus derartigen Sitzungen gewinnt. Waren diese
Erkenntnisse überwiegend schwer zu verkraften oder schmerzlich,
was durchaus häufiger der Fall sein kann, hilft der Petalith alles seelisch zu verdauen. Mir scheint, in seinem weißen Netz hält der Stein
das Schlimmste zurück und gibt es erst nach und nach in verkraft-
baren Portionen wieder ab. Ich bin überzeugt davon, daß er als Auflagestein während der Sitzung von großem Nutzen gewesen wäre.

Charakter/Motto: **Der Begleiter bei Rückführungen.**

PORPHYRIT

*Chemische Formel:
Mischung aus
Albit Na[AlSi$_3$O$_8$]
und Anorthit
Ca[Al$_2$Si$_2$O$_8$]
Kristallgitter: triklin
Licht: Sonne*

Aussehen: Ein opaker, gelbgrüner, olivfarbener Stein mit gelber Strich-(Runen-)Musterung, oft sind noch ganz feine rote Striche im Stein.

Wirkungen: Porphyrit stärkt die Aura, »repariert« Schwachstellen (sogenannte »Löcher«) provisorisch (das heißt nicht dauerhaft). Er geht leicht kaputt, weil er zum Teil Negatives aufnimmt, daher ist er besonders ideal nach lange dauernden Krankheiten, insbesondere mit hohen Blut-/Elektrolytverlusten und Appetitlosigkeit (die Spuren von Eisen im Porphyrit bauen auf; was neu entsteht, wird gekräftigt und abgeschirmt, die Farben »Grün« und »Rot« regenerieren und stärken, wie beim Heliotrop). Auch bei Sorgen und »Down«-Phasen allgemein baut Porphyrit zuverlässig, aber sanft Körper und Seele auf. Sie können ihn gut als Schutzstein zum Abschirmen bei Familienzwistigkeiten (er beseitigt »dicke Luft«) verwenden. Ansonsten wirkt er heilend lokal auf dem 2. Chakra auf Blase, Harnwege, besonders nach Pilzinfektionen oder Blasenentzündungen nach Unterkühlung (beispielsweise durch Camping).

Charakter/Motto: **Der Aura-Reparaturdienst.**

Chemische Formel:
SiO_2 mit monoklinen Nädelchen
aus Aktinolith
$(Ca_2(MgFe)_5[(OH,F)|Si_4O_{11}]_2)$
Familie: Quarz
Kristallgitter:
trigonal
Licht: Sonne

Aussehen: Dieser opake, schnittlauchgrüne, leicht dunkelgrün gemaserte Stein ist verwechselbar mit seinem vielseitigen nahen Verwandten Aventurin.

Wirkungen: Prasem ist eher ein Spezialist: Gletscherfrisch, kühl, grün, so könnte man seine Frequenz beschreiben – das klingt wie die Reklame für ein Mentholbonbon. Dieses zu Stein gewordene Menthol antidotiert nicht, das heißt, homöopathische Mittel werden nicht außer Gefecht gesetzt mit Prasem, und dennoch kann man alle kühlenden Effekte, die Menthol und Minze vermitteln, von ihm bekommen. So wirkt er bei Fieber, Mückenstichen, Schwellungen, Hitzestau, Blasen, leichten Verbrennungen, Sonnenbrand und heißem Kopf. Legen Sie ihn lokal auf oder machen Sie ein Elixier beziehungsweise einen Badezusatz oder eine Abwaschung mit Prasemwasser, gern auch kombiniert mit dem kühlenden, erfrischenden Bergkristall. Genauso effektiv wirkt Prasem bei Heuschnupfen (Nasentropfen herstellen), lokal aufgelegt, innerlich als Elixier oder in die juckende Nase oder ins Ohr als Nasen- und Ohrentropfen. Bei juckendem Allergiegaumen: Gurgelelixier ansetzen. Bei Allergien sollten Sie Elixiere aus Aquamarin, Prasem und Bergkristall testen. Als Vorbeugestein gegen Pollenallergien wirkt Prasem kombiniert mit Chrysopras, verwenden sie ihn wie dort beschrieben.

Charakter/Motto: **Der Eisbeutel.**

PYRITSONNE

Synonym:
Markasitsonne
Chemische Formel:
FeS_2
Kristallgitter:
rhombisch (Marka-
sit) und kubisch
(Pyrit, der auch
Eisenkies heißt)
Licht: Sonne

Aussehen: Dieses Mineral sieht wie eine runde, goldglänzende Sonnenscheibe aus. Manche Händler zeichnen es als Pyritsonne, andere als Markasitsonne aus.

Wirkungen: Reich an Schwefel und kräftigendem Eisen, wirkt die Pyritsonne physisch aufbauend, besonders nach einer langen Krankheit. Sie ist ideal zum Auflegen auf das 3. Chakra. Ihr kubisches, hochgeordnetes Gitter wirkt ordnend auf regenerative Kräfte und dirigiert sie dahin, wo sie benötigt werden, wirkt in der Regel jedoch mehr lokal, also ruhig ein wenig hin und her schieben während der Auflage. Der ganze Körper wird gekräftigt, das Gold dieser Sonne belebt den Geist. Ideal kombinierbar mit: Goldfluß (3. Chakra), Bernstein (2., 3., 4. Chakra), Schwefel und rotem Jaspis (Silex). Wer nur die geistige Wirkung haben möchte, kann Pyritwürfel auf das 6. Chakra auflegen.

Fallbeispiel: Eine Frau mit Multipler Sklerose (MS) fühlte sich zu meinen Pyritsonnen sehr stark hingezogen. Sie hat sich sofort eine besorgt. Der Stein machte sie kräftiger, sie konnte besser laufen und sich auch erheblich leichter anziehen. Sie trug bereits seit längerer Zeit (Wochen) eine Chrysopras-Stufe als Hosentaschenstein bei sich, die ihr auch sehr gut bekommen ist.

Charakter/Motto: **Die lebensspendende kleine Sonne.**

Chemische Formel:
SiO$_2$
Familie: Quarz
Kristallgitter: trigo-
nal, makrokristallin
Licht: Sonne

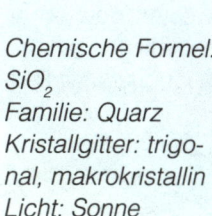

Aussehen: Zart braun bis tiefschwarz (Morion) getönt durch natürliche Strahlung und Spuren von Fremdelementen wie Natrium, Aluminium und Lithium (vergleiche RYKART, 1989) und eben *nicht* immer durch das Metall Eisen, wie überall sonst beschrieben.

Wirkungen: Rauchquarz ist ein Muß für einigermaßen professionelle Arbeit mit Heilenergien. Man kann ihn zum Erden gebrauchen, gegen Vergeßlichkeit, als Bestandteil eines Kraftfeldes. Mit Rauchquarzlasern, das heißt spitz zulaufenden, konisch endenden Einzelkristallen kann man Energien umleiten, anheben, eliminieren, je nachdem. Rauchquarz ebnet ungestüme Energien anderer Steine etwas ein, »streckt« und fixiert die Wirkungen anderer, macht sie so erst mundgerecht für die Aura und besonders den physischen Körper.

Da ihn natürliche Strahlung während seines Wachstums braun getönt hat, wirkt er gut bei strahlungsbedingten Schädigungen. Das kann Sonnenbrand sein, aber auch Computerstrahlung und Elektrosmog. Hautkrebs entsteht dadurch, daß unser Reparaturenzymset im Körper die Strahlungsschäden nicht (mehr) schnell genug reparieren kann und brisante, zellschädigende Zwischenprodukte entstehen, die nur unzureichend oder zu langsam enzymatisch entschärft werden können (unter anderem entstehen die sogenannten freien Radikale). Die Rauchquarzschwingung schlägt zwei Fliegen mit einer Klappe: Sie wirkt der Schadfrequenz entgegen, scheint sie zu »schlucken« (Resonanzprinzip), und sie entgiftet allgemein das Gewebe, bringt

Rauchquarz

also die Reparatur- und Entgiftungssysteme der Zelle auf Trab. Zur Nachbehandlung, wenn verdächtige Muttermale oder frühe Hautkrebsstadien entfernt worden sind, kann ich Rauchquarzketten empfehlen. Die Narben werden auch sehr viel schöner, glatter und heller.

Außerdem beruhigt Rauchquarz, macht lammfromm, zuversichtlich und gelassen – diese Effekte kann man immer gebrauchen, nicht nur nach dramatischen Eingriffen und Operationen.

Fallbeispiel: Mit ihrer Narbe fungiert meine Schwester (operiert an Malignem Melanom) bei ihrem Arzt als Vorzeigeobjekt für schöne Wundheilung. Sie bekam erst Rauchquarz, dann Rauchquarz mit Peridot, anschließend Aventurin.

Charakter/Motto: **Der Strahlenspezialist.**

Chemische Formel:
AsS
Kristallgitter:
monoklin
Licht: Mond

Warnung: Realgar ist giftig! (siehe auch Seite 22 »Giftigkeit«)

Aussehen: Er sieht meist blickdicht und dunkelrot bis (gelb-)orange-rot aus, eher unscheinbar.

Wirkungen: Realgar war beliebter Bestandteil alchimistischer Lebenselixiere und wurde von Schamanen, Tibetern und den Navajo-indianern als magische, rote Steinfarbe zerrieben genutzt, außerdem ist er giftig – dieses vielversprechende Image läßt aufhorchen. Selten findet man einmal etwas Aktuelleres über Realgaranwendungen, daher erörtere ich diesen Heilstein hier gern etwas ausführlicher.

Sein Schwefelgehalt deutet schon dezent auf eine eher auf den physischen Körper wirkende, grobstofflichere Verwendungsmöglichkeit hin. Arsen enthält er zu gleichen Teilen wie Schwefel. Die Stichworte »Arsen und Schwefeldampf« erinnern wohl jeden spontan an jenen pferdefüßigen Herrn, der diese Parfümnote laut Sagen und (nicht nur) Legenden bevorzugt verwenden soll, und sein absolutes Spezialgebiet sind zweifelsohne alle irdischen Gelüste. Er weiß, was den Körper erfreut, weiß, daß das Fleisch schwach ist, und das Rot des Realgar liebt er auch. Beim Stichwort »rot« und beim Gittersystem »monoklin« tippen wir ja inzwischen schon recht zielsicher auf einen Gefühlsbezug, so Richtung untere Hauptchakren. Das erhärtet unseren Verdacht, daß der Realgar etwas mit Fleischeslust zu tun hat. Im Kapitel »Mineralklassen« finden wir bei den Sulfiden: »Sie helfen, Verborgenes aufzudecken und Unklarheiten zu beseitigen.« Genau das tut der Realgar. Er deckt auf, daß sich der physische Körper unwohl fühlt, weil er unter Sexmangel leidet. Wählt man Zoisit mit Rubin, ist dieses Bedürfnis noch nicht so dringlich, es wird eher durch die Blume ausgedrückt. Bei einer Rubinwahl könnte noch eine allgemein blutbildende und vitalisierende Wirkung mit im Spiel sein, beim Realgar ist der Wunsch nach Sex dringlich und eindeutig. Wenn Sie den Realgar auf sich wirken lassen, wird es wahrscheinlich heftiger und rauschhafter zur Sache gehen als gewohnt – dafür steht der Arsengehalt des Realgars gerade. Der verteufelt gute Mix aus Schwefel und Arsen belebt, steigert die körperliche Leistungsfähigkeit und erhöht das körperliche Wohlbefinden – Effekte, die sich auf Ihr Vorhaben äußerst günstig auswirken werden. Vielleicht kennen Sie noch die alten Roßtäuschertricks, mit denen die Pferdehändler die klapprigsten Tiere noch gut verkaufen konnten: Eine Prise Arsen ins Futter machte ein glänzendes Fell und ließ die Tiere lebhaft und vital erscheinen.

Aber der Realgar bietet mehr als eine Verwertung als Sexsteinchen – sonst wäre er auch im »Szenario-Teil« des Buches gelandet. Er hat eine weitere, unbezahlbare Eigenschaft: Dieser Stein ist in der Lage, allen Körperregionen Rotenergien zuzuführen. Es muß nicht nur das 1. Chakra sein. Alle Zellen brauchen Rot. Wird dies in der Aura nicht richtig verwertet und verteilt, kommt es zu Schwächezuständen, der Körper kühlt aus (kalte Hände und Füße), wird infektionsanfällig und fühlt sich »wie gelähmt« an. Man wird muffig, lethargisch und vergeßlich. Realgar heizt den Körper auf und verstärkt alle anderen »wärmenden« Steine (Granat, Rubin, Obsidian, Silex) bei gleichzeitiger Auflage. Das ist ideal für diejenigen, denen es schwerfällt, Rotenergien über die Fußsohlen, das Herz- oder Scheitelchakra in den Körper ziehen zu können. Realgar zieht in Kombinationen mit anderen Steinen Rotenergie wie ein Magnet in unterversorgte aurische Gebiete und schafft es, Rot im Ätherkörper zu verankern. Er legt sozusagen ein kleines Vorratsdepot in der Aura an, ähnlich wie ein Hamster seine Körner deponiert.

Charakter/Motto: **Verteufelt gut!**

RHODOCHROSIT

Synonyme:
Manganspat,
Himbeerspat
Chemische Formel:
$MnCO_3$
Kristallgitter:
trigonal
Licht: Mond

Aussehen: Ein rosa-milchigtrüber Stein mit weißlichen Äderchen oder Augen, oft auch opak pfirsichfarben (dann leider sehr teuer).

Wirkungen: Rhodochrosit weckt und vertieft das Verständnis für sich selbst und für alles Lebende (lokal aufs 2. oder 4. Chakra). Er hilft, die Muster (beziehungsweise Personen, Ereignisse), die unser Leben bestimmen, zu erkennen und sich gegebenenfalls ohne Groll von Ihnen zu trennen. Das macht er nicht so persönlich und brutal wie Lapislazuli oder Obsidian. Man fühlt sich nicht abgekanzelt. Rhodochrosit hat eine apricotfarbene Aura. Diese Wassermann-Äonkonforme, also äußerst moderne Vibration ist sehr hoch. Wer mag, kann Rhodochrosit im Kopfbereich einsetzen, nicht nur bei Schmerzen (Migräne), sondern auch bei Meditationen.

Charakter/Motto: **Der Berater.**

RHODONIT

Chemische Formel:
$CaMn_4[Si_5O_{15}]$
Kristallgitter:
triklin
Licht: Sonne

Aussehen: Manganrosa, opak, oft mit helleren weißen Anteilen, manchmal von vielen dunkelbraun bis schwarz aussehenden, astartigen Adern durchzogen. Rhodonit kann ziemlich unterschiedlich aussehen, aber er spricht immer sofort Herz und Gefühl an. Er drückt Anteilnahme, Mitleid, Sensibilität, aber auch Sentimentalität und Trost aus. Er spendet diese Kräfte dem Herzen grobstofflich (bei Herzbeschwerden aller Art), aber auch feinstofflich (bei Liebeskummer, Kränkungen, Trauer, Anteilnahme). Lokal auf schmerzende Stellen aufgelegt, füttert er eine mitleidige, mitfühlende Schwingung in diese Regionen ein. Bei Brustenge, bei Asthma, aber auch bei anderen, zum Beispiel durch Narbenzüge und Verwachsungen verursachte Verengungen, entspannt das Mangan, und der hohe Quarzgehalt glättet und bügelt den Rest auf Normalwerte hin aus.

Charakter/Motto: **Der Herzergreifende.**

Chemische Formel:
Gestein, Mineralge-
halt: siehe »Aus-
sehen«
Licht: Mond- und
Sonnenlicht

Aussehen: Kieselsäurehaltiges Vulkanitgestein (> 70 % SiO_2) mit Nestern oder Bändern von Feldspaten, Zirkon, Hornblende, Magnetit und diversen Quarzvarietäten. Genauere Angaben, auch zum Gittersystem, lassen sich aufgrund der großen Variabilität im Steingehalt nicht machen.

Wirkungen: Er gilt als magischer Stein bei den australischen Aborigines, den Ureinwohnern des Kontinents, und jeder Rhyolith sieht anders aus. Mal wie eine Kartoffel mit einer Obsidianstreifung, mal wie ein buntes, gelbgrünes Osternest mit blauen, roten und braunen Fierchen drin. Bei mir reichten die Stichworte »Australien« und »Magie« – sofort besorgte ich mir die Steine und testete zu Hause. Viele Freunde und Bekannte empfinden den Rhyolith auch als eine Art Hausgenossen und wollen ihn nicht wieder missen.

Rhyolith besänftigt wie Rosenquarz, spendet Trost und Schutz und lullt ein bißchen fürsorglich ein: *der* Stein für Sensibelchen oder Weltschmerzphasen; *physisch:* gut lokal auf dem 3. und natürlich 4. Chakra, aber auch zum In-die-Hand-Nehmen. Er wirkt gut bei Aphthen (Mundausschlag) und Herpes, dann legen Sie ihn im Bereich der Wundstellen außen auf die Wange auf. Wenn er im Schutzkreis zu anderen (Schutz-)Steinen mit dazugelegt wird, erleichtert er »Past-life«-Schau (Rückführungen allgemein) und gibt dem Kreis eine versöhnliche Note.

Charakter/Motto: **Der australische Zauberstein.**

RIVERSTONE

Chemische Formel: $CaCO_3$, Gemenge aus den drei formelgleichen Steinarten: Kalzit, Aragonit, Marmor
Kristallgitter: trigonal und rhombisch
Licht: Sonne

Aussehen: Opak, weißlich meliert mit hellbraunen Maserungen und Schlieren.

Wirkungen: Übersetzt hieße er »Flußstein«, dann wird er leicht mit »Flußspat« (Fluorit) verwechselbar. Dieser Stein bringt Bewegung in den Lichtkörper, noch rabiater als Malachit, der wenigstens zusätzlich durch sein Grün und das Kupfer entgiftet. Riverstone kann nur eines: antreiben. Zusammen mit Beryll (Anhänger, Ring) treibt er Faulheit aus, kombiniert mit Rubin hebt Riverstone niedrigen Blutdruck an und ist stark fiebertreibend (gut bei Grippe, zum Virenkillen). Für Masochisten ist er, kombiniert mit Obsidian, ein Knaller. *Seelische Wirkung:* Unerträgliches »Auf-der-Stelle-Treten« oder Schwebezustände werden sehr schnell beendet – so oder so! Daher nur etwas für ansonsten seelisch ausgeglichene Leute.

Charakter/Motto: **Die Turbotaste.**

ROSENQUARZ

Chemische Formel:
SiO_2 mit farbgeben-
den Spuren von
Mangan und Titan
Familie: Quarz
Kristallgitter:
trigonal, selten
makrokristallin
Licht: Mond

Aussehen: Zartrosa, mit leichtem Lilastich vom Mangangehalt und milchig trüb bis opak (besonders bei Rohbrocken), oft weißliche Verschlierungen und Farbabstufungen im Stein (sonst ist er garantiert manipuliert worden).

Wirkungen: Er ist *der* Stein fürs 4. Chakra, stärkt das grob- und das feinstoffliche Herz; er tröstet, vermittelt das Gefühl des Beschütztseins, gibt auch Mut. Man verzeiht sich und anderen endlich. In der Kombination mit anderen Steinen mildert Rosenquarz scharfe und radikale Frequenzen (Azurit, Malachit, Citrin). Als Badezusatz (Essenz) macht er zarte Haut und ist ein mildes Aphrodisiakum.

Charakter/Motto: **Hart, aber zart.**

RUBIN

Chemische Formel:
Al_2O_3 durch Chrom-
oxid rot getönt
Familie: ↑ Korund
Kristallgitter:
trigonal
Licht: Mond

Aussehen: Opaker, dunkelroter oder durchscheinend dunkelroter Korund.

Wirkungen: Ein mächtiger, im Legemuster über alle anderen herr-schender (dominanter) Stein. Er wärmt den Körper, heizt ihn auf (gut zum Fiebererzeugen), heizt aber auch die Gefühlswelt an, macht sinn-lich und Lust auf Sex. Legen Sie ihn lokal aufs 2. Chakra oder tragen Sie ihn in der Hosentasche mit sich. Zur Fieberbildung am besten aufs 4. Chakra legen. Er baut hier auch beim Auflegen über mehrere Wochen langfristig Reserven auf (Kondition zum Beispiel für einen Taucher-/Segelurlaub). Rubin wirkt sehr stark blutbildend, macht Appetit und beschleunigt die Entscheidungsfreude, beziehungsweise man ringt sich endlich zum Richtigen durch. Rubin ist ein feuriger Stein, er hat Feuersignatur. Die Inder sahen ihn als Stein der Sonne an. Für mich hat er plutonische und marsische Qualitäten. Plutonische Lei-denschaft facht das wilde Marsfeuer an. Daher der/das

Charakter/Motto: **Mars meets Pluto.**

Chemische Formel:
Al_2O_3, durch Titan
blau getönt
Familie: ↑ Korund
Kristallgitter:
trigonal
Licht: Sonne

Aussehen: Opaker (dann stumpfer), blauer oder blaugrauer Stein, transparent auch weiß, wasserklar, gelb, rosa oder babyblau.

Wirkungen: Er wirkt vor allem auf den Mentalkörper. Je nach Bewußtseinszustand/-reife gibt er Inspirationen und Visionen ein, klärt aber auch den Verstand (gut nach Trennungen, in allen neuen Lebenssituationen). Zur Meditation legen Sie den blauen Saphir auf das 5. und 6. Chakra, auch gemeinsam mit Luvulith oder Amethyst oder Bergkristall und Coelestin. Wenn Sie den Saphir auf dem Schreibtisch plazieren, entlastet er Ihren Papierkorb, besonders beim Verfassen von Reden, Reportagen, Papers und Tabellen! Saphir ist ein hervorragender Schutzstein: Er zieht Sympathisches an und stößt Unsympathisches ab. *Physische Wirkung:* bei Magenschmerzen, Nervenschmerzen, Asthma, Rheuma, Gicht (alle saturnischen Leiden also); er gilt als Sinnbild der Weisheit.

Charakter/Motto: **Der Intellektuelle.**

SAPHIRQUARZ

Chemische Formel: SiO_2 mit Einschlüssen von Krokydolithfäserchen $(Na_2Fe_4[OH \mid Si_4O_{11}]_2,$ monoklin)
Familie: Quarz
Kristallgitter: trigonal, makrokristallin
Licht: Sonne

Aussehen: Undurchsichtig, milchig mit überwiegend blauer Färbung, nicht gestreift, sondern so, als ob man eine blaue und eine weiße Flüssigkeit zusammengeschüttet hat.

Wirkungen: Alle blau aussehenden, zum Beispiel durch Turmalin- und Rutilfäscheneinschlüsse oder andere Mineralien gefärbte Quarze heißen gemeinhin Blauquarz. Der durch Krokydolith gefärbte darf sich Saphirquarz nennen. Genau diesen habe ich getestet. Seine Wirkung weicht von den typischen, zu erwartenden Quarzeffekten ziemlich stark ab. Vielleicht ist dies bei den Blauquarzen im engeren Sinn weniger stark ausgeprägt. Der Saphirquarz zeigt Tatenlosigkeit, Entschlußlosigkeit und eine Stagnation der Lichtqualität in der Aura an. Dies kann durch verschiedenste, meist jedoch äußere Einflüsse, hervorgerufen worden sein. Der Klient empfindet diese Lichtstagnation als starke Mutlosigkeit und entwickelt Minderwertigkeitsgefühle. Dies wird als besonders quälend empfunden, wenn man an und für sich gar nicht zu Komplexen neigt und seine Angelegenheiten in der Regel immer bewältigen konnte.

Typisch für die vorherrschende Entschlußlosigkeit aller mir bekannten Saphirquarzbedürftigen ist auch die Menge der Steine, die sie bei einer Beratung aussuchen: Am liebsten würden sie den gesamten Tisch abräumen, weil *jeder* Stein sie anspricht – oder etwa doch nicht?

Saphirquarz verrät über seinen Träger, daß diese Person noch Energie hat. Es hat sich lediglich die normale Fließgeschwindigkeit sehr verlangsamt. Alle momentanen Probleme haben einen gemeinsamen Ursprung. Das klingt hart, ist aber wenigstens übersichtlich und endlich einmal eine klare Aussage. Dagegen kann man doch etwas tun! Sobald man dies erkannt hat, veranlaßt Saphirquarz mit seinem milden Blau eine Entschärfung der Situation, beruhigt die Nerven, läßt aufatmen und kümmert sich um den Körper. Er entspannt alle Muskeln (bewußt bewegliche und autonom arbeitende Muskulatur) und bringt die Energie wieder in Fluß.

Fallbeispiel: Eine Klientin, die Saphirquarz bei einer Steinberatung ausgesucht hatte, beschrieb das Gefühl so: Sie sei eigentlich gar nicht da. Lediglich ihre Hülle setzte sich Tag für Tag in den Betrieb und erfüllte alle Alltagspflichten und den üblichen Service für Kinder, Mann, Freundeskreis und so weiter.

Charakter/Motto: **Die Entscheidungshilfe.**

SCHWEFEL, KRISTALLIN

Chemische Formel:
S°
Kristallgitter:
rhombisch
Licht: Sonne

Aussehen: Kann giftig schwefelgelb (aus Agrigento, Sizilien) bis grünbräunlich opak sein.

Wirkungen: Auflageort: bevorzugt das 3. Chakra. Er wirkt sehr günstig auf die Leber. Bitte beachten Sie die Warnhinweise für Schwefel auf Seite 22, »Giftigkeit«! Schwefel fördert die Heilwirkung aller anderen eher physisch wirkenden Steine wie Jaspis, Hämatit, Heliotrop, Malachit. Die Wahl von Schwefel zeigt an, daß im Körper möglicherweise eine (labormedizinisch nachweisbare) Störung vorliegt, die es zu behandeln gilt. Denken Sie ruhig an die fälligen nächsten Zahnarzttermine oder an die Krebsvorsorge oder an einen allgemeinen Gesundheitscheck, und lassen Sie Pigmentflecke vom Hautarzt begutachten.

Charakter/Motto: **Der Wächter der Gesundheit.**

Chemische Formel:
$Mg_6[(OH)_8 Si_4 O_{10}]$
Kristallgitter:
monoklin
Licht: Sonne

Aussehen: Opakes, metamorph (daher sehr unterschiedlich aussehend) entstandenes, magnesiumhaltiges Silikatgestein, oft grünlich beziehungsweise mit silbrig glänzenden Querstreifen.

Wirkungen: Silberauge: Opak mit glänzenden Streifen. Das Silberauge ist ein prima entkrampfend wirkender (Schutz-)Stein, ideal für Nervöse und Choleriker, als Kette oder Donut. *Chyta:* Gelbgrüner, opaker Serpentin mit dunkleren Punkten und Fleckchen. Er entsäuert allerdings nicht so stark wie das Silberauge. In erster Linie schwingt die Frequenz »Chyta« die Nieren an: Sie ist gut nach Niereninfekten, bei Mißbildungen in diesem Bereich, aber auch zur Entgiftung, Sodbrennen und kolikgeschädigten Nieren. Das monokline Steingitter und die geringe Mohshärte spricht den eher weichen, gefühlsbetonten Träger, dem schnell alles an die Nieren geht, besser an als Jade oder Nephrit, den ansonsten üblichen, gern eingesetzten »Nierensteinen«.

Charakter/Motto: **Immer mit der Ruhe.**

SMARAGD

Chemische Formel:
$Al_2Be_3[Si_6O_{18}]$ mit
Spuren von farbge-
bendem Chrom
Familie: ↑ Beryll
Kristallgitter:
hexagonal
Licht: klare, trans-
parente: Sonne;
undurchsichtige,
milchige: Mond

Aussehen: Ein metamorph entstandener Beryll, trübe stumpfgrün (Afrika) bis durchscheinend herrlich satt dunkelgrün.

Wirkungen: Bei entzündeten Augen wirkt er lindernd. Er beseitigt auch Schlaflosigkeit (Essenz trinken oder Stein unter das Kopfkissen legen), reinigt, verjüngt (stark entschlackend, viel trinken!) und entgiftet die Leber, aber auch Darm und Haut: Masken mit Essenz anrühren, Stein auf Maske oder im Bereich der Thymus-Drüse (4. Chakra) auflegen. Seine hohe und schneidende Frequenz hebt die Organfrequenzen an, löscht alle Dissonanzen (bestehende Störschwingungen, Fremd-/Fehlschwingungen = Engramme) bei längerem Tragen (Kugelkette) aus dem *physischen* Körper durch diese Frequenzanhebung heraus. *Seelisch-geistig:* Klare Smaragde stimmen versöhnlich und nähren das Herzchakra.

Charakter/Motto: **Die Kosmetikerin, der Jungbrunnen.**

SODALITH

Chemische Formel:
$Na_8[Cl_2] (AlSiO_4)_6]$
Familie:
Feldspatoide
Kristallgitter:
kubisch
Licht: Mond

Aussehen: Opaker, tiefblauer Stein mit weißen Adern, oft als Rohbrocken.

Wirkungen: Er ist ein Schutzstein für die Aura, besonders aber für Räume (große Rohbrocken, dekorativ zu Blumentöpfen oder als Briefbeschwerer unauffällig plazierbar in Ihrem Aurabereich), besonders auf Fensterbänken, im Flur (ist ein Nachtstein, der keine Sonne mag), an Türen, in Kranken-/Besuchszimmern, im Schlafzimmer – für alle Fälle ... Er saugt Strahlfelder, Vormieterschwingungen, Haß, Neid, Gier und alle negativen Projektionen für Sie auf, auf Wunsch programmiert kann er diese geläutert an den Absender zurückreflektieren (wirkt ungemein demoralisierend, wenn man Haß absendet und Schönes zurückbekommt). Das kubische Gitter dieses Steins arbeitet wie ein Sieb mit immer feineren Poren – zum Schluß werden sie so klein, daß gar nichts mehr durchkommt. *Physisch* wirkt der Sodalith ordnungsgemäß, wie seine blaue Farbe vermuten läßt, auf dem 5. Chakra bei Halsschmerzen und Schluckbeschwerden. Er beruhigt aber auch die Nerven und den Magen. *Seelisch-geistige Effekte:* Sodalith ist geeignet, um in Ruhe über wichtige Themen ungestört (!) meditieren zu können, er gibt Mut und Selbstvertrauen.

Charakter/Motto: **Der Wächter.**

SONNENSTEIN

Chemische Formel:
*[NaAlSi$_3$O$_8$]
CaAl$_2$Si$_2$O$_8$]
Familie: Feldspat
Kristallgitter: triklin
Licht: Sonne*

Aussehen: Goldgelber bis orangegelber, opaker Feldspat mit Glimmerschimmer und Eisen. Oft ist er nur sehr klein, aber fein.

Wirkungen: Besonders gut ist er als Anhänger, Kugelkette oder lokal als Cabochon aufs 4. Chakra aufgelegt. Sein Eisen baut den Körper langfristig auf. Sonnenstein macht heiter, gibt ein sonniges Gemüt, bringt milden Optimismus und entstreßt. Er ist ein Gewinn für jede Aura. Er macht zufrieden mit dem, was man hat, und gibt Durchhaltevermögen für das nächste Projekt (nicht so verbissen wie Saphir, nicht so brüsk wie Lapislazuli). Wenn man ihn auf den Solarplexus auflegt, kann man ihn gut mit Pyritachat (wärmend), Citrin (Laune anhebend) und Peridot (gibt noch mehr Optimismus), aber auch Bernstein (kräftigend) oder allen genannten Steinen zusammen kombinieren. Wenn Sie gerade ein Geschäft oder eine Praxis neu eröffnet haben – Sonnenstein tragen. Er mindert Existenzängste und verhindert Raubbau an Energiereserven. Er suggeriert Ihnen: Es wird klappen!

Charakter/Motto: **Der Optimist.**

Chemische Formel:
2FeO · AlOOH ·
4Al$_2$[OlSiO$_4$] bezie-
hungsweise
H · FeAl$_5$Si$_3$O$_{13}$
Kristallgitter:
monoklin
Licht: Sonne

Beide Summenformeln für den Staurolith sind gebräuchlich. Es gibt, wahrscheinlich durch seine metamorphe Entstehung bedingt, eine gewisse Variation in der Steinzusammensetzung. Entscheidend für die Heileffekte des Steins ist die äußere Form, die die metallischen und nicht-metallischen Anteile des Stauroliths zum Träger eines besonderen Kräfteflusses werden läßt.

Aussehen: Staurolith sieht aus wie zwei ineinander verwachsene, sich kreuzförmig durchwachsende, kurze, braungelbe, opake Streichholzenden.

Wirkungen: Diese Form, diese Signatur sind eindeutig: Es wird vom Stein die Form der Notrune, Naudhiz, gebildet. Es ist die 10. Rune des Älteren Futharks. Jede Futharkrune stellt zugleich dar: einen Kräftefluß, ein magisches Symbol, einen Lautwert (Schriftzeichen) und einen Zahlenwert. Naudhiz symbolisiert eine Wende, die Wendung der (zum Beispiel bei einer Erkrankung) vorhandenen Notsituation. Der Staurolith kann daher eine Wende im Krankheitsverlauf herbeiführen. Als metamorph (tertiär) entstandener Stein hat er selber eine Umwandlung, eine Metamorphose durchlaufen. Das ist die ideale Voraussetzung, um Wandlungsimpulse einleiten und bewirken zu können. Sein monoklines, also relativ unbeständiges Gittersystem macht es der Steinfrequenz unmöglich, diesen Wandel als zum Beispiel konstant und über den gesamten Krankheitszeitraum wirkenden Dauerimpuls aufrechtzuerhalten. Es wird lediglich eine Art Anstoß oder Schubs zum

STAUROLITH

Positiven, zur Veränderung gegeben. Wer diesen Wendeimpuls igno-
riert oder verpaßt, bekommt so schnell auch keinen weiteren.

Der Staurolith gibt seine Veränderungsimpulse nicht nur auf die körperliche Ebene ab, obwohl ihm der Körper am besten liegt: Anhaltspunkte dafür liefern unter anderem die Undurchsichtigkeit des Steines,
die braune Farbe, der Eisengehalt. Staurolith setzt auch Richtungsänderungsimpulse für Geist und Verstand in Umlauf, vor allem, wenn
er sich davon Verbesserungen im Energiefluß der unteren Chakren
verspricht. Wenn Sie sich fragen, warum immer wieder dieselbe Krankheit einen Nährboden bei Ihnen findet, obwohl die objektive Ursache
beseitigt worden ist (die Stenose wurde operiert, die Pilze wurden
beseitigt, der Darm saniert, der pH-Wert verbessert und so weiter),
dann hilft Staurolith auf dem Dritten Auge, kombiniert mit »Stocherer«
Luvulith, »Fahnder« und »Bewußtmacher« Azurit. Dieses Spezialisten-
team zur Beseitigung überfälliger, mentaler Altlasten läßt sich noch
grausam ergänzen mit Lapislazuli oder besänftigend mit Altdiva Amethyst. Mit dem Fische-Äon-Star Amethyst hätten Sie wenigstens einen
harmloseren und friedlichen Vertreter in Ihrer brisanten Viererbande.

Charakter/Motto: **Die Wende.**

Chemische Formel:
SiO_2 und verkieselter (monokliner) Krokydolith:
$Na_2Fe_4[OHISi_4O_{11}]_2$
Familie: Quarz
Kristallgitter: trigonal
Licht: Sonne

Gelbes Tigerauge: *Aussehen:* Ein seidig glänzendes, schimmerndes Quarzaggregat, mit feinen goldfarbenen und braunen Lagen (Streifungen), chayotierend wie Falkenauge und das rote Tigerauge.

Wirkungen: Der hohe Eisengehalt des gelben Tigerauges kräftigt den physischen Körper, wirkt roborierend (aufbauend), stärkt vor allem die Lunge, das Herz und alle Organe im Abdominal-(Bauch-)Raum. Tigerauge zieht Energien in das 3. und 4. Chakra, die er bei Bedarf auch prompt freisetzt. Das gibt oft den Anstoß beziehungsweise Mut zum ersten Anlauf. Tigerauge wirkt stimmungsaufhellend und ist ein guter ↑ Schutzstein. Dieser Schutzeffekt verhindert unter anderem auch, daß mehr Energie freigesetzt wird, als zuvor vom gelben Tigerauge angezogen worden ist. Er läßt uns nicht vom Eingemachten zehren. Von daher ist er mit dem Rubin zu vergleichen, vor allem als Donut wäre Tigerauge aber die preiswertere Alternative.

Rotes Tigerauge: Es heißt auch Ochsenauge. *Aussehen:* Es ist opak, irisierend mittelrot bis dunkelrot schillernd.

Wirkung: Es ist ideal bei Frühjahrsmüdigkeit, Schlappheit (nach Durchfällen und Blutverlust) und Unlust, denn es regt an, vor allem macht es Lust auf knackige Salate und Gemüse – Mütter eßunlustiger Kinder werden diesen Stein lieben. Als Anhänger allein gut zu tragen, als Kugelkette mit Kugeln aus Ochsen-, Tiger- und Falkenauge als Mix haben Sie die ganze Steinsippe und ihre erdenden bis aufbauenden Frequenzen konzertiert am Hals.

Charakter/Motto: **Der Kraftstoff.**

TIGEREISEN

Synonym:
Bandereisenerz
Chemische Formel:
Fe_2O_3
Kristallgitter:
trigonal
Licht: Sonne

Aussehen: Es handelt sich um Hämatit mit asbestartigen, eisenhaltigen Bänderungen. Dieses Erz wird im Fachhandel auch Bänderei-
senerz genannt und kann ein beträchtliches Alter (je nach Fundort)
haben.

Ich besitze eine große, polierte Platte vom Mount Brockman (Australien), die als Energiespender in der Nähe meines Schreibtisches
hängt. Geschätzte Entstehungsperiode: Präkambrium. Damit hat mein
Tigereisen nicht nur ein paar Millionen Jährchen, sondern mindestens
2 Milliarden Jahre auf dem Buckel. Er entstand in einer Zeit, als
unsere Erde noch jung war, sozusagen in ihrer Teenager-Phase. Und
genau diese archaische und ungebändigte Lebenskraft kann man gut
bei ihm spüren. Als chronisch Lebensenergien bedürftiger Mensch
zapfe ich ihn deshalb sehr gern an.

Wirkungen: Nach meinen Ausführungen bei der ↑ Entstehung der
Steine ist es plausibel, daß das Tigereisen – vergleichbar mit Tigerauge und Hämatit – kräftigend wirkt, vor allem auf den physischen Körper. Die Wirkung ist aber noch durchschlagender. Tigereisen gibt im
wahrsten Sinne des Wortes den Mut, die Kraft und den Kampfgeist
eines Tigers und wirkt optimal gegen Burn-out-Syndrom und Erschöpfung. Es belebt den Körper, behebt aufkommende und vorhandene
Müdigkeit und vitalisiert. Das erinnert uns an die Rubinwirkung, und
Rubin ist auch so ein Erdfrühprodukt mit Gaia-Teenage-Kräften,
mobilmachend und elektrisierend, aber das vor allem auch auf sexu-

ellem Gebiet. Das ist beim Tigereisen weniger der Fall (eher noch beim Hämatit spürbar).

Seelisch-geistige Wirkung: Tigereisen wirkt Kleinkariertheit und Kleinmütigkeit entgegen. Er läßt seinen Träger fair um sein Recht kämpfen, und man zeigt keine Schwächen und fühlt sich großartig dabei. Daher ist er besonders geeignet für Leute, die Konfrontationen und sich eventuell daraus ergebende unschöne Szenen um des lieben Friedens willen scheuen, obwohl sie im Recht sind. Alles wird geschluckt, selbst wenn dafür prompt als Dank Verspannungen und Kopfschmerzen kassiert werden – lieber mit Migräne zum Arzt und mit Verspannungen zum Masseur gehen, als einmal auf den Tisch hauen. Tigereisen läßt uns mit den eigenen Kräften haushalten – ein gezielter Biß des Tigers tötet das Opfer – und pumpt den Träger mit Energie voll. Er lehrt, daß man vorhandene Aggressionen nicht gegen sich selbst wenden soll und verspricht glaubhaft, daß man bei der nächsten Streitgelegenheit, wenn man im Recht ist, wendiger reagieren wird und ohne großes Gezeter und unnötigen Nervenkrieg den gerechten Anteil erhalten wird.

Ängstlichen Kindern gibt Tigereisen Mut, sich in der Gruppe zu behaupten und nicht unterbuttern zu lassen: schüchterne, eher einzelgängerische Personen läßt er geselliger auftreten und weniger gehemmt erscheinen – gut, wenn man eine Rede vor allen Leuten halten muß und dies eigentlich haßt.

Fallbeispiel: Mir half meine Tigereisenplatte sehr schön körperlich bei einer starken Grippe. Ich legte sie unter das Bettlaken in Kniehöhe, als ich durch das Fieber zittrige Beine bekam.

Motto/Charakter: **I'm a tiger, I'm a tiger ...**

TOPAS

Chemische Formel:
$Al_2[F_2SiO_4]$
Kristallgitter:
rhombisch
Licht: Mond

Aussehen: Goldgelb und ziemlich transparent. Kleine Topaseinender haben oft viele kleine dunklere Einschlüsse und innere Reflexionsflächen, an denen sich bei regem Gebrauch des Topases als Heilstein das Licht in allen Regenbogenfarben bricht, weiße Topase sind oft klar und transparent wie Bergkristall oder weißer Kalzit (Doppelspat).

Wirkungen: Mein kleiner Einender liefert schwungvolle, belebende Energien. Die relativ hohe Mohshärte des Steins (8), das rhombische Gitter und das »Härtemineral« Fluor machen den Kleinen ganz schön spritzig. Die Rallyestreifensignatur läßt die sonnengelbe, wärmende Energie weit über die Steinspitze hinausschießen: Topase haben eine enorm große Aura, auch schon die Winzlinge haben hohe Reichweiten. Die Topasenergie ist mit der Citrinenergie vergleichbar, jedoch weniger heftig. Topas gleicht vor allem die Gallenenergie (gestaute Galle ist Wut) und die Milzenergien (auch bei Seitenstichen auflegen!) aus. Zu wenig Milzenergie macht grüblerisch. Gelber und auch der weiße Topas muntern auf, haben etwas Antidepressives. Auf dem Herzchakra (die Spitze zielt zum Nabel) macht er zuversichtlich (gut bei Nervosität und Selbstzweifeln, bei letzterem auch auf die Milz legen). Topas ist wunderbar mit allen gelben und grünen Steinen kombinierbar. Im Steinkraftfeld leitet er Kraft ins Feld mit der Spitze nach innen, zum Körper weisend. Er füllt die Aura mit sonnengelber, wärmender Energie auf. Blauen Topas habe ich nie getestet (ich bin

schließlich Saphirfan). Er soll, wie ein blauer Saphir, konzentrationsfördernd wirken und auf dem 5. oder 6. Chakra aufgelegt helfen, hinter vorhandene Probleme zu blicken und sie zu durchschauen beziehungsweise das System, das dahinter steht, zu entlarven.

Der weiße Topas wirkt anregend auf allen Ebenen, vor allem der körperlichen und der geistigen. Wie der blaue Saphir hat er einen Bezug
zum Nervensystem: Er schützt es, regt es aber gleichzeitig an. Bei
Nervenreizungen und -entzündungen wäre daher der blaue Saphir zu
bevorzugen.

Charakter/Motto: **Der Vielseitige.**

TÜRKIS

Chemische Formel:
$CuAl_6[(OH)_2]$
$PO_4]_4 \cdot 4\,H_2O$
Kristallgitter: triklin
Licht: Sonne

Aussehen: Opaker, grünblauer Stein, oft mit schwärzlichen Äderchen durchsetzt.

Wirkungen: Türkis gilt als Glücks- und Erfolgsstein, vor allem für Frauen: läßt Freunde und Zuneigung gewinnen und gibt geschäftliche Erfolge. Er wirkt stark entsäuernd auf den verschlackten Organismus (nach viel Sport oder Stoffwechselschäden wie Gicht, Rheuma, schlechte Nierenfunktion). Außerdem ist er ein ↑ Schutzstein. Physisch wirkt er leberentgiftend (Kupfer) und kühlend bei wundem Gefühl im Hals.

Türkise leben, ganz besonders die, die von Ihnen zum Heilstein oder Schutzstein programmiert worden sind. Stören Sie sich nicht daran, wenn der Stein matt wird, eher grünlich oder anders blau als vor der Programmierung. Die Betriebsenergie, die ein so relativ weicher und gittermäßig schwach geordneter Stein wie der Türkis aufrechterhalten muß, setzt den Stein im Aurafeld des Trägers ganz schön unter Spannung. Belastungsspitzen kann dieser Stein nicht einfach wegstecken, sie bleiben als »Schmiß« oder Blessur noch lange oder sogar für immer sichtbar. Die Stärke des Steins, nämlich seine hohe Aufnahmekapazität und sein undurchsichtiges, labyrinthartiges Inneres, in dem sich vieles verirren kann, sich vieles stapeln läßt, ist zugleich auch seine größte Schwäche. Vorsicht! Auch für seine durch das Kupfer vermittelte Entgiftungsfunktion und durch die (OH)-Gruppe vermittelte Entsäuerungsfunktion gilt das gleiche. Türkise und Malachite muß man ständig reinigen und pflegen.

Charakter/Motto: **Die wei(s)se Hexe.**

Chemische Formel:
(Na,Li,Ca)
(Fe,Mg,Mn,Al)$_3$Al$_6$
[(OH)$_4$|(BO$_3$)$_3$|
Si$_6$O$_{18}$]
Familie: ↑ Turmalin
Kristallgitter:
trigonal
Licht: Sonne (außer
Indigolith)

Aussehen: Ein- und mehrfarbig, in allen Farben, aber auch mehrfarbig, opak, stäbchenförmig, oft mit kleinen Einschlüssen.

Wirkungen: Generell leiten alle Turmaline Energie beschleunigt weiter, verteilen sie auch, genau wie klare Bergkristalle, aber die Wirkung
ist schneidender. Turmaline wirken als Stäbchen ohne Endung wie ein
Scherengitter, das heißt, sie machen die Steinaura des Steines, um
den sie gelegt werden, um die Turmalinstäbchenlänge »größer«, was
wichtig ist im Bereich Solarplexus oder Brust, manchmal auch bei
großflächigen (Schürf-/Verbrennungs-)Narben unumgänglich. Kleine,
kurze (3 bis 4 cm) Turmalin-(Schörl-)Stäbchen leiten wie Kabel Energie von Chakra zu Chakra, lösen zusammen mit Lepidolith, Labradorit, Obsidian im Zentrum Schmerzen auf oder Blockaden, die den
Schmerz verursacht haben. Das Überbrücken kann aber auch zu
Blockaden führen, daher sollten Sie gegebenenfalls den Stein sofort
im Zentrum ablegen und gegen Bergkristall oder erdende Steine austauschen. Versuchen Sie nie dasselbe noch einmal (zum Beispiel am
Folgetag)! Brechen Sie nichts übers Knie: Viele Blockaden haben
ihren Sinn – Schutz vor Überlastung!!! Bitte öffnen Sie auch niemandem die Chakren, oder darf Ihnen jeder ungefragt in den Mund oder
in den Ausschnitt greifen? Alle Turmaline wirken verjüngend, besonders »Verdelith« (der grüne) oder »Rubellit« (der rote Turmalin, der
auch gegen Computerstrahlung hilft) und der Wassermelonen-Turma-
lin (außen grün, innen rosa, als Scheiben erhältlich). Alle Turmaline

TURMALIN

können auf das 4. Chakra gelegt werden, Indigolith (der blaue Turmalin) super aufs 5. (macht gesprächig, hellsichtig, sorgt für schöne Träume). Schörl (schwarzer Turmalin) paßt überall als »Adapter« oder Kabel, zum Erden besonders auf Fußsohlen, Beine, Leiste und das 1. Chakra. Alle Turmaline lösen Blockaden oder führen zu Blockaden (Warnhinweise: plötzliches Schwitzen, Handzittern, Unruhe, Harndrang). Abmildern läßt sich eine erwünschte beschleunigende/energetisierende Wirkung mit Hilfe von Zartmachern wie Rosenquarz, Aventurin, Kunzit, Sonnenstein, keinesfalls noch Aufpeitscher wie Obsidian, Malachit oder Azurit mutwillig beim ersten Mal auf sensible Knackpunkte legen. Quarz plus Turmalin ist nur etwas für Könner, besonders bei Ein- und Doppelendern. Man kann aber (nach langem Üben) mit Schörl und Bergkristalleinendern Energiekreise kurzschließen und bestimmte, energetisch unterversorgte Bereiche fluten oder zum Abschluß einer energiezuführenden Behandlung Überschüsse aus dem Körper leiten.

Charakter/Motto für alle Turmaline: **Das Kabel.**
Charakter/Motto roter Turmalin: **Der Stabile.**
Charakter/Motto rosa und grüner Turmalin: **Der Herzstein.**

Ungewöhnlich und selten sind die ***polychromen,*** das heißt mehrfarbigen ***Turmaline.*** Mein kleiner Naturender hat drei eiscremefarbige Abstufungen in blau, rosa, hellgrün (polychrom in dem Sinne ist also etwas übertrieben). Er zeigt an, daß man aus einer Sache unverhofft Gewinn gezogen hat, als Dank dafür, daß man sich selber treu geblieben ist. Auf der Gefühlsebene wirkt er als Zartmacher, ermuntert, sich auf dem eingeschlagenen Weg weiterzubewegen. Meditationen mit diesen Turmalinen halten geistig rege, erhöhen Flexibilität und Wendigkeit, sorgen für regen geistigen Austausch mit anderen Personen, machen kontaktfreudig und hoffnungsfroh. Allen Körperauflagen (die gewöhnliche Turmalinarbeit, also Energie leiten, verrichtet er auch) verleiht er, insbesondere in Kombination mit den »rasanten« Steinchen (Topas, Kunzit), eine dynamisch spritzige Note.

Charakter/Motto: **Die Sektlaune.**

TURMALIN-/RUTILQUARZ

Chemische Formel:
SiO_2 mit Einschlüs-
sen von (meist dun-
klen) Turmalinkri-
stallen beziehungs-
weise goldfarbenen
feinen Rutilfäser-
chen oder sogar
ganzen Büscheln
von Rutil (TiO₂)
Familie: Quarz
Kristallgitter:
trigonal
Licht: Sonne

Wirkungen: Beide gehören zur Quarz-Sippe, sind Bergkristall mit Einschlüssen (siehe auch Seite 63). Die Einschlüsse von Turmalin (Turmalinquarz) oder Rutil (Rutilquarz) dynamisieren gewisse Eigenschaften des Bergkristalls. Besonders die an sich schon sehr belebend wirkende, typische Quarzschwingung wird um ein Vielfaches potenziert. Zusätzliche Energie und Kraft laden den Quarz höher auf. Er wird zu einer Art Energiebündel. Sowohl Turmalinquarz als auch Rutilquarz sind wahre Energiebömbchen mit vor allem belebenden, kraftspendenden und energieleitenden Eigenschaften. Je dichter Turmaline oder Rutilfasern gepackt sind, desto stärker sind die genannten Effekte. Diese beiden Quarze mit dem reichen Innenleben können sich als Deblockierer durchaus mit Obsidian messen. Sie sind, lokal aufgelegt, ideal für energetisch verarmte Gebiete, die man aus Vorsichtsgründen lieber nicht mit Obsidian traktieren will. Turmalin- und Rutilquarze sind Energieblockadenüberbrücker. Sie bringen die Energien zum Fließen, vorhandene Schmerzen werden auf diese Weise beseitigt. Den Ätherleib kräftigen können Rutilquarzcabochons, je einer auf einem Hauptchakra. Falls vorhanden, kann man gern noch Turmalinquarze auf den Bereich der Fuß- und Beinnebenchakren mit auflegen.

Charakter/Motto: **Volle Kraft voraus!**

ULEXIT

Chemische Formel:
$NaCa[B_5O_6(OH)_6] \cdot 5\,H_2O$
Kristallgitter: triklin
Licht: Sonne

Aussehen: Er ist transparent zartbeige von oben gesehen, von der Seite her undurchsichtig mit geriffelten Seitenflächen.

Wirkungen: Er wird auch Fernsehstein genannt, weil er wie eine Lupe alles vergrößert. Vorsicht! Ulexit ist recht wasserscheu, nur kurz und nur unter lauwarmem Wasser spülen, denn er springt gern. Ähnlich wie der Phantomquarz hilft der Ulexit, die Dinge von allen Seiten zu betrachten und zu durchschauen. Da dieser borhaltige Stein aber keine Spitze hat und daher keine Richtung vorgibt und sein Bor (5. Element im Periodensystem) noch leichter und flüchtiger ist als das Silizium des Phantoms (14. Element im PS), ist die Ulexitwirkung subtiler und wirkt nicht lange nach. Ulexit öffnet einem die Augen (über die lieben Mitmenschen) und zeigt die Dinge, wie sie sind, und nicht, wie man sie gern hätte. Damit man nicht wieder ausgenutzt wird, empfiehlt es sich für allzu vertrauensselige Menschen, mal Ulexit als Hosentaschenstein, kombiniert mit einem Astanhänger beziehungsweise einer Kette aus schwarzer Koralle (die extrem wachsam macht und ein gesundes Mißtrauen schürt) oder einem Doppelspat zu tragen. Danach sehen Sie so manches mit ganz anderen Augen.

Fallbeispiel: Eine Klientin wählte bei mir im Rahmen einer Steinberatung, bei der wir einem besonderen Problem auf den Grund gehen wollten, neben Saphirquarz noch Ulexit aus. Ulexit weist darauf hin, daß sich diese Frau um etwas für sie sehr Wichtiges betrogen fühlte – und betrogen worden war, wie sich herausstellte.

Charakter/Motto: **Der Betrug Entlarvende.**

VARISZIT

Chemische Formel:
$Al[PO_4] \cdot 2H_2O$
Kristallgitter:
rhombisch
Licht: Sonne

Aussehen: Undurchsichtiger (opaker) Stein mit mittelgrünen und hellgrünen Maserungen und Musterungen.

Wirkungen: Grün wirkt regenerierend, entgiftend, harmoniefördernd. Phosphat setzt Energiereserven frei. Das rhombische Gitter steht für ruhige Energien, es bringt aber auch schon mal Schwung in den Laden – zur rechten Zeit. Aluminium hat allgemein beruhigende Eigenschaften. Mit dem Stein assoziiertes Wasser läßt immer auf einen Bezug zur Gefühlswelt schließen (Dioptas, Selenit, Türkis und viele andere mehr).

Grün, die Aluminium- und Wassereffekte – das paßt einerseits gut zusammen: Dieser Stein vermittelt Heilfrequenzen, die die Gefühls-ebene ansprechen, die Gefühle beruhigen und entspannend wirken. Andererseits passen Phosphateffekte und Gittereffekte gut zusam-men: In dem Moment, in dem die Gefühle stressig werden, aus dem harmonischen Gleichgewicht geraten, sorgt das Variszitgittersystem dafür, daß alles wieder Richtung Wohlbefinden zurückschwingt. Die hierfür nötige Energie liefert das Phosphat. Wer also unter starken Gefühlsschwankungen leidet oder sich in einer neuen Lage unwohl fühlt, der sollte Variszit versuchen. Dieser Stein hält das Wohlbefinden aufrecht – deshalb wird er auch gern gewählt, wenn man sich unwohl fühlt. Mit dem Variszit ist nämlich Schluß damit!

Charakter/Motto: **Stabil und fit mit Variszit.**

ZINKBLENDE

Synonym:
Sphalerit,
Schalenblende
Chemische Formel:
ZnS
Kristallgitter:
kubisch
Licht: Sonne

Aussehen: Schön anzusehen sind kleine, polierte Zinkblendeplatten (zum Beispiel aus Polen) mit opaken, breiten, schwunghaften beigefarbenen Bändern, dunkelbraunen und graubraunen Lagen, Tupfen oder Streifen. Die Muster erinnern an die vom Malachit.

Wirkungen: Auch die Mohshärte- und Dichteverhältnisse erinnern an den Malachit – hohe Dichte, die den »Körperarbeiter« in der Zinkblende erkennen lassen, und weich ist sie auch (niedrige Mohshärte: 3,5 bis 4), also geringe Durchschlagskraft, eher Lokalwirkungen, die nicht in die Tiefe gehen. Unterstrichen wird dies vom Schwefelgehalt, dem Symbol für das Physische, Dichte. Zink wirkt bei Hautleiden, bei Ekzemen, Juckreiz und kleinen Wunden. Zinksalbe ist ein beliebter Klassiker bei leichtem Sonnenbrand oder kleinen Hautabschürfungen. Zinkblendefrequenzen sind eine Art Hautbalsam, sind Wundverband und Pickelmaske, Juckreizstiller und Herpesbläschenkiller. Sie wirken hautaufbauend, hautverschönernd und granulierend (wundheilungsfördernd). Ausschläge, die durch körperliches Unwohlsein hervorgerufen worden sind (Streßpickel, Herpes- oder Ekelbläschen), sprechen auf Zinkblende gut an. Wegen eventuell vorhandener Cadmiumverunreinigungen (ein giftiges Schwermetall) rate ich von Elixieren leider, leider ab.

Der Stein läßt sich aber gut lokal auflegen, polierte Platten sind auch groß und preiswert genug zur flächendeckenden Auflage. Bei offenen Partien kann man als Schutz ein Leinentuch unterlegen, damit der

Stein keinen Kontakt zur Wunde hat. Bitte auch keine Badeelixiere aus Zinkblende herstellen. Im Bauchraum (auf dem Nabel aufgelegt) stellt sich mit Zinkblendeauflagen sofort ein entspannendes Gefühl ein, er beruhigt das Nervensystem, besonders das vegetative, das Bauch und Eingeweide versorgt.

Charakter/Motto: **Der Hautverschönerer.**

ZOISIT MIT RUBIN

Chemische Formel:
Zoisit: $Ca_2Al_3(Ol$
$OHISiO_4ISi_2O_7)$ mit
(trigonalem) Rubin:
Al_2O_3 mit Spuren
von Chromoxid
Kristallgitter:
rhombisch
Licht: Mond

Zoisit mit Rubin aus Tansania heißt auch Anyolith, blauer Zoisit aus Tansania Tansanit.

Aussehen: Opaker Stein mit leuchtend grünen bis dunkelgrünen Zonen, oft mit schwarzen Hornblendeeinschlüssen und roten Nestern oder Streifen aus dunkelrotem Rubin.

Wirkungen: Dieser Stein vermittelt Spannung und Fluß, Ruhe und Anregung, beruhigende (Zoisit-)Grüneffekte oder lebhafte, vitale Rubineffekte. Er gibt, was man gerade braucht. Um Rubinauflagen und Realgareffekten die Schärfe zu nehmen, ist er als Ergänzungsstein nicht schlecht, ansonsten siehe Seite 278 »Szenario-Steine«.

Fallbeispiel: Bis jetzt ist dieser Stein nur von Frauen ausgesucht worden. Gesundheitlich hatten sie alle keine besonders schwerwiegenden Probleme, zufrieden und glücklich wirkten sie aber auch nicht, eher so, als ob sie insgeheim etwas bedrückt. Sie dachten beständig an mutmaßlich kleine Mängel und Pannen in ihrer Beziehung. Alle Frauen, die sich einen Zoisit mit Rubin aussuchten, meinten, der Stein verstehe, wie es um sie steht, und habe Ihnen geholfen, von sich aus ohne Angst über ihre Bedürfnisse zu sprechen beziehungsweise das Problem erstmalig überhaupt in Worte kleiden zu können. Ich hatte den Eindruck, diese Frauen wollten überperfekt sein. Mit Zoisit und Rubin darf man so sein, wie man ist, nicht kühl und perfekt, sondern eben menschlich.

Charakter/Motto: **Der Eheberater: diskret, verschwiegen, zuverlässig.**

Wunderstein: »Lapis miraculosus«: gut gegen alles, in verschiedenen Farben, aber immer in der höchsten Preisklasse vorkommend; wirkt verwirrend auf den Emotional- und Mentalkörper, entschlackt die Geldbörse; lassen Sie sich nicht bluffen, bestimmt wird er Ihnen mehr als einmal von skrupellosen Händlern demnächst angeboten werden.

Charakter/Motto: **Schön wär's!**

Szenario-Steine

Heilsteinfrequenzen erreichen den grobstofflichen Körper samt Ätherkörper, die Gefühlsebene, die Mentalebene, das heißt den Verstand im
eigentlichen Sinne, aber auch Seele und Geist. Deshalb sind gerade
die Mineralien prädestinierte Übermittler ganzheitlicher Heilimpulse.

Farbe, Form, chemische Zusammensetzung und all die vielen weiteren
Faktoren, die in diesem Buch schon besprochen worden sind, geben
den Steinschwingungen gewisse Wirkungsschwerpunkte vor, setzen also
Akzente – bestimmte Wirkungsebenen werden schneller erreicht, einige
treten erst einmal zurück. So »funkt« die Heilfrequenz des einen Minerals in erster Linie den physischen Körper an, mit ihrem Spezialgebiet
Haut (Zinkblende) oder Nerven (Lepidolith), die des anderen spricht
vorrangig die Seele an (Ametrin).

Jede Steinfrequenz findet auf der von ihr bevorzugten Ebene besonders gut Einlaß und wird auf ihr besonders schnell verstanden und verarbeitet. Diese integrierten Energien beeinflussen daraufhin natürlich
indirekt alle anderen Wirkungsebenen.

Nun gibt es aber auch Steine, die außer ihrer üblichen, eigentlichen
Standardinformation noch eine Art Zusatzinformation enthalten. Manchmal tritt diese Sonderbotschaft nur in Erscheinung, wenn noch eine ganz
bestimmte andere, weitere Heilfrequenz zugegen ist (zum Beispiel Milchquarz mit Heliotrop, Onyx mit Citrin), meist spricht diese Botschaft jedoch
für sich allein.

Sie hat eine Hinweis- oder Anzeigefunktion (Indikatorcharakter), die
vorrangig gedeutet werden sollte. Diese Sonderbotschaften bereichern
eine Steinauswahl. Meist werden Hindernisse angezeigt oder eine
Situation, die sonst verborgen oder unbearbeitet geblieben wäre, wird
durch Szenario-Steine entdeckt. Man sollte diese besonderen Informationen nicht leichtfertig übergehen, jedoch auch immer in Relation zur
Anzahl der vorliegenden Steinsorten, unter denen man eine Auswahl
trifft, beurteilen.

Von Hinweischarakter kann natürlich keine Rede sein, wenn da nur 10
oder 30 Steinsorten (zum Beispiel im Laden) zur »Auswahl« liegen. Ernst-
zunehmen sind gewisse, gewachsene Vorlieben für bestimmte Steine,
die man schon immer mochte. Es hat seine Bedeutung, wenn man schon
als Kind immer zum Beispiel zu Dioptas oder Aquamarin griff.

In diesem Abschnitt habe ich nicht nur die Sonderhinweise, die die
Steine *uns* geben, beschrieben, sondern auch wichtige Benutzerhin-
weise, die bei der Pflege der Steine beachtet werden müssen. Die meisten Steine verlieren ihre Heilkraft durch leicht zu vermeidende
Behandlungsfehler.

Amazonit und Porphyrit

Sie zeigen eine durch welche Einflüsse oder Ereignisse auch immer geschwächte Aura an. Wenn Sie diese Steine wählen, zeigt dies, daß Sie jetzt unbedingt eine Regenerations- oder Ruhephase einschieben müssen, sonst manifestiert sich eine solche Auraschwächung gemeinhin in einer physischen Erkrankung. Am besten arbeiten Sie mit genau diesen Steinen: im Schutzkreis auflegen, in der Hand halten und mit ihnen meditieren, lokal auflegen – je nachdem, was Ihnen guttut.

Amethyst

a) Seine Wahl zeigt an, daß es nun für Sie an der Zeit ist, sich spirituellen Dingen zu öffnen. b) Er kann auch eine starke Fremdbestimmung, zum Beispiel noch laufende Engramme, anzeigen. Dann (gern auch nur »einfach so«) täglich eine Amethyst-Ganzkörpermassage durchführen.

Aquamarin

Er zeigt eine übergroße Sensibilität und Verletzlichkeit der Person an, die ihn ausgewählt hat. Sie müssen dies nicht als Strafe empfinden, sondern darin Ihre Chance sehen zur Entfaltung und Entwicklung in einem Gebiet, in das Ihnen nicht viele Menschen folgen können und das die wenigsten verstehen. Behandeln Sie sich mit Steinen, müssen Sie Ihre übergroße Sensibilität natürlich entsprechend mit einkalkulieren. Sie brauchen sich nicht zu fürchten: Alles, was Sie empfinden oder erfahren werden mit den Auflagesteinen, ist wahr und reell. Zur Integration dieser Erfahrungen werden Sie aber erdende Steine und viele Gespräche mit gleichgearteten Personen brauchen – mehr als jeder andere.

Bergkristall

Hier findet sich ein scheinbar allgemeines Phänomen: Man kauft sich einen, einfach weil er schön ist oder sonstwie fasziniert, man läßt ihn in der Wohnung herumliegen – und auf einmal beschäftigt man sich mit ihm. Als Symbol des Lichts zeigt er nicht nur an, daß Sie Ihren Körper jetzt mal mit Hochenergien läutern und füllen können, sondern daß Sie generell aufgeschlossener und »durchlässiger« geworden sind – und Ihre alte Urangst, daß Ihr eigentliches Iᴄʜ dabei vielleicht vor lauter Veränderungen untergehen könnte, überhaupt unbegründet war.

Beryll, Obsidian, Selenit

Natürlich verschenkt man gern Steine, wenn man sie liebt, aber gerade diese drei sind als »Kennenlern«-Präsente an ansonsten an Heilsteinen nicht interessierte Personen völlig ungeeignet. Verschenken Sie sie bitte

271

nie, Beryll vor allem noch nicht einmal an ausgesprochene Steinliebha-
ber, da sie in ihrer Wirkung auch zum Teil in unerfreuliche, ungewollte
Effekte umschlagen kann (↑ Beryll). Danke!

Charoit
Dieser Stein zeigt an, daß für Sie eine Lebensphase so gut wie abge-
schlossen, diese Sache »erledigt« ist. Wenn sie diesen Stein spontan
wählen, liegt die Sache hinter Ihnen. Eine Neuorientierung ist jetzt möglich!

Chrysokoll, Mondstein, (Feuer-)Opal, Selenit
Dies sind alles wasserhaltige, das heißt besonders stark auf die
Gefühlswelt wirkende Steine. Auch wenn man sich zu ihnen hingezogen fühlt, sollte man eventuell sprunghafte Körperreaktionen mit einkalkulieren. Darüber hinaus müssen alle wasserhaltigen Steine öfter einmal auf feuchte Erde oder beispielsweise ins Blumengießwasser (ohne
Düngerreste!) gelegt werden. Alle diese Steine sind Mondsteine, das
heißt, sie müssen nach dem Reinigen, Programmieren und nach der
Salzphase am besten in Vollmondlicht, idealerweise ab 2 Tage vor Vollmond bis Vollmond. Nehmen Sie einfach eine mit Wasser gefüllte Unter-
tassen oder ein mit Wasser gefülltes Napfgefäß und legen Sie sie von
22 bis 24Uhr ins Mondlicht.

Citrin, Onyx
Ob als Ringe (Steine müssen mit der Haut Kontakt haben), Ketten
oder Auflagesteine, diese beiden wirken Depressionen entgegen. Auch
hormonell bedingte depressive Phasen werden durch den Einsatz von
Citrin und Onyx abgekürzt. Manchmal zeigen sie auch an, daß man
sich zuwenig Freude gönnt: Wenn Sie sich nicht selber einmal etwas
Schönes gönnen, meinen Sie etwa, die anderen zerbrechen sich den
Kopf darüber, wie man Sie bei Laune halten kann? Das bißchen Luxus,
das zu gönnen Sie sich jetzt vielleicht verschämt vornehmen, leisten
sich andere wie Wasser.

Coelestin
Alle Heilsteine wirken auf Körper, Seele und Geist. Die feine, spiralige
Schwingung des weißen Coelestins jedoch kontaktiert nahezu ausschließlich die Seelenebene. Der Stein verbessert und intensiviert die
seelische Wahrnehmungsfähigkeit und zeigt seinem Benutzer an, daß
er zum ersten Mal in seinem Leben eine Art Dolmetscher, nämlich den
Coelestin, gewählt hat, der nun dem physischen Körper die Belange

der Seele verständlich machen wird. Sonst ist es eher umgekehrt: Der Körper wird so lange krank, bis man über seelische Krankheitsursachen nachdenkt. Coelestin zieht wie eine Antenne alle Frequenzen aus der unmittelbaren Umgebung des Verwenders an, die seiner Übersetzertätigkeit dienlich sein könnten. Meiden Sie deshalb, wenn Coelestin Sie anzieht, Orte mit geballter negativer Schwingung – Sie kriegen davon nur innere Unruhe und Kopfschmerzen. Außerdem ruft Coelestin (beim Auflegen auf das 5. und 6. Chakra sowie die Handchakren) ein Gefühl extremer Durchlässigkeit und Schutzbedürftigkeit der Seele hervor, das allerdings bei längerer Meditationsarbeit mit diesem Stein einem tiefempfundenen Friedensgefühl und der Gewißheit, eine unsterbliche Seele zu besitzen, weicht. Die Energien, die dabei frei werden, lösen viele »alte Knoten« auf und bringen das Gefühl, einen neuen Lebensabschnitt begonnen zu haben, ins Tagesbewußtsein.

Diamant
Diamanten frieren den Gefühlszustand und das Lebensgefühl, das Sie haben, ein und fixieren diesen Zustand. Nicht umsonst schenkt man sich Verlobungssolitäre. Sie sollen den schönen verliebten Zustand »einwecken«. Wenn Sie jedoch schwer krank waren und Diamanten getragen haben, gibt er Ihnen die gespeicherte Krankheitsschwingung samt dem miesen energetischen Zustand aus dieser Phase (den Status quo beim Tragen der Steine/des Steins) wieder ab. Besonders bei rezidivierenden Erkrankungen oder Krebs sollten Sie deshalb Ihre Brillanten im Safe lassen. Nach der Gesundung können Sie die Steine wieder – gereinigt, versteht sich – tragen, aber nicht eher.

Dioptas
Seine Wahl deutet darauf hin, daß ein Grundübel bei Ihnen, das Ihnen zum Beispiel in allen Lebensphasen bestimmte Ziele oder Beziehungen vermiest, ewig weiter bestehenbleiben und Staatsfeind Nummer eins sein wird, bis Sie es bewußt verarbeiten und sich davon ohne Groll verabschieden. Meist handelt es sich um Vorgeburts- oder Geburtstraumen oder erlittene Verluste (Tod von Eltern, Großeltern) sowie Integrationsprobleme (Mißhandlungen, versuchte oder erfolgte Vergewaltigungen).

Fluorit, Hämatit, Citrin, Moldavit, Kunzit, Turmalin, Luvulith/Sugilith

Hilfe, die Außerirdischen kommen! In der Literatur wird ihnen eine außerirdische oder sogar außergalaktische Herkunft nachgesagt. Fundstellen auf der Erde sollen zum Beispiel beim Citrin mit der Citrinschwingung als Same in die Matrix eines irdischen Steines (meist Bergkristall) eingepflanzt worden sein von fremden Intelligenzen, die die Entwicklung der Erde überwachen. Machen Sie sich selbst ein Bild davon. Es bestehen bei Ihnen weniger rein physische Gesundheitsprobleme. *Sie* werden physisch krank durch falsche Ansichten und (eventuell karmisch bedingte laufende alte) Gedankenmuster. Sie können sich, mehr als jeder andere, mental heilen – ohne viele Tabletten und Spritzen. Besinnen Sie sich auf Ihren inneren Reichtum.

Hämatit (Blutstein)

Eigentlich ist Hämatit ein Erz. Angeblich zeigt seine Auswahl eine »alte« Seele an, mit einem engen Bezug zu extraterrestrischen Dimensionen (vergleiche JANE ANN DOW), bei mir vielleicht zu den Plejaden, denn ich liebe Moldavit genauso. Auf jeden Fall werden all diese Gerüchte dafür sorgen, daß eben diese Steine teurer werden – und ein tolles Image haben.

Holz

Es kommt als Trommelstein meist als Achat in den Handel, ist aber auch als sogenanntes »opalisiertes« Holz versteinert. Unter Luftabschluß kristallisiert Kieselgel in dem Holz im Laufe der Jahrtausende aus und erhält seine typischen Jahresringe, Rindenstrukturen und so weiter. Es gibt auch Achat-Holz mit Erhalt aller biologischen Strukturen. Holz ist zum Erden nach Behandlungen, vor allem solche mit Lift-Wirkung und nach Meditationen ratsam. Wenn die Erdung einmal fehlen sollte (man wird zerstreut und das Gedächtnis miserabel), was auch nach Operationen durch die Narkose sowie allen Eingriffen im Bereich des Ischiasnervverlaufs (Fuß, Unterschenkel, Knie, Oberschenkel, Leiste, kleines Becken) vorkommen kann, ist eine mehrwöchentliche Behandlung mit Holz, Onyx und so weiter ratsam.

Karneol

Er zeigt an, daß Ihre kreativen Fähigkeiten zu verkümmern drohen und gepflegt werden wollen. Neue Hobbys, die dies berücksichtigen, müssen nun herhalten, notfalls neue Bücher, inspirierende Gespräche (nicht immer dieselbe Kneipe, dasselbe Kino, dieselben Einladungen annehmen). Außerdem zeigt er an, daß Sie Ihren Körper zu sachlich, als Maschine sozusagen, knechten. Mehr wissen Sie nicht mit ihm anzufangen? Aber, aber...

Kunzit, Topas, Turmalin

Gemeinsam sind ihnen die Längsstreifen, die »Rallyestreifen«. Sie zeigen an, daß diese Steine Energie durch den Körper puschen, und das alles noch auf einer recht schneidenden Frequenz, besonders beim Turmalin. Wenn Sie einen von diesen wählen, dann ist es wohl höchste Zeit – Sie wollen schnelle Resultate, auch wenn die Reaktionen möglicherweise ein bißchen heftig sind. Sie können das vertragen, wenn Sie diese drei wählen.

Kunzit, Smaragd, Beryll, Turmalin (rosa und hellgrün)

Dies sind Schönmacher. Dauerauflegen auf faltige Partien soll straffend wirken, Elixiere sollen verjüngend wirken – besser fühlt man sich nach einer kleinen Trink-Kur oder mit aufgelegten Steinen auf Falten, Narben, Pigmentflecken (hier auch Amethyst) auf jeden Fall. Vor allem die »Magenfalte« (Nasolabialfalte) spricht nach Ekel, Kummer oder Übelkeit (zum Beispiel nach Darmgrippe, beim »spitzen Gesicht«) gut auf eine Kunzit-Turmalin-Auflage an.

Labradorit, Chrysopras, Schörl, Sodalith, Türkis, Bergkristall, Diamant, Saphir, Bänderachat

Unsere Leibwächter, die als besonderen Zusatzservice noch gut gegen sogenannte negative Gedankenprojektionen (im Volksmund. »Schwarze Magie«) wirken. Teils saugen sie sie auf, teils schirmen sie ab (siehe Kapitel 6 – »Alles Wissenswerte über Schutzsteine«). Schaden kann es ja nicht, so seine Vorkehrungen zu treffen ...

Lepidolith

Wenn ein körperlicher (Neuritis, Ischias) oder seelischer Schmerz zu intensiv ist, kann man Lepidolith wie ein Narkose- oder Besänftigungsmittel mit auflegen, damit man die Sache, die ohnehin schon weh genug tut, bearbeiten kann.

Lepidolith, Sodalith, Rhyolith

Sollten Sie einen von diesen oder gar alle drei spontan auswählen, dann haben Sie eine Ruhephase nötig, wahrscheinlich möchten Sie sich völlig zurückziehen oder sich in eine Stille Ecke verkriechen und so schnell nicht mehr zum Vorschein kommen. Diese drei sind Indikatoren für Schutz, Stille, Rückzugsgefühle. Das Selbstwertgefühl ist ziemlich ramponiert. Seien Sie nett zu sich und fangen Sie jetzt keine Diäten an oder testen neue Frisuren oder Sportarten – das ist rausgeworfenes Geld.

Magnesit

Er entgiftet den Körper. Beachten Sie diesen dezenten Wink, und beginnen Sie gleich mit dem Ausmisten. Bei Schmerzzuständen können Sie ihn als Zentrumsstein auf die Schmerzstelle legen und schwarze Turmalinstäbchen (ohne Enden) kreuzförmig drumherumlegen. Die Entgiftung sollte mindestens 4 bis 6 Wochen täglich durchgeführt werden. Schädliche Substanzen können natürlich nur dann effektiv mit dem Urin ausgeschieden werden, wenn Sie entsprechend viel trinken, am besten befragen Sie Ihren Arzt nach dem für Sie optimal geeigneten pflanzlichen Mittel, das die Nierenfunktion oder Galle, Leber und Darm oder gezielt die Haut bei der Entschlackung fördern könnte.

Milchquarz und Heliotrop

Milchquarz ist eine Bergkristallvarietät, in der feinverteilte Gasblasen die Quarzmasse eintrüben, so wie kleine Fettkügelchen die Milch opakweiß erscheinen lassen. Heliotrop wirkt auf die Lymphe. Die Wahl der Kombination Milchquarz (zum Beispiel als Kugelkette) mit Heliotrop (zum Beispiel als Splitterkette) deutet auf Fettverdauungsstörungen und Appetitlosigkeit hin. Diese beiden Steine nähren und bauen auf durch Entlastung der Lymphe (die ja das Nahrungsfett transportiert) und stützen die Bauchspeicheldrüse – ideal bei Pankreasinsuffizienz, Blähungen nach fettem Essen und ungewollter Magerkeit.

Obsidian

Er ist nun gerade kein Charmeur, aber besonders bei Schmerzzuständen sehr brauchbar. Wie beim Magnesit können Sie ihn mit Schörl umlegen und – wenn möglich – auch mit kleinen Bergkristallspitzen und so ca. 15 Minuten auf Schmerzzonen belassen. Danach eventuell durch entgiftende oder ausgleichende Steine ersetzen. Das sollten je nach Chakra sein: Chrysokoll, Türkis und Heliotrop oder zum Entsäuern nach Muskelschmerz Dolomit oder Türkis oder nach Druckschmerz Lepidolith und Chrysopras oder zum Beleben nach Erfrierungen (Ski, Wandern) Citrin und viel Schneeflockenobsidian.

Saphir*, Onyx*, Perle*, Koralle*, Rauchquarz, Quarz-Katzenauge*
(*vergleiche G. EDDE, 1993)

Die offensichtliche, für das menschliche Auge sichtbare Farbe dieser Steine ist nicht mit der Farbe, die diese Steine zum Beispiel nach dem Auflegen auf das Dritte Auge (6. Chakra) erkennen lassen, identisch.

Vertrauen Sie also Ihrer Intuition, wenn ihnen der Saphir nicht blau erscheinen mag (er strahlt blaurot), der Onyx nicht schwarz (neonfarbig lila), das Quarz-Katzenauge nicht grau, braun oder grün, sondern rot und Perle orange, Koralle gelborange. Diese sogenannten Aurafarben des Steins korrespondieren natürlich noch viel besser mit den Aurafarben des Menschen (Chakrenzuordnung also idealerweise nach der Aurafarbe des Steins treffen). Sie werden noch etliche Aurafarben selbst herausfinden. Paradebeispiel von mir: Legen Sie Rauchquarz aufs Stirn-Chakra, erden Sie das 1. oder 2., dazu noch Holz oder ähnliches unter die Füße. Richtig, es ist alles Gold, was glänzt. Bei dem ist es einfach, bei anderen schwieriger, glauben Sie sich im Zweifelsfall immer selbst am meisten, auch wenn es irgendein hochsensibler Meister anders verkündet.

Phantomquarz, Selenit, Indigolith, Sodalith
Behandeln Sie diese Steine bitte wie Vampire – nie ins Sonnenlicht legen! Zur Behandlung verwenden, dann gleich reinigen und nachts nach draußen legen zum Aufladen. Gerade die Phantome verlieren unwahrscheinlich viel, wenn man sie im guten Glauben, es sei ja schließlich lichtliebender Bergkristall, in die Sonne legt. Alle erworbenen Eigenschaften des Phantoms, die Möglichkeit, ihn zur Hellsicht und Diagnose (und ähnlichem wie bei K. RAPHAELL bei medialen und anderen Bergkristallen beschrieben) einzusetzen, geht im Sonnenlicht (andere Photonenqualität als das passiv reflektierende Mondlicht) binnen Tagen verloren.

Selbst die sogenannten Sonnensteine können Sie heutzutage nicht mehr unbesorgt tagelang draußen (zum Beispiel im Garten) lassen, weil durch das Ozonloch die Strahlung so aggressiv geworden ist, daß Rauchquarz, Fluorit und andere eher verlieren. Die farbgebenden Metalle werden wahrscheinlich durch lange Lichtexposition im Bereich ihrer maximalen Absorption (der äußerlich sichtbaren Farbe des Heilsteines) moduliert.

Bei allen Nachtlichtsteinen habe ich noch nichts Derartiges beobachtet, Kunzit zum Beispiel neigt ohnehin zum Verblassen, Amethyst auch, weil er so viel in sich hineinfrißt, selbst dreckiges nächtliches (saures?) Regenwasser hat meinen Steinen bis jetzt nichts geschadet. (Siehe auch Seite 18 »Welcher Stein braucht welches Licht?«)

Rauchquarz, versteinertes (verkieseltes/achatisiertes) Holz, schwarzer Turmalin

Erden, erden, erden – mehr brauche ich dazu nicht mehr anzumerken ...

Türkis

Bei einer zeitlich begrenzten (zuviel Sport, Gartenarbeit) Übersäuerung des Körpers, besonders aber bei rheumatischen Beschwerden (Gicht, Harnsäure) zum Auflegen lokal oder als Kette, ruhig dicke Kugeln, aber bitte nichts Restrukturiertes, Gefärbtes, Geklebtes – Rückgabegarantie verlangen!

Turmalinquarz, Rutilquarz, Streifenachat (d. h. Chalzedon-Cabochons)

Davon 6 bis 7 Stück einer Sorte, und Sie können zur allgemeinen Energetisierung und Harmonisierung täglich diese Steine auf die Chakren auflegen. Sie können gern vorher noch einen Trommelsteinkreis legen und sich hineinlegen – es ist aber nicht nötig.

Variszit

Wenn Sie spontan zu diesem opakgrünen, gemaserten Stein gegriffen haben, dann fühlen Sie sich im Moment körperlich nicht wohl. Faulenzen Sie ruhig ein wenig, entgiften Sie die Leber (Mariendistelpräparate oder Artischocke) und sorgen Sie für genügend Schlaf. Es ist möglich, daß Sie Probleme mit unruhigen oder schweren Beinen und dicken Füßen haben: Beine hoch, Stützstrümpfe, Gefäßtraining, Schwimmen oder ein paar Kniegüsse könnten nicht schaden. Sollten Sie kürzlich die »Pille« gewechselt haben, lohnt es sich eventuell, noch einmal auf ein anderes Präparat zu wechseln. Variszit zeigt oft veränderte Fließeigenschaften im Niederdrucksystem (Lymphe und venöses Blut) an – mit Amethyst und Jade verwenden.

Zoisit mit Rubin

Wenn Sie diesen Stein wählen, dann sind Sie mit Ihrer Liebesbeziehung eigentlich zufrieden, es gibt da aber etwas, was Ihnen fehlt, worauf Sie seit längerem verzichten, was Ihnen aber auf Dauer unentbehrlich ist. Das kann einfach mehr Zeit für sich selbst sein, die Sie sich einräumen müssen, oder in ihrer sexuellen Beziehung ist alles zu sehr (stets dieselben Zeiten, dasselbe Ritual) oder viel zu wenig geplant (zu viel Besuch, die Kinder stören, uneingestandene Schamgefühle, die nicht berücksichtigt werden können, weil man es nicht weiß, und ähnliches). Vielleicht können Sie nach streßreichen Tagen auch nicht so prompt umschalten, wie Ihr Partner das kann. Gönnen Sie sich ein ruhiges (Abend-)Essen mit abgestelltem Telefon oder was auch immer Sie brauchen, um Intimitäten optimal genießen zu können. Es reißt Ihnen keiner den Kopf ab, keiner lacht sich tot über Ihre vermeintlichen »Macken«.

Synonyme Mineralien und große Steinfamilien

Die *Mohshärte* ist eine Härtegradebezeichnung mit der Einstufung von Härte 1 bis Maximalhärte 10. Der jeweils härtere Stein ritzt den nach der Einstufung niedrigeren (weicheren) Stein.

Die Beryll-Familie

Mohshärte: 7,5 – 8 • *Spezifisches Gewicht:* 2,65 – 2,75 • *Kristallgitter:* hexagonal

Die Gitterstruktur der Berylle besteht aus Silikatröhren, die aus exakt übereinander gestapelten Silikatringen bestehen. Viele Ringe übereinander bilden die sechseckige Röhre, in der elektrische Ladungen wie in einem Kabel transportiert werden können. Alle Berylle haben Silikatringe $(Si_6O_{18})^{12-}$, die umgeben sind von Aluminiumionen (Al^{3+}) und Berylliumionen (Be^{2+}) und dann, je nach Steinvarietät, noch Eisen-, Chrom- und anderen Ionen.

Aquamarin: Hellblau bis blaugrün und dunkelblau; farbgebende Substanz ist zweiwertiges und dreiwertiges Eisen (Fe^{2+} und Fe^{3+}); er wird oft zur Farbintensivierung bestrahlt.

Bixbit: Ein kräftig rosarot gefärbter Beryll mit den farbgebenden Metallen Mangan (Mn^{2+}) und Lithium (Li^+).

Goldberyll: Gelblich hellbraun transparent; typische Ecken »wie gekerbt«, kann je nach Fundort uranhaltig sein.

Goshenit: Wasserklarer Beryll ohne Farbe.

Heliodor: Hell gelbgrün transparent, schön leuchtend, Farbgeber: Eisen (Fe^{3+}), manchmal radioaktiv.

Morganit: Zwei- und dreiwertiges Mangan ($Mn^{2+/3+}$), Kupfer (Cu^{2+}), Nickel (Ni^{2+}), zwei- und dreiwertiges Eisen ($Fe^{2+/3+}$), ganz hellrosa, transparent.

Smaragd: Entsteht tertiär (metamorph), leuchtend dunkelgrün durch Chrom (Cr^{3+}).

Worobjewit: Rosa, klar, enthält eventuell Cäsium (Cs^+) und Lithium (Li^+).

Die Feldspate

Mohshärte: 6 - 6,5 • Spezifisches Gewicht: 2,5 - 2,7 • Kristallgitter: triklin, außer Mondstein (monoklin)
Man unterscheidet 3 Feldspat-Klassen: Orthoklas-, Mikroklin- und Plagioklas-Varietäten. Allen gemeinsam ist der Silikatgehalt (Si_3O_8) – sie sind also Silikate –, das Aluminium (Al) und ein Alkali- oder Erdalkalimetall (Li, Na, K oder Be, Mg, Ca) dabei, je nach Stein auch beides.

Mondstein: Ein milchig trübe, matt schimmernder Stein mit weißlichem bis bläulichem Schimmer, eine Orthoklas-Varietät, das heißt, er ist ein bei hohen Temperaturen entstandener Kaliumfeldspat, der durch feine parallel laufende Lamellen aus Natriumfeldspat oder Albit schön glänzt.

Labradorit: Ein natrium- und kalziumhaltiger Feldspat, das heißt, bei ihm ist je ein Alkali- und ein Erdalkalimetall enthalten; Plagioklas-Varietät.

Amazonit: Ein kaliumhaltiger Feldspat, unterhalb von 300 °C entstanden, also mikroklin, mit triklinem Gittersystem wie der Labradorit.

Sonnenstein: Plagioklase Feldspatvarietät, mit Natrium und Kalzium neben dem Aluminiumsilikat-Anteil, triklines Gittersystem.

Die Granat-Farbfamilie

Mohshärte: 7,5 • Spezifisches Gewicht: 4,05 (± 0,12) • Kristallgitter: kubisch (haben sie alle)
Es handelt sich um tertiär (metamorph) durch Gesteinsumwandlung entstandene Silikate. Sie gehören also wie die Feldspate und Berylle zur Quarz-Familie im weiteren Sinn, besitzen ein kubisches Gittersystem, das unter Spannung steht. Dies bewirkt eine anregende, den physischen Körper belebende Wirkung aller Granate, die durch den Gehalt an Eisen, Aluminium, Magnesium, Kalzium, Titan oder Natrium, Vanadium oder Mangan noch unterstrichen wird. Bitte suchen Sie sich »Ihren« Granat aus (zum Teil zitiert aus einem Steinheilkunde-Brief der Firma Karfunkel – die müssen es wissen, denn Granate hießen früher Karfunkelsteine).

Almandin: Eisen(II)-Aluminium-Silikat, rotbraun bis schwarzbraun, der häufigste Granat; fördert die Eisenresorption im Darm, ist kreislauf- und tatkraftanregend, stärkt die Widerstandskräfte (gut nach Herpes). *Chemische Formel:* $Fe_3Al_2(SiO_4)_3$

Andradit: Kalzium-Eisen(III)-Silikat: bräunlich, grau, gelbgrün; wenn er schwarz ist, heißt er **Melanit**; wirkt durch sein Eisen und das Kalzium verbessernd auf das Blutbild; regt die Leber an, wirkt blutbildend, fördert die Ausscheidung über die Nieren (wirkt auf das Gewebe entgiftend), beeinflußt angeblich auch die Hormonproduktion der Nebennieren (ausgleichend). *Chemische Formel:* $Ca_3Fe_2(SiO_4)_3$

Demantoid: Kalzium-Eisen-Aluminium-Silikat, gelbgrün bis grün, schönes Feuer; Andradit Variante; *Chemische Formel:* $Ca_3(FeAl)_2(SiO_4)_3$

Grossular: Kalzium-Aluminium-Silikat, in allen Stachelbeerfarben (lat.: Stachelbeere): farblos, weiß, gelb, gelbbraun, graugrün, grün, rosa; physisch wirkt er sehr stark entsäuernd und bei trockenen Schleimhäuten sowie Hautproblemen, seelisch entspannend, beruhigend. *Chemische Formel:* $Ca_3Al_2(SiO_4)_3$

Hessonit: Kalzium-Aluminium-Eisen-Silikat, hellrot, orangebraunrot; *Chemische Formel:* $Ca_3(Al,Fe)_2(SiO_4)_3$

Melanit: Kalzium-Natrium-Eisen-Titan-Silikat; schwarz; er soll das Rückgrat stärken und durch den Titangehalt Wirbelsäulenschäden langfristig vorbeugen; ansonsten wie Andradit. *Chemische Formel:* $(Ca,Na)_3(Fe,Ti)_2(SiO_4)_3$

Pyrop: Magnesium-Aluminium-Silikat, rot bis rotlila; wirkt blutbildend, regt die Nähr- und Mineralstoffaufnahme im Dünndarm an; löst (seelische) Spannungen, Krämpfe, Ängste; wirkt entgiftend, entzündungshemmend, verbessert das Blutbild und die Lebensqualität. *Chemische Formel:* $Mg_3Al_2(SiO_4)_3$

Rhodolith: Magnesium-Eisen-Aluminium-Silikat; der Name kommt aus dem Griechischen und bedeutet Rose: rotviolett; vereint die Eigenschaften von Pyrop und Almandin, ist daher – laut M. Gienger – so eine Art »Universalgranat«, baut auf und regeneriert auf allen Ebenen. *Chemische Formel:* $(Mg,Fe)_3Al_2(SiO_4)_3$

Spessartin: Mangan-Aluminium-Silikat, hellbraun, orangerot, braunrot; herzstärkend durch das Mangan (Kunzit! Rosenquarz!), macht offenherzig und hilfsbereit: wirkt antidepressiv; bei massiven sexuellen Problemen der wirksamste Granat (sonst: Rubin); entgiftend; bei Mattigkeit und Abgeschlagenheit. *Chemische Formel:* $Mn_3Al_2(SiO_4)_3$

Topazolith: Kalzium-Eisen-Aluminium-Silikat, gelbgrün bis topasfarben; *Chemische Formel:* $Ca_3(Fe,Al)_2(SiO_4)_3$

Tsavorit (Tsavolith): Toll smaragdgrün; *Chemische Formel:* $Ca_3(Al,V)_2(SiO_4)_3$

Uwarowit: Kalzium-Chrom-Silikat, smaragd- bis dunkelgrün. Stark entsäuernd, gegen Kopfschmerzen, Migräne, Knieschmerz, Kopfdruck; wenn man seelisch unter Druck steht. *Chemische Formel:* $Ca_3Cr_2(SiO_4)_3$

Die Turmalin-Farbfamilie

Mohshärte: 7 – 7,5 • *Spezifisches Gewicht* 3,06 (± 0,05) • *Chemische Formel:* $(Na,Li,Ca)Fe,Mg,Mn,Al)_3Al_6[(OH)_4l(BO_3)_3lSi_6O_{18}]$ (je nach Art sind natürlich verschiedene Anteile enthalten, nicht in jedem ist alles drin) Sie ahnen es schon: ebenfalls ein Silikat; Turmaline haben im Prinzip dieselben Silikatringe wie die Berylle. Sie sind nur nicht hexagonal (Bienenwaben), sondern haben eine trigonale Röhrenschichtung (Berylle: hexagonal); elektrische Ladungen beschleunigen noch einmal in den Röhren – das gibt den unverkennbaren Turmalinenergie-Kick.
Achroit: Farblos klarer Turmalin.
Indigolith: Blauer Turmalin.
Polychromer Turmalin: Wenn Sie so einen entdecken, zugreifen! Seltene Stäbe, bei denen eine Farbe in die andere übergeht, oft rosa in hellgrün oder weiß in blau; zum Beispiel blau in rot ist sehr rar; Erfahrungsgemäß werden alle Turmaline durch diese Außerirdischen-Gerüchte und die phantastische Heilwirkung immer teurer; verlangen Sie immer Steine mit einer »Naturendung«.
Rubellit: Rosa bis roter Turmalin.
Schörl: Dunkelgrüner bis schwarzer Turmalin, als »Scherengitter« ohne Endung ausreichend, sonst (zum Erden) mit Endung, dann ist er aber teurer.
Uvit: Magnesium-Turmalin.
Verdelith: (Hell-)grüner Turmalin.

Die Opal-Familie

Sie heißen auch Edelopal und Feueropal (leuchtend orange). Der sogenannte gemeine Opal ist weiß, gelb oder oliv, oft undurchsichtig, während der Edelopal durchscheinend in allen Farben schillern kann, als schwarzer Opal ganz dunkelbraun und ebenfalls in allen Farben schimmernd (Manipulationen bei schwarzem Opal sind häufig, er wird oft nachgefärbt); dann gibt es noch Wasseropal, Boulderopal und sogenannten Andenopal.
Boulderopal: Hier füllte das Kieselsäuregel ein Schneckenhäuschen genau bis ins Detail aus, schön für »Fische«.
Andenopal und **Dioptase** sehen nur so »opalig« aus, sie sind Kupfergrün oder manganrosa, der rosa Andenopal soll sich bei Herzneurosen eignen und hilft bei Alpträumen.

Die Korund-Gruppe

Mohshärte: 9 • *Spezifisches Gewicht:* 3,9 – 4,1 • *Kristallgitter: trigonal*
»Korunde« ist eine Sammelbezeichnung für metamorph (tertiär) aus
aluminiumhaltigem Ton entstandene Edelsteine mit Mohshärte 9.
Alle Steine sind Oxide, also Sauerstoffderivate mit Aluminium; Al_2O_3.
Je nachdem, ob im ihrem trigonalen Gitter als Farbgeber Cr_2O_3 (Chrom-
oxid) oder Titan (Ti) oder Eisen (Fe) mit eingebaut sind, werden sie
Rubin (Chromoxid), Saphir (Fe,Ti) oder Padparadscha (Fe) genannt. Es
gibt auch wasserklare, hellblaue, lila, rosa, grüne oder blaßgelbe Saphire.
Stern-Saphir/-Rubin: Durch die Verarbeitung des Steines als Cabo-
chon (halbrund) kreuzen sich feine, parallel laufende Hohlräume (siehe
Mondstein) oder feinste Titannadeln unter 60° zum Stern (Hagall-Rune).
Alle haben einen Lilaton, sowohl der Sternsaphir als auch der Sternrubin.

Die Quarz-Sippe

Im Grunde sind alle Silikate Mitglieder der Quarz-Familie. Im engeren
Sinn zählt man jedoch nur die Abkömmlinge des Siliziumdioxides (SiO_2)
zu den eigentlichen Quarzen.
Rosenquarz ist eigentlich ein mehr gesteinsbildender Quarz. Es gibt
aber kleine (seltene und teure) Stufen mit schönen, ausgebildeten
Facetten (Pyramidenflächen beziehungsweise Endflächen) und Prismen-
körpern, ähnlich wie beim Bergkristall. Durch seine rosa Farbe kam er
zu seinem Namen.

Makrokristalline Quarze

Diese können eine mit bloßem Auge sichtbare Kristallstruktur mit einer
Spitze haben, dann nennt man sie makrokristalline Quarze. Hierzu
gehören: Amethyst, Ametrin, Bergkristall(e), Citrin, Dow-Kristall, Eisenkiesel, Herkimer-Diamant, Milchquarz (Schneequarz), Phantomquarze,
die auch Sagenit heißen (in allen sind Turmalin- oder Rutilnadeln, Asbest,
Hornblende, Epidot und anderes enthalten), Phantome, Rauchquarz,
Saphirquarz.
Alle makrokristallinen Quarze bestehen also aus identischen Grund-
bausteinen, bestehend aus einem Silizium und zwei Sauerstoffmolekülen
als Grundbaueinheit. Die jeweils farbgebende Substanz ist in das
Siliziumdioxid-Gitter eingebaut. So ist Amethyst im Grunde violetter, Citrin
gelber, Rauchquarz brauner, Rosenquarz rosafarbener Bergkristall. Die
Spitzenbildung ist aber abweichend, weil die farbgebenden Metalle den
»reinen« Bergkristallbauplan (seine Bildekräfte) etwas abweichend
beeinflussen; meist wirkt die Endung klobiger oder gestauchter.

Mikrokristalline Quarze

Auch hier macht das Siliziumdioxid richtige kleine Kristalle, sozusagen »Miniformatkristalle«, die aber nur mit der Lupe zu erkennen sind. Für das bloße Auge sind sie nicht sichtbar, deshalb heißen sie mikro- oder kryptokristalline Quarze. Diese können mehr wie winzige Kristallkörnchen im Stein verborgen sein (Beispiele: Heliotrop, Jaspis-Familie), oder die Kristalle können feine, wie Strickgarn verdrillte Fasern bilden wie im Chalzedon, oder das Siliziumdioxid wird im lagenartigen Wechsel geschichtet. Besonders gut ist das in der Achat-Familie ausgeprägt, dabei sind oft Lagen aus Bergkristall, Karneol oder Chalzedon dazwischen.

Weitere Siliziumdioxid-Abkömmlinge

Alle genannten Mineralien haben oft erhebliche Anteile (als farbgebende und die Heilwirkung beeinflussende Substanzen) der verschiedensten Metalle oder andere Mineralien in ihrem Gitter eingebaut: Aventurin, Prasem, Basanit (Lydit), Chrysopras, Flint (Feuerstein), Falkenauge, Sarder (roter Sarder: Karneol, schwarzer: Onyx, gebänderter: Sardonyx), Katzenauge, Tigerauge.

Die Achat-Familie

Mohshärte: 6,5-7 • *Spezifisches Gewicht:* 2,6 (± 0,05) •*Kristallgitter:* trigonal, mikrokistallin • *Chemische Formel:* SiO_2
Im engeren Sinn gehören Achat-, Chalzedon-, Jaspis-Arten und Heliotrop (Blutjaspis) zusammen (alle mikrokristallines Gittersystem).
Augenachat: Konzentrische Kreise (wie Augen) auf dem Stein.
Bandachat: Gleichmäßige, parallel laufende Bänder oder »Schalen«.
Baumachat: a) ein versteinertes Holz oder b) bäumchen- oder astartige Einschlüsse.
Dendritenachat: Bäumchen- oder astartige, von Eisen (Mangan) herrührende Einschlüsse.
Donnereier (Thunder Eggs): Etwa eigroße Knollen, im Anschnitt als Scheibe ist ein sternförmiger Querschnitt sichtbar.
Enhydros (Wasserachate): Mit Wasser aus der Entstehungszeit gefüllte Achate, beim Kippen kann man die Wassertropfen wie hinter einem Paravent sehen oder hören, wenn man ihn schüttelt (sehr beruhigend!).
Flammenachat: Geoden mit Wellen-, »Flammen«- oder Zackenmuster.
Lace-Achat (Crazy Lace): Wie bei Spitzendeckchen, phantasievolle Muster aller Art.
Onyx und Sardonyx: Wenn er einfarbig schwarz ist, heißt er Onyx; wenn er schwarz ist mit weißen oder weißen und rostroten Streifen, nennt man ihn Sardonyx.

Paraiba-Achat: Dreieckiger Achat.

Röhrenachat: Mit röhrenförmigen Einschlüssen im Stein.

Trümmerachat: Wieder »verkittete« Einzeltrümmer (gibt es auch beim Jaspis).

Uruguay-Achat: »Lagenstein«, Horizontalschichten wie bei einem Baumkuchen.

Die Chalzedon-Familie

Chalzedone sind im allgemeinen schwach durchscheinend bis opak und faserartig strukturiert (vergleiche Rykart, 1989), das heißt, der mikro-/kryptokristalline Quarz ist im Stein faserartig verdrillt.

Blauer Chalzedon (Gemeiner Chalzedon oder Streifenachat): Blau-weiß, wie Wolken am blauen Himmel aussehend oder in streifigen Lagen; gelbliche oder bräunliche kleine Einsprengsel sind möglich.

Chrysopras: Intensiv apfelgrüner Chalzedon, durch Nickelanteile gefärbt.

Mokkastein: Manganoxid färbt den Stein kaffeebraun.

Moos-, Baum- oder Dendritenachat: Es handelt sich um helle Chalzedone, die durch grüne Muster so aussehen, als ob sie Moos enthalten (Moosachat). Baum- und Dendritenachat sehen durch manganoxid-braune Musterungen so aus, als ob sie Äste oder Bäume enthalten.

Mückenstein: Die Manganoxideinschlüsse sehen wie versteinerte Mücken aus.

Rosa Chalzedon: Gefärbt wie der rote Chalzedon, nur zartrosa.

Roter Chalzedon: Durch eisenhhaltige Verbindungen rot überfärbter, gemeiner Chalzedon. Oft sind noch weißlich-blaue Stellen zu sehen.

Sarder: Durch Eisenoxihydroxideinschlüsse gelbrot, orangerot bis braunrot gefärbte Chalzedone. Der Rote mit den braunroten Ringeln heißt auch Karneol, der gelbliche gelber Karneol.

Weißer Chalzedon: Milchweiß, opak; mit dem Milchquarz, einem mikrokristallinen Quarz, der durch feinste Risse, Gas- oder Flüssigkeits-einschlüsse getrübt ist, leicht zu verwechseln.

Die Jaspis-Familie

Landschaftsjaspis (Bilderjaspis): Mit Phantasie erkennt man Landschaften oder Gesichter.

Leopardenjaspis: Der Stein sieht wie ein Raubtierfell gemustert aus, in Braunabstufungen.

Brekzienjaspis (Trümmerjaspis): Enthält braune bis rote Gesteins-trümmer, die in der Natur durch Quarz neu verkittet worden sind.

Silex: Ziegelrot durch Eisen, oft mit dünnen, schwärzlichen Bänderungen.

Heliotrop (Blutjaspis): Durch Fe-Mg-Al-Silikat (»Chlorit«) und Hämatiteinschlüsse (rote Fleckchen oder wie Eitertröpfchen) gefärbt.

Gelber Jaspis: Ocker bis braun wie Leopardenjaspis durch Eisen(II)- und -(III)-Einlagerungen.

Turitellajaspis (Schneckenjaspis): Enthält echte fossile Schneckenhäuschen, oft anpoliert zu kaufen, meist braunschwarz mit weißen Schneckenhäusern.

Poppy-Jaspis: Schön als Kugelkette; in allen Farben, sieht aus wie gemischtes Knetgummi.

Sternjaspis: Aus Kalifornien und Guadeloupe (siehe RYKART, 1989).

Plasma: Grüner Jaspis.

Nilkiesel: Braune Knollen aus Ägypten.

Bandjaspis: In Lagen geschichteter Jaspis, gut zum Gemmen-Schneiden.

Silikate oder zu keiner Gruppe gehörende Steine

Boji-Kugeln: Es handelt sich um ein Steinpärchen aus dem amerikanischen Mittleren Westen. Beide bestehen aus Pyrit und Markasit, wobei der weibliche Boji eher linsenförmig glatt und das Pyrit und Markasit weitgehend zu Limonit verwittert ist. Beim männlichen (i. d. R. größeren) Stein ist das ursprüngliche Pyrit und Markasit noch weitgehend erhalten.

Beide Steine zusammen – man sollte sie nur so kaufen – erzeugen in der Aura des Benutzers eine Spannung, die heilende Effekte haben soll. Ich bevorzuge anstelle des Boji-Pärchens Moqui Marbles und/oder Hermanover Kugeln.

Chemische Formel: $FeOOH \cdot n\ H_2O/FeS_2$

Jet-Stein: Er heißt auch Gagat und ist graphithaltig; hexagonale Ringe in loser Schichtung, aus kristallinom Kohlenstoff ($C°$); soll schwach abschirmend und beruhigend wirken, gut zur Bewältigung von Trauerarbeit.

Mohshärte: 3 • *Kristallgitter:* amorph

Peridot: Er heißt auch Chrysolith, ist dann oft flaschengrün, oder Olivin, dann gelbgrün oder moosfarbig bis braungrün. Es ist ein Inselsilikat mit Magnesium und Eisen.

Mohshärte: 6,5 – 7 • *Spezifisches Gewicht:* 3,40 (± 0,08) • *Kristallgitter:* rhombisch • *Chemische Formel:* $(Mg,Fe)_2SiO_4$

Pyrit (Narrengold, »fool's gold«, Eifelgold): Aus Eisen und Schwefel.

Mohshärte: 6,0 – 6,5 • *Spezifisches Gewicht:* 5,0 – 5,2 • *Kristallgitter:* kubisch • *Chemische Formel:* FeS_2

Selenit (Marienglas, kristalliner Gips): Der Stein hat im Kristallgitter Wasser eingelagert, daher sollten Sie ihn öfter befeuchten und nur im Mondlicht energetisieren; wirkt energetisch sehr stark saugend; diesen Stein sollten nur Fortgeschrittene anwenden.

Mohshärte: 2,2 – 4 • *Spezifisches Gewicht:* 2,2 – 2,4 • *Kristallgitter:* monoklin • *Chemische Formel:* $CaSO_4 \cdot 2\,H_2O$

Serpentin

Er heißt auch Silberauge, Zebrastein (Zebra-Jaspis), Schlangenstein oder Friedhofsstein (beim Steinmetz »grüner Marmor«). Er ist ein tertiär (also metamorph wie die Korunde) entstandenes, basisches Magnesium-silikat. Gemeiner oder Edelserpentin heißen auch »Tauerngrün«. Er wird *Chyta* oder *Chitah* genannt, wenn er gelbgrün gefärbt ist mit dunkleren Flecken und Adern.

Serpentin ist ein uralter mächtiger und hochmagischer Schutzstein, sozusagen die germanisch-europäische Antwort auf den Türkis der Indianer, Tibeter und Ägypter. Je nach verlaufener Metamorphose unter-scheidet man: *Antigorit* (Blätterserpentin) und *Chrysotil* (Faserserpentin).

Mohshärte: 3,0 – 4,0 • *Spezifisches Gewicht:* 2,5 – 2,6 • *Kristallgitter:* monoklin • *Chemische Formel:* $Mg_6(OH)_8(Si_4O_{10})$

Topas: Es handelt sich um ein Aluminium-Fluor-Silikat. Der blaue heißt *Edeltopas.* Manchmal wird der ähnliche Spinell, ein Aluminium-Magne-sium-Oxid, der ebenfalls wunderschön dunkelblau klar ist, als »blauer Edeltopas« verkauft. Der Citrin wird bisweilen als »Goldtopas« ange-boten, Rauchquarz als »Rauchtopas«. Die Bergkristallderivate haben Mohshärten um 7,5, Topas 8, genau wie der Spinell (spezifisches Gewicht: 3,58 – 3,61; Formel: $Mg(Al_2O_4)$). Topas kann auch orangegelb, braun, grünlich, weiß, rosa oder hellblau sein.

Mohshärte: 8 • *Spezifisches Gewicht:* 3,53 (± 0,04) • *Kristallgitter:* rhombisch • *Chemische Formel:* $Al_2[F_2|SiO_4]$

Zirkon: Zirkonium-Silikat; oft nur sehr klein; manchmal sind Doppel-ender im Handel, dann sollten Sie zugreifen. Farben: farblos klar, rosa, blau (bestrahlter klarer Zirkon), gelb, orangegelb (Hyazinth: er stabilisiert das seelische Gleichgewicht); besonders gut für »Stier« und »Schütze«.

Mohshärte: 6,5 – 7,5 • *Spezifisches Gewicht:* 3,90 – 4,71 • *Kristall-gitter:* tetragonal • *Chemische Formel:* $Zr(SiO_4)$

Alles Wissenswerte über Schutzsteine

Wir waren, sind und bleiben im Laufe unseres Lebens einer Unmenge von Einflüssen verschiedenster Art ausgesetzt, denen wir uns nicht immer leicht entziehen können. Das ist auch gut so, denn sowohl positive als auch negative Impulse tragen dazu bei, unseren Charakter zu formen, denn sie zwingen uns zur Auseinandersetzung mit der belebten und unbelebten (beliebten und unbeliebten?) Umwelt.

Die Aufgaben, die sich eine menschliche Seele vor einer weiteren Inkarnation auf dieser Erde übrigens selber freiwillig aussucht, sollen zu ihrer Reifung und Transformation beitragen. Der inkarnierte Mensch ist sich dieser seinerzeit selbst gestellten Lernprozesse nicht mehr bewußt, ja, er empfindet unangenehme Lernaufgaben als Strafen und Schikanen. Die Seele als eigentlicher Bewohner des menschlichen Körpers ist dem vergänglichen menschlichen Ego übergeordnet – ihre Belange haben Priorität.

In der Abbildung auf Seite 290 habe ich eine subjektive kleine Auswahl all der Ereignisse, die tagtäglich auf uns einwirken können (tapfer sein, immer an die zunehmende seelische Reife denken!), dargestellt. Sie soll verdeutlichen, auf wie vielen unterschiedlichen Ebenen unser physischer und unsere feinstofflichen Körper Tag für Tag gefordert werden. Es ist durchaus legitim, sich während bestimmter, aufreibender Lebensphasen bewußt vor einigen dieser Faktoren zu schützen, um zum Beispiel Lernprozesse als solche vor lauter Streß überhaupt erkennen, überdenken oder idealerweise in das Persönlichkeitsbild in aller Ruhe bewußt integrieren zu können.

Ein kompletter »Allround«-Schutz auf Lebenszeit fände unser träges Ego sicher ganz toll, aus obengenannten Gründen wäre dies aber witzlos, es zöge nur die Reifungsphase in unerträgliche Länge. Deshalb lehne ich solche Bitten und Aufträge grundsätzlich ab. Man kann sich nicht ein paar Kilo Schutzsteine um den Hals hängen und mauern. Ängstlichen sei zur Beruhigung gesagt, daß hier auf der Erde jeder dasselbe Programm abdient und in der Regel genug Energie für seine Aufgabenbewältigung mitbekommt. Die Erde ist, karmisch gesehen, bestimmt nicht die feinste Adresse, aber gewiß keine Folterkammer eines sadistischen Demiurgen.

In der Bildmitte sind die Schutzsteine (Steingruppen) mit ihrer speziellen Schutzaura oder ihrem Protektionssystem dargestellt sowie das Schutzobjekt (die menschliche Figur).

So erzeugen *Diamant* und *Bergkristall* (Bildmitte, oben) ein starkes Aurafeld, das vor allem vor negativen Gedankenprojektionen, aber auch

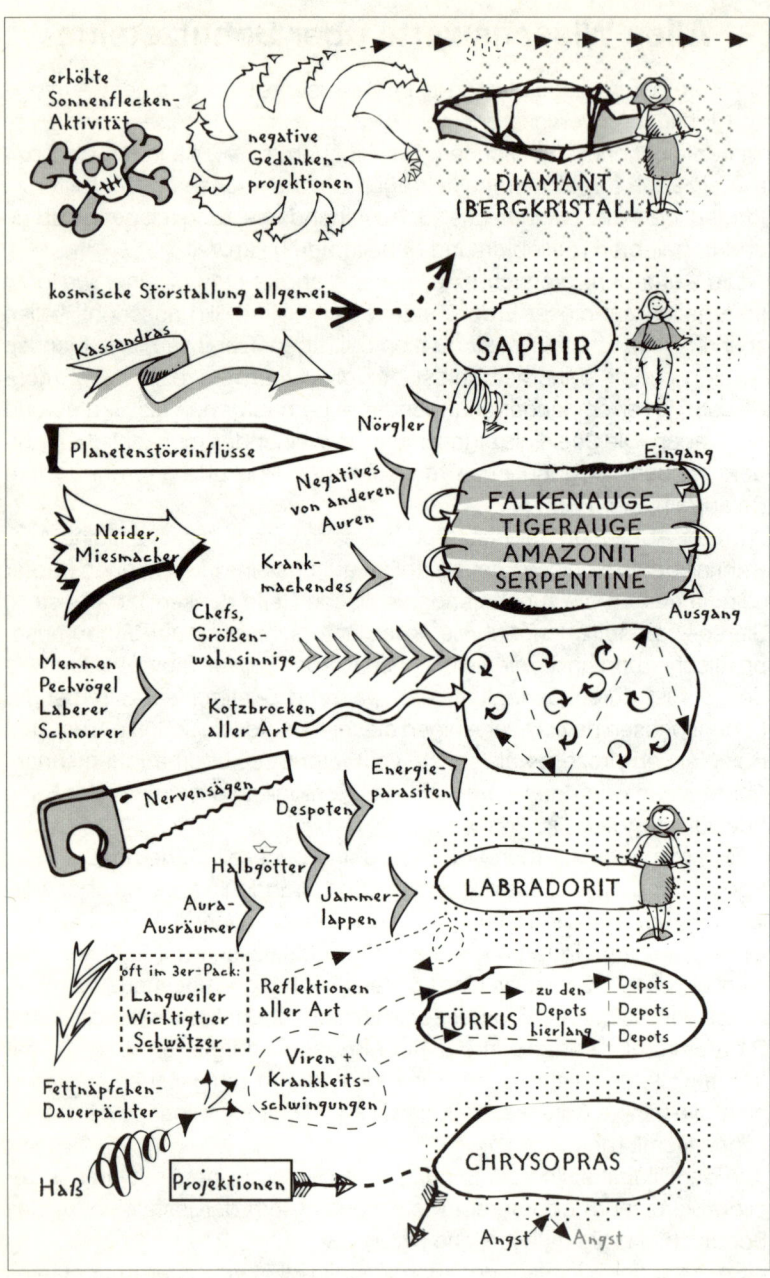

Abbildung 16: Stein mit Schutzobjekt.

kosmischen Störeinflüssen wirksam abschirmt. Die Aura beider Steine hüllt das Schutzobjekt ein, als ob es unter eine Käseglocke gestellt ist. Hinter dieser Abschirmung kann man Pläne und Ziele ungestört überdenken und sich grundsätzlich darüber klar werden, inwieweit die vermeintlich eigenen Wünsche auch wirklich die eigenen sind – oder doch nur die (negativen, gedankenlosen oder sonstigen) Projektionen anderer.

Bergkristall und Diamant läutern Störstrahlungen grundsätzlich selbständig ab, das heißt, sie wandeln sie in positive, konstruktive Energien »vollautomatisch« um. Das ist das schlimmste, was Negativem überhaupt passieren kann. Das heißt aber auch, daß man gerade diese Steine oft reinigen muß, besonders den Bergkristall, dennn er ist weicher als Diamant, wirkt etwas schwächer und arbeitet langsamer als Diamant.

Die Schutzwirkung des Saphirs arbeitet ähnlich wie das Duo Bergkristall/Diamant. Die Betonung liegt beim Saphir aber noch ganz klar auf Schutz des Nervenkostüms seines Trägers beziehungsweise Anwenders. Er klärt vor allem den Mentalkörper, das heißt, man kann mit einer Saphirkette um den Hals relativ »kalt« und emotionsarm, ohne groß zu hadern, Lebenssituationen abwägen und realistisch miteinander vergleichen, mit allem »Für« und »Wider«.

Das Problem schrumpft über dem Nachdenken buchstäblich zusammen, die freigewordenen Energien lassen sich direkt für die rationalen Entschlüsse, die man gefaßt hat, einspannen. Wenn Sie der Typ sind, der nach solchen Kosten-Nutzen-Erwägungen schnell wieder weich wird und emotional reagiert, dann tragen Sie diesen Stein, aber monatelang, denn feinstoffliche Strukturen sitzen oft genauso behaglich fest wie Krankheitsschwingungen, wenn sie erst einmal eingenistet sind und mental unterhalten werden.

Physisch wirkt der Saphir als idealer Schutzstein zum Löschen aller (und alter) Schmerzschwingungen (Herpes, Trigeminus, Interkostalneuralgien, Zosterschmerzen, Neuritiden aller Art). Seine hochenergetische lila Aurafarbe transformiert negative Schwingungen.

Falkenauge, Tigerauge, Amazonit und Serpentin sind opak, ihre Frequenzen sind also nicht so lichtbringend und durchdringend wie die der obengenannten Steine. Sie wirken mehr auf den physischen Körper wohltuend ein. Wenn man sie als Donut oder Kugelkette oder als Außen- oder Innenkreis über Monate einsetzt, ärgert man sich weniger über Neider, Nerver, dumme Kommentare und Tratsch.

Da diese opaken Steine die destruktiven Frequenzen nicht selbsttätig transformieren können und kein starkes Feld bilden, leiten sie Negatives einfach vom Träger weg oder um ihn herum, in sich hinein oder durch sich hindurch. Da sie dabei notgedrungen in der menschlichen Aura (nicht vor ihr) arbeiten, kann es beim Träger auch zu einer Art seelischen Entgiftung mit heftigen Traumphasen während der Steinanwendungsphase (idealerweise einige Monate lang tragen) kommen. Die Steine müssen unbedingt täglich unter Wasser gereinigt werden, am besten abends nach dem Tragen.

Bei *Heliotrop* und *Chrysokoll* ist der Trend, vor allem physisch zu wirken, noch ausgeprägter. Reinigen Sie fleißig Ihre Donuts und Ketten täglich mit Wasser. Diese beiden Schutzsteine sind allerdings auch für sehr sensible Naturen ideal, oder für Vorsichtige, die eine kleine Alptraumphase zu Benutzungsbeginn scheuen. Zudem wirken beide Schutzsteine entzündungshemmend und vorbeugend gegen Erkältungen und sind, wie gesagt, supersanft in ihrer Protektionswirkung.

Der *Labradorit* wird selten als Schutzstein eingesetzt, von mir um so lieber. Er hat die erstaunlichsten und unvorhersehbarsten guten Schutzwirkungen bei mir gezeigt. Vor allem für Leute, die im Bereich der oberen Chakren Probleme haben (Kehle, Kopfbereich) mit den Ohren, Nervenstrahlungsschmerzen Richtung Kopf, Heiserkeit und so weiter oder im Armverlauf Schmerzen haben, sollten ein Armband oder eine Halskette mit Labradorit-Discs einmal ausprobieren. Labradorit spiegelt in seiner Aura Negatives hin und her und läutert es teilweise ab.

Türkis ist ein altbekannter Schutzstein für jedermann, besonders für Frauen und Mädchen. Er frißt alles in sich hinein, ist nicht wählerisch und deponiert jede üble Frequenz. Man unterschätzt ihn leicht, und schon ist er matt, dunkel oder kaputt oder verliert blaue Farbe – da kann man nichts mehr machen, einen verbrauchten Türkis können Sie nur noch als Schmuck tragen und nicht mehr als Schutz- oder Heilstein anwenden. Einen neuen sollte man dann gleich eine Nummer größer aussuchen.

Chrysopras hat – wie *Diamant, Saphir* und *Bergkristall* – einen gewissen »Käseglocken«-Effekt, aber nur für sehr sublime negative Energieschwingungen, die ausschließlich auf die oberen Chakren abzielen. Wer sich da nicht betroffen fühlt, der braucht auch keinen als Schutzstein, dann ist er höchstens einmal physisch bei Nickelallergien im Kreis einzusetzen.

Zur allgemeinen Entgiftung des physischen Körpers empfiehlt sich *Magnesit.* Er hat mindestens dieselbe superstarke Schutzwirkung wie ein *Türkis,* aber nur in bezug auf Krankheitsschwingung und Entgiftung, aber damit ist er ja bei allen Dauerangestellter (super mit *Aventurin* oder *Smaragd,* wenn es etwas exklusiver sein darf).

LITERATURVERZEICHNIS

Die nachfolgende Literaturliste enthält meine persönlichen Favoriten, mit Sternchen nach ihrer Aussagekraft beurteilt habe ich die Titel, die als Grundlage für das Entstehen dieses Buches unabdingbar waren.

ASTARTE (1993): Amulette – Magneten des Glücks. In: HexenZeitSchrift 11 (2/1993): 20 - 22, Alraune Verlag, Albisheim.

BONEWITZ, R. (1987): Der Kosmos der Kristalle (1. Aufl.), Kösel Verlag, München.

BRUYERE, R. I. (1990): Chakras – Räder des Lichts. Eine Einführung (1. Aufl.), Synthesis Verlag, Essen.

DOW, J. A. (1993): *******Praktisches Handbuch der Edelstein- und Kristalltherapie, Ansata Verlag, Interlaken.

EDDE, G. (1993): Das Heilbuch der Fünf Elemente (1. Aufl.), Edition Tramontane, St. Goar.

FLOREK, R. (1996): ******Heilende Edelsteine (6. Aufl.), Windpferd Verlagsgesellschaft mbH, Aitrang.

GIENGER, M.[1] (1991 ff.): Steinheilkunde-Informationen (1/1991 - 18/1993), Lose-Blätter Eigenpublikation Firma Karfunkel Wüstenrot, (Tel. 0 71 30-37 01, Fax: 3703)

GIENGER, M.[1] (1993): ******Heilsteine von A - Z, hausinterne Lose-Blatt-Sammlung, Seminar vom 10. bis 12.09.1993, Firma Karfunkel, Wüstenrot

GOLOWIN, S. (1986): Edelsteine – Kristallpforten zur Seele (1. Aufl.), Hermann Bauer Verlag, Breisgau.

GUHR, A. und NAGLER, J. (1989): *** Mythos der Steine (2. Aufl.), Verlag Elbert & Richter, Hamburg.

HAAS, U. und KOCH, W.: (1977): Physik-Lehrbuch für Pharmazeuten und Mediziner (2. Aufl.), Wissenschaftliche Verlagsgesellschaft mbH, Stuttgart.

HULKE, W.-M. (1995): Das Farben-Energiebuch (5. Aufl.), Windpferd Verlagsgesellschaft mbH, Aitrang.

JOHARI, H.: (1993): Die sanfte Kraft der Edlen Steine (4. Aufl.), Windpferd Verlagsgesellschaft mbH, Aitrang.

---

[1] Hinweis des Verlages: Soeben erschienen: GIENGER, M. (1995): Die Steinheilkunde, (1. Aufl.) Verlag Neue Erde, Saarbrücken

JOHNSTON, B. S. (1983): Eine Heilweise des Neuen Zeitalters, Opal Verlag, Augsburg.

KATZ, M. und KATZ, G. (1993): Die Hüter der Edelsteine (5. Aufl.), Aquamarin Verlag, Grafing.

LAARSS, R. H. (1988): Das Buch der Amulette und Talismane (2. Aufl.), Eugen Diedrichs Verlag, München.

LOPEZ, E. (19?): ***Esoterische Steinheilkunde Band I und II, Kristall-Healing-Verlag Ovelgönne-Strückhausen (Tel.: (0 44 80-16 61).

MORTIMER, C. E. (1980): Chemie (3. Aufl.), Georg Thieme Verlag, Stuttgart, New York.

NETTESHEIM, H. C. A. von: *******Die magischen Werke (3. Aufl.), Fourier Verlag, Wiesbaden.

Raphaell, K. (1986): ******Wissende Kristalle, Ansata-Verlag, Interlaken.

RAPHAELL, K. (1988): ******Heilen mit Kristallen (1. Aufl.), Knaur Verlag, München.

RYKART, R. (1989): Quarz-Monographie, Ott Verlag, Thun/Schweiz.

SHARAMON, S. und BAGINSKI, B. (1995): ******Das Chakra-Handbuch (26. Aufl.), Windpferd Verlagsgesellschaft mbH, Aitrang.

SPIESBERGER, K. (1971): Magneten des Glücks (1. Aufl.), Verlag Richard Schikowski, Berlin.

VOGEL, H. (1982): Probleme aus der Physik (14. Aufl.), Springer Verlag, Berlin, Heidelberg, New York.

INDIKATIONEN UND STEINE

Die folgenden Angaben wurden nach bestem Wissen und Gewissen gemacht. Sie beruhen auf meinen eigenen Erfahrungen.

Abgearbeitet, müde: Karneol, Sarder, Chiastolith, Variszit, Howlith
Abgestumpftsein: Citrin, Chiastolith, Rutilquarz, Mondstein
Abnehmen (Gewicht): Rauchquarz mit rotem Chalzedon mit besonderer Programmierung
Aggressiv, kriegerisch machend: Hämatit, Granate, Silex, Rubin, Tigereisen, roter Chalzedon
Alkoholgenuß: Amethyst
Allergie (Nachbehandlung): Amazonit
Allergie (Pollen): Aquamarin, Prasem, Chrysopras
Allergieprophylaxe: Chrysopras, Prasem, Bergkristall
Alpträume (Gegenmittel): Amethyst, Charoit, Brasilianit, Andenopal
Altlasten (karmisch): Opalith
Altlasten (mental): Azurit, Lapislazuli, Opalith
Anämien: Hämatit, Silex, Rubin, Heliotrop, rote Granate
Angina: Chrysokoll, Heliotrop
Angina pectoris-Anfälle: Ametrin, Rhodonit
Anteilnahme: Rhodonit, Rhodochrosit, rosa und hellgrüner Turmalin, Wassermelonenturmalin, Kunzit, Muscholn, rosa Korallo
Antenneneffekt: Coelestin
Anti-Fäulniswirkung: Jade, Nephrit, Bergkristall, Smaragd
Antidepressiv: Citrin mit Onyx, Sonnenstein, Chalkopyrit, Sardonyx, Topas (weiß, gelb)
Antreibend: Beryll
Anregend (geistig und körperlich): weißer Topas
Aphrodisiakum (mildes): Rosenquarz
Aphthen: Rhyolith
Appetit auf Herzhaftes: gelber Karneol
Appetitanregend: Flint, Kieselsteine, Rubin, rote Granate, Melanit, Silex, roter Turmalin, Porphyrit
Appetitlose, eßunlustige Kinder: Bergkristallelixier, rotes Tigerauge
Appetitmindernd: roter Chalzedon
Appetitregulierend: Bergkristall, Flint, Kieselstein, (Schwefel)
Appetitschwäche: Flint, Kieselsteine, Rubin, rote Granate, Melanit, Silex, roter Turmalin, Porphyrit

Arm-, Schulter-, Kopfchakren: Chrysopras, Lepidolith, Labradorit
Asthma: Citrin, Nephrit, Rhodonit, eventuell Malachit, klarer dunkelblauer Saphir
Ätherkörper kräftigend: fast alle Steine außer den Sulfaten
Atlantisstein: Labradorit
Auf der Stelle treten: Riverstone
Aufbauend (Körper und Geist): Amethyst
Aufbauend/Stärkend (roborierend): sehr viele Heilsteine, insbesondere rote und schwarze Granate, Hämatit, Tigerauge, Tigereisen, Chondrite, Rubin, außerdem noch Diamant, Silex, Leopardenjaspis, Bergkristalleinender
Aufladung des Körperkraftfeldes: Magnetit
Aufmerksamkeit verbessernd: Disthen
Aufmunternd: Beryll, Pyritachat und andere
Aufpeitscher: Obsidian, Malachit, Azurit
Auge (chayotierend): Analcim-Katzenauge, Quarz-Katzenauge
Augen (brennend): Augen-Achat
Augen (entzündete): Smaragdwasser
Augen (geschwollen): Amethystwasserkompressen
Augen (müde): Achat
Augen öffnend: Ulexit
Augenleiden: Aquamarin, Smaragd, Achat mit Augensignatur
Aura reinigend: Amethyst(massage)
Auraklebstoff: Porphyrit, Amazonit
Aurakräftigung, Vitalisierung: Bergkristallelixier, insbes. aus Generatorquarz
Ausdrücken (sich   können): Malachit (mit Indigolith oder Chalzedon oder Chrysokoll), Zoisit mit Rubin
Ausgenutzt, betrogen: Ulexit, schwarze Koralle, Saphirquarz
Ausgleich, Erdung: Chalzedon (blau), Holz, Rutilquarz, Rauchquarz/Morion, Skelettquarz, Dow-Kristall, Bergkristalleinender (groß), schwarzer Turmalin, Onyx, Falkenauge
Ausgleichend: Bergkristall
Ausgleichend, besänftigend, kühlend: Chrysokoll
Ausschwemmen von Schlacken: Heliotrop, Magnesit, Rauchquarz
Außersinnliche Wahrnehmung fördernd: Flores-Amethyst, Lavendelquarz, Eisen-Nickel-Meteorit, Moldavit, Luvulith, Coelestin
Austausch (geistigen) anregend: polychromer Turmalin, Muscheln, rosa Koralle
Ausweglose Situationen: gelber Diamant, Charoit
Bänder/Sehnen: Apatit, Chalkopyrit
Bänder (schwache Seiten): Apatit, grüne Jade, Orangenkalzit
Bandscheiben (lädierte): Orangenkalzit
Bandscheibenvorfall/Prolapsgefahr: Orangenkalzit, Apatit, Koralle, Muscheln, Kalzit, Fluorit
Bannende Wirkung: Flint, Kieselsteine (besonders rote und schwarze), Oolith, Sodalith
Bannstein: Flint, Kieselsteine (besonders rote und schwarze), insbesondere Bernstein, Oolith, Sodalith

Basischen Stoffwechsel fördernd: Charoit, Türkis, Sonnenstein, Dolomit, Kalzite, Korallen, Muscheln, Dumortierit, Serpentine, Aragonite

Bauchraum: Citrin, Bernstein, Pyritsonne, gelbes Tigerauge

Bauchraum (Schwellungen/Stauungen): Jade, Peridot, Citrin, Amethyst, Flores-Amethyst

Bauchschmerzen: Bergkristall, Obsidian, Bernstein, Peridot, Citrin, Schwefel, Flores-Amethyst, Saphir

Bedachtsamkeit: Onyx

Bedürfnisse (darüber sprechen können): Zoisit mit Rubin

Beengungsgefühl im Brustkorb: Nephrit mit grünem Kalzit mit Citrin

Begeisterungsfähigkeit aufrechterhaltend: Sturmstein (Pietersit) (im Mondlicht aufladen), Markasit

Begeisterungsfähigkeit fixierend: Boulder- und Edelopal

Begeisterungsfähigkeit regulierend: Feuerachat

Begeisterungsfähigkeit stärkend: Chalkopyrit, Lava(gestein) (im Mondlicht aufladen)

Begeisterungsfähigkeit weckend: Muscheln

Begrenzungen überwinden: Coelestin, Citrin, Phantomquarz, Ametrin

Beine (dicke): Amethyst, grüne Jade

Belebend: Phantomeinender mit Chloriteinschlüssen

Beobachtungsgabe schärfend: Charoit, Ulexit, schwarze Koralle, weißer Kalzit (Doppelspat)

Beruhigend: Milchquarz, Charoit, Serpentin, Dumortierit, Morganit, Saphir, Andenopal, Ametrin, Coelestin, Analcim-Katzenauge, Holz, Chalkopyrit, Sodalith, Onyx, Lepidolith, Chrysopras, Enhydros, lila Jade, Rauchquarz, Variszit, Zoisit mit Rubin

Besänftigend, kühlend, ausgleichend: Chrysokoll

Beschränkungen (alte): Citrin, Disthen

Beschützer vor Werbung: Aquamarin

Besessenheitsgefühle: Chrysopras, schwarzer Kieselstein, Obsidian

Bewußtmachend: Azurit, Ulexit, Markasit

Bewußtseinsreife: Saphir, Skelettquarz, Ametrin, Dow-Kristall, Analcim-Katzenauge, Apophyllit (weiß)

Bindegewebe (schwaches): Malachit mit Jaspis, Nephrit, Karneol

Blähungen: Citrin, gelbe und grüne Jade, Magnetit-Jade

Blase (nervöse): gelbe Jade, Bernstein, Malachit, Achate, Hiddenit, Leopardenjaspis, gelber Jaspis

Blase/Uterus: gelbe Jade, gelber Jaspis, Citrin, Bernstein, Leopardenjaspis, Nephrit, Malachit, Achatgeoden

Blasen: Chrysokoll, Amazonit, Prasem, Bergkristall

Blasenentzündung nach Unterkühlung: Porphyrit, Obsidian, Lava, Rubin, Feueropal

Blockaden lösend: Obsidiane, alle Turmaline, gelber Diamant, Dow-Kristall, Bergkristall/Rauchquarz-Laser, Lava

Blut (aufbauend), Blutverlust: Amazonit, Hämatit, Rubin, rote Granate, rotes Tigereisen, Heliotrop

Blutarmut: Chondrit, siehe auch »Blutbildend«
Blutbildend: rote und schwarze Granate, Hämatit, Tigeraugen, Tigereisen, Chondrite, Rubin
Blutdruck regulierend: Amethyst
Blutdruck (niedrigen) steigernd: Rubin mit Riverstone
Blutungen (okkulte) stillend: Obsidian, Hämatit
Blutzucker regulierend: roter Chalzedon
Bodenständigkeit: Baumquarz, Holz, Onyx
Brennen beim Wasserlassen: Nephrit, Türkis, Silberauge
Bronchitis (eitrig): grüner Kalzit, Heliotrop, gelbe Jade, Plasma, Hiddenit
Brustkorb (unterer Rand): Goldfluß mit Sonnenstein, Bernstein und Citrin
Brustkorb (Beengungsgefühl im): Nephrit mit grünem Kalzit mit Citrin
Bulimie: Kieselsteine (mit Quarzadern)
Burn-out-Syndrom: Tigereisen, Rubin, Hämatit, Granate
Chakraunterfunktion: Rubin, Hämatit, Granat, Jaspis, Realgar, Eisenkiesel, Bergkristall, Tigereisen
Chiropraktische Maßnahmen/Einrenkungen: Labradorit, Koralle, Muscheln, Fluorit, Kalzit, Staurolith, Bergkristall, Lepidolith
Computerstrahlung: roter Turmalin (Rubellit), Tektite
Darm: Achat, gelber Jaspis, gelber Karneol, Malachit
Darmentschlackung: Achat(-wasser trinken), Amethyst
Dauererschöpfung: Rubin, Bergkristall, Turmalin- und Rutilquarz, Riverstone, Chiastolith
Denkprogramme (neue): Eisen-Nickel-Meteorit, Moldavit
Depression: Citrin, Apatit, Porphyrit; Onyx mit Citrin (antidepressiv)
Depression (PMS-bedingt): Chrysokoll
Diät unterstützend: roter Chalzedon, Ochsenauge, Diamant, Heliotrop, Milchquarz, Bergkristallelixier
Dinge von allen Seiten betrachten: Ulexit, (weißer) Phantomquarz, Skelettquarz, medialer Kristall, Doppelspat
Dingen ihren Lauf lassen können: Moosachat
Disziplin: Onyx, Saphir
Divertikel: Milchquarz, Jade
Drittes Chakra: Citrin, Bernstein, Pyritsonne, gelbes Tigerauge
Druck (unter stehen): Morganit, Charoit, Bergkristall, Smaragd, Uwarowit
Drüsenfunktion harmonisierend: Magnetit-Jade, blauer Chalzedon, Bergkristall
Durchblutungsstörungen: Feuerachat, Lava
Durchfall: Amazonit, gelber Karneol, rotes Tigereisen
Eheberater: Zoisit mit Rubin
Einfühlungsvermögen: Fensterkristall, Phantomquarz
Einrenkungen/Chiropraktische Maßnahmen: Labradorit, Koralle, Muscheln, Fluorit, Kalzit, Staurolith, Bergkristall, Lepidolith
Einschlafhilfe: Analcim-Katzenauge, Amethyst, Baumquarz, Dumortierit, Brasilianit, klarer Smaragd, Morganit, Charoit, Andenopal
Eiter: Heliotrop mit gelben Flecken, Jade (insbesondere gelbe), grüner Kalzit,

Azurit-Malachit, Nephrit, Smaragd, Uwarowit, Amethyst (Furunkel), Bergkristallelixier

Ekelbläschen: siehe »Herpes«

Ekzeme: Chrysopras, Lapislazuli, Zinkblende, Achate, Amazonit, Schwefel

Ekzeme (juckend): Lapislazuli, Zinkblende, Prasem

Endometriose: Achat

Energetisch unterversorgte Gebiete: Bergkristalleinender (rechtsdrehend), schwarzer Turmalin (Naturender), Rauchquarzlaser, Rubin, Staurolith, Topas (gelb), Hämatit, Tigereisen, Turmalinquarz, Rutilquarz(einender), Chiastolith, Riverstone, Realgar, Generator-Quarz

Energetisierend: Turmalin, Bergkristalleinender

Energie (je nach Bedarf) freisetzend: gelbes Tigerauge, Apatit, Brasilianit, Variszit, Rubin

Energie beschleunigt leiten/»rasante« Steinchen: Turmaline, Topase, Kunzit, Laser, Diamant

Energie (kühlend): Disthen, Türkis, Prasem, Bergkristall, Chrysokoll, Labradorit, Spektrolith, Hiddenit

Energie (nährend): Chrysokoll, Heliotrop, Milchquarz, gelber und roter Karneol, Disthen

Energieab- oder -weiterleitung (gestörte): Eisenkiesel, Doppelender aus Rauchquarz und/oder Bergkristall, Herkimer-Diamant, Schörlstäbchen

Energieblockaden überbrücken: siehe »Überbrückung von Chakren«

Energiefluß der unteren Chakren verbessern: Staurolith, Falkenauge, Realgar, Krokoit

Energien (klar, kraftvoll): Eisenkiesel

Energiespender: Tigereisen, alle roten Steine (außer Sulfat enthaltende)

Energieungleichgewicht (starkes): Dow-Kristall

Engramme (löschen): Amethyst, Smaragd

Entgiftend: praktisch alle Steine, besonders Magnesit, außer den Sulfatabkömmlingen, radikal: Heliotrop mit Rauchquarz, Magnesit, seelisch-geistig: Magnesit, Amethyst

Entgiftend (Bauchraum): Azurit-Malachit, Dioptas, Amethyst

Entgiftung von Leber-Galle: Malachit, Azurit-Malachit, Lapislazuli, Türkis

Entsäuernd: Charoit, Uwarowit, Dolomit, Serpentine, Dumortierit, Türkis, Smaragd, Achate, Aventurin, Aragonit, Pyrit, Pyritsonne, Sonnenstein

Entschlackend: Achat, Rauchquarz, Magnesit

Entschlußlosigkeit: Saphirquarz

Entspannend: Achate, besonders Enhydros, Achatanhänger, Charoit, Dumortiert, Muscheln, Serpentin, Morganit, Iolith, Onyx, Citrin, Sardonyx, Variszit, Sonnenstein, Sarder, Milchquarz, Amethyst, Bergkristall, Chrysokoll, Dow-Kristall, Falkenauge, Heliotrop

Entzündung (eitrig): Heliotrop, grüner Kalzit

Erden (kraftvoll): Hämatit, Rauchquarzdoppelender, Rauchquarzstufen, Skelettquarz, Holz

Erden (mild): Pyritachat, Falkenauge, Coelestin, roter Karneol, Sarder

Erdung, Ausgleich: Chalzedon (blau), Holz, Rutilquarz, Rauchquarz/Morion,

Skelettquarz, Dow-Kristall, Bergkristalleinender (groß), schwarzer Turmalin, Onyx, Falkenauge

Erfolge (geschäftliche): Türkis, Sonnenstein

Erfolgs- und Glücksstein: Türkis, Padparadscha

Erfrierung (leichte): Lepidolith mit Obsidian oder Feueropal oder Rubin

Erkältung: Heliotrop, grüner Kalzit, Chrysokoll, blauer Chalzedon

Erschöpfung (körperlich): Heliotrop, Chiastolith, Moqui Marble

Erschöpfung (nervöse): Chiastolith, Lepidolith, Rhyolith, Flint, Kieselsteine

Erschöpfung/Schlappheit: rotes Tigerauge, Chiastolith

Essen (Kantinen-) anreichern: Bergkristallelixier

Eßunlustige, appetitlose Kinder: Bergkristallelixier, rotes Tigerauge

Existenzängste (Geschäftseröffnung): Sonnenstein

Experimentierfreude: Chalkopyrit, roter Karneol, Sarder, Fluorite, Feuerachat

Extra-Innenkreis: Flint, Kieselsteine

Extrovertiertheit fördernd: Feuerachat, Markasit

Fanatismus: Sardonyx, Saphir, Chrysopras

Farbstrahl (neuer, achter): Kunzit

Faulheit: Beryll mit Riverstone

Fäulnisbildung (gegen): Jade, Nephrit, Bergkristall, Smaragd

Fehlhaltungen/Haltungsschwächen: Kunzit, Koralle, rosa Muscheln, Fluorit, rosa Turmalinstäbchen mit Naturendung

Feinsinnigkeit steigern: rosa Koralle, Aquamarin, Kunzit, Hiddenit

Fieber erzeugend: Rubin (mit Riverstone)

Fieber senkend: Chrysokoll, Prasem, Bergkristall

Fixe Idee: leicht: Moosachat, stark: Oolith, Chrysopras

Fixieren der Energien: Diamant, Gold

Flexibilität: polychromer Turmalin

Flexibilität (geistige): Iolith, Fluorit (besonders weiß mit Gold), alle Opale und Meteorite, Opalith, Azurit, Pyrit, Kalzit

Forschung: lila Fluorite, Luvulith, weißer Kalzit (Doppelspat), eventuell Moldavit, Eisen-Nickel-Meteorit, Tektit, roter Karneol, goldener Kalzit (Bernsteinkalzit)

Freisetzen von grüner, frischer Energie: Beryll, Prasem, Chrysopras, Amazonit, Peridot, Porphyrit, grüner Apophyllit, Prehnit, Brasilianit, Smaragd, Aventurin, Chrysokoll

Freude: Peridot, Ametrin, Muscheln, rosa Koralle, Bernstein, Opal, Citrin, Hermanover Kugeln, Baumquarz

Friede: Ametrin, Dioptas

Friedfertig und harmlos machend: Dioptas

Froh machende Steine: Citrin (»gnadenlos«), Chalkopyrit, Hermanover Kugeln, Pyritsonne, Bernstein, Peridot, Karneol (rot)

»Frosch« im Hals: Disthen, Aquamarin

Fruchtbarkeitsstein: Mondstein

Frühjahrsmüdigkeit: rotes Tigerauge, Rubin, Staurolith, Beryll

Furunkel: Amethystwasser

Füße (dicke) und Knie: Amethyst, Jade, roter Karneol, weißer Chalzedon, Nephrit, Indigolith, Bergkristall, Staurolith

Füße (kalte und/oder Hände): Hämatit, Obsidian, Rubin, Morion, Feuerachat, Feueropal, Realgar, Lava
Galle: gelber Jaspis, Azurit-Malachit
Galle-Leber-Entgiftung: Malachit, Azurit-Malachit, Lapislazuli, Türkis
Galleabflußtörungen: Azurit-Malachit, gelber Topas
Gallenenergie ausgleichend: gelber Topas
Gallenkoliken: Azurit-Malachit, Malachit, Chrysokoll
Gastritis: Dolomit, Achat (siehe auch »Schleimhaut aufbauend«), Sarder, gelber Karneol, grüne Jade, Milchquarz, Muscheln
Gedankenabfolgen (wirre): rosa Kalzit, Fluorite, Saphir, Lapislazuli, Doppelspat
Gedankenmuster (vorgefaßte): siehe »Fixe Idee«
Gefühl für den natürlichen Rhythmus: Baumquarz
Gefühlsverstärker: Opal, Diamant
Geiz: Sardonyx
Gelassene, relaxte Sicht: Falkenauge, Dumortierit, Silberauge, Sonnenstein
Gelenkschmerzen: Chalkopyrit, Magnetit, Chiastolith, Hämatit, Staurolith, stark verharzter Bernstein (viele Einschlüsse)
Gemüt (sonniges): Sonnenstein, Pyritsonne, Citrin, Bernstein
Genügsam machend: Holz, Onyx
Gernraucher: Dumortierit, eventuell mit Magnesit und/oder Chrysopras
Gerstenkorn: Augen-Achat
Gewebe (schlecht heilend): Kunzit, Jade, Bergkristall, Rauchquarz
Gewißheit (innere): Coelestin, Hermanover Kugeln, Analcim-Katzenauge
Gicht: Obsidian mit Türkis und Schörlstäbchen, Saphir, Türkis, siehe auch »Harnsäure (erhöhte Werte)«
Gier: Chrysopras, Saphir, Baumquarz, Onyx, Sardonyx
Globusgefühl: blauer Chalzedon, Disthen, Aquamarin, Kunzit
Glück: Ametrin, Analcim-Katzenauge
Glücks- und Erfolgsstein: Türkis, Padparadscha
Gottvertrauen: Pyritachat, Ametrin, Analcim-Katzenauge, Skelettquarz, Fensterkristall
Grippe (Nachbehandlung): Apatit
Grippe: grüner Kalzit mit Indochinit, Nephrit, Rubin mit Riverstone
Grippe (starke): Tigereisen
Größenwahn: Chrysopras
Grübelei: Hermanover Kugeln, Beryll, Riverstone, Pyritsonne, Saphir, Onyx, Citrin, lila Jade, Andenopal (Mondlicht!)
»Gut drauf sein«: Chalkopyrit
Hadern (ewiges): Dioptas, schwarzer Diamant, Rubin, rote, grüne, schwarze Granate, Iolith
Hals (kratziges Gefühl im): Dumortierit
Hals (verrenkt): lila Jade, blauer Chalzedon, Indigolith, Labradorit, Lepidolith, blauer und lila Fluorit, Aquamarin, Korallen
Hals (wundes Gefühl im): Türkis, Disthen, Prasem, blauer Chalzedon, polierte Achatscheibchen, Aquamarin, Indigolith
Halsschmerzen: blauer Chalzedon, Heliotrop, Chrysokoll, Lapislazuli, Sodalith
Halswirbelbereich: Apatit(elixier)

Haltungsschwächen/Fehlhaltungen: Kunzit, Koralle, rosa Muscheln, Fluorit, rosa Turmalinstäbchen mit Naturendung

Hände (kalte und/oder Füße): Hämatit, Obsidian, Rubin, Morion, Feuerachat, Feueropal, Realgar, Lava

»Happy«-Ketten: Citrinsplitterkette mit Onyxkugelkette

Harmlos und friedfertig machend: Dioptas

Harmonie fördernd: Variszit, rosa Korallen und Muscheln, Rhodochrosit, Kunzit

Harnsäure (erhöhte Werte): Chalkopyrit, Malachit, Schneeflockenobsidian

Harte Bauchdecke/Verstopfung: Morganit, Bergkristall

Haut: Achat, Perlen, Smaragd (klar), Zinkblende

Haut (schöne)/Teint (schöner): Morganit, Perlen, Smaragd, rosa und hellgrüner Turmalin, Wassermelonenturmalin, Zinkblende

Haut (zarte): Rosenquarz, Perlen, Zinkblende

Hautabschürfungen: Turmaline, Zinkblende

Heilvibration (hohe): Kunzit, Smaragd

Heimweh: rosa Kalzit, Rhyolith, Rosenquarz, Rhodonit, Kunzit, Rhodochrosit

Heiserkeit: blauer Chalzedon, Heliotrop, Indigolith, Disthen

Heiter stimmend: rosa Koralle, Sonnenstein, Serpentin, Dumortierit, Chalkopyrit, Morganit

Hektik: insbesondere Heliotrop, Sodalith, Onyx, Saphir, Muscheln, alle ↑ (Aura) Schutzsteine

Hellsicht: Amethyst, Mondstein, Indigolith, Aquamarin, medialer Kristall, Skelettquarz, weißer Phantom, Moldavit, Luvulith, Eisen-Nickel-Meteorit

Herpes: Amazonit, Achat, Rhyolith, Zinkblende

Herzbeschwerden aller Art: Rhodonit, Rhodochrosit, Andenopal, Kunzit, Rosenquarz, rosa und hellgrüner Turmalin, Hiddenit, Morganit

Herzbeschwerden (funktionell): Ametrin

Heuschnupfen: siehe »Pollenallergie«

Hinterhertrauern: Dioptas, Chalkopyrit, Disthen, Citrin, Pyritachat, Opalith, Rauchquarz, Moosachat, Holz, polychromer Turmalin, Hermanover Kugeln, Moqui Marble

Hitzepickel: Lapislazuli, Prasem, Bergkristall, Zinkblende

Hitzestau: Prasem, Bergkristall

Hohe Steinfrequenzen: Ametrin, Analcim-Katzenauge, Dow-Kristall, Biotit-Linse, Sugilith, Kunzit, Rhodochrosit, Eisen-Nickel-Meteorit, Moldavit, Tektit, Moqui Marble

Hohe Vibration: Citrin (fast unirdisch)

Husten (eitrig): Nephrit, Heliotrop (mit gelben Stellen), grüner Kalzit

Idee (fixe): leicht: Moosachat, stark: Oolith, Chrysopras

Ideen (neue): goldener und weißer Kalzit, lila, blauer und gelber Fluorit, roter, geringelter Karneol, Eisen-Nickel-Meteorit, Orangenkalzit, Moldavit, Luvulith

Image (neues): Opalith, (Skelettquarz zur Erdung nehmen!)

Immunstärkend: Heliotrop, alle Granate, insbesondere grüner (Uwarowit), Rubin, Bergkristall, Smaragd

Infektionsschwingungen löschen: Azurit-Malachit, Heliotrop zusammen mit grünem Kalzit

Inkontinenz (»Sextanerbläschen«): gelbe Jade, Achate, gelber Jaspis

Innere Gewißheit: Coelestin, Hermanover Kugeln, Analcim-Katzenauge
Inspiration: Padparadscha, Saphir, Fluorite, Eisen-Nickel-Meteorit, Coelestin, Apophyllit, Skelettquarz, Dow-Kristall, Phantome (insbesondere mit Chloriteinschlüssen)
Intuition fördernd: Amethyst, Lavendelquarz, medialer Kristall
Juckreizstillend: Zinkblende, Lapislazuli, Sodalith
Jupiterische Steine: blauer Chalzedon, Padparadscha, dunkler Rauchquarz, Dumortierit, Amethyst
Kälte (seelische): Sardonyx
Karmische Altlasten: Opalith
Kehlchakra-Bereich: blauer Chalzedon, Aquamarin, Chrysokoll, Disthen, Sodalith, Saphir, Indigolith, Labradorit, Lapislazuli
Kinder: Minigeoden- und Sonnensteinanhänger, Citrin
Kinder (ängstliche): Tigereisen
Klare, kraftvolle Energien: Eisenkiesel
Kleinkariertheit: Tigereisen
Kleinmütigkeit: Tigereisen, Leopardenjaspis
Klinikaufenthalt (länger): rosa Kalzit
Kloß im Hals: blauer Chalzedon, Disthen, Aquamarin, Kunzit
Knie- und/oder Oberschenkelnebenchakren: Falkenauge, schwarzer Turmalin, Magnetit, Skelettquarz, Bergkristall, Hämatit, Tigereisen
Knieschmerzen: Magnetit, Bernstein (mit vielen Harzeinschlüssen)
Knochen aufbauend/stärkend: weiße Koralle, Muscheln, weißer Fluorit, Apatit, weißer Kalzit
Kondition aufbauend: Rubin, Amazonit, gelber und schwarzer Diamant
Konstanter Energiefluß: Quarzdoppelender, Herkimer-Diamant, Realgar, Turmalin (Schörl), Topas, Kunzit, Eisenkiesel
Konstitution (zarte): Hämatit mit roter Koralle, Tigereisen, Silex, Heliotrop, roter Chalzedon, Rubin, Bergkristall
Kontaktaufnahme zu anderen Galaxien: Moldavit, medialer Kristall, Skelettquarz, Hämatit, Ametrin, Saphir, Analcim-Katzenauge
Kontaktfreudig machend: Muscheln, Tigereisen, polychrome Turmaline
Konzentration: Disthen, Saphir, Onyx, Sardonyx, Sodalith, Tektite, gelber Topas, alle erdenden Steine
Kopf (heißer): Prasem, Labradorit, Spektrolith, Bergkristall, Chrysopras, Aquamarin, Chrysokoll
Kopf-, Schulter-, Armchakren: Chrysopras, Lepidolith, Labradorit
Kopfschmerzen: Amethystdrusenstücke als »Kamm«, Uwarowit
Körperlich aufbauend: Granate
Körperpolung ausgleichend: Coelestin, Dow-Kristall, Magnetit, Magnetit-Jade
Körperschutz- und -pflegestein: Heliotrop, Porphyrit
Kräftigung nach längerer Krankheit: Bernstein, Rubin, rote Granate, Porphyrit, Amazonit, Jaspis-Arten, Eisenkiesel, Heliotrop, Bergkristall
Kraftreserven mobilisierend: Apatit
Krämpfe (Blase, Darm, Magen, Uterus): Pyritachat, Quarzdoppelender, Dow-Kristall, gelber Karneol, gelber Jaspis, Obsidian, Morganit

Kratziges Gefühl im Hals: Dumortierit

Kreislaufschwäche: Hämatit

Kreuz (steifes): grüne Jade, Malachit, Orangenkalzit, grüner Kalzit, hellgrüner und rosa Turmalin, Karneol, Bergkristall

Kristallschau: Obsidiankugel, Bergkristallkugel, (weißer) Phantomquarz, Fensterkristall, polierte Labradoritscheibe, Selenit

Kühle Energie: Disthen, Prasem, Bergkristall, Chrysokoll, Labradorit, Spektrolith

Kühlend, besänftigend, ausgleichend: Chrysokoll

Kummer: Ametrin, Analcim-Katzenauge, Dioptas (akut), Rosenquarz (akut), Kunzit, Chiastolith, Petalith, Dioptas, Dolomit, Silberauge, Citrin, Opalith

Kummer (vorbeugend): rosa Turmalin, Morganit, Rhodochrosit

Kummer (Aufarbeitung): Analcim-Katzenauge

Kupferwirkung: Azurit, Malachit, Amazonit, Azurit-Malachit, Chrysokoll, Eilat-Stein, Chalkopyrit

Kurzzeit- und Zahlengedächtnis (schlechtes): siehe »Ausgleich«, »Erdung«

Lähmungen: Bergkristall, Obsidian

Langlebig machend: Jade, Smaragd

Lebensbejahendes Gefühl: Morganit, Citrin, Chalkopyrit, Hermanover Kugeln, Peridot

Lebensbestimmend: Rhodochrosit, Azurit, Lapislazuli, Obsidian, Skelettquarz, Apophyllit

Lebensfreude stärkend: grüner Jaspis, Leopardenjaspis, Citrin, Bernstein, Pyritsonne, Muscheln, Chalkopyrit

Lebensgenuß: Chalkopyrit

Lebenskraft (archaische, ungebändigte): Tigereisen

Lebenskraft stärkend: Amazonit, Porphyrit, Baumquarze, Granate

Lebenskräfte freisetzend: besonders Hermanover Kugeln, Citrin, Rubin, Analcim-Katzenauge, Moqui Marble

Lebenslust: Granate

Lebensmut: Citrin, Bernstein

Leber: gelber Jaspis, Azurit-Malachit, Schwefel, Dioptas, Malachit, Zinkblende

Leber-Galle-Entgiftung: Malachit, Azurit-Malachit, Lapislazuli, Türkis

Leberentgiftend: Amazonit, Smaragd, Azurit-Malachit, Malachit, gelber Jaspis, Dioptas, Schwefel

Leistungsschwäche: Tektite, Rubin, Hämatit, Smaragd, Riverstone, rote Granate

Lendenwirbelsäule: grüne Jade, Malachit, Orangenkalzit, grüner Kalzit, hellgrüner und rosa Turmalin, Karneol, Bergkristall

Licht in die Aura bringend: die gesamte Quarz-Familie, Coelestin, Diamanten, Opale, Turmaline, Topase, Korunde, Feldspate, Beryll- und Granat-Familie, Apophyllit, Fluorite, Kalzite, Pyrit, Analcim-Katzenauge, alle Meteorite, Hermanover Kugeln, Perlen, Muscheln, Korallen, Lepidolith, Iolith

Liebe: Ametrin

Liebeskummer: Ametrin, Krokoit, Rosenquarz

Liebeskummer (unstillbar): Kieselsteine (mit Granitadern), Flint

Lift-Effekt: Amethyst, Lavendelquarz, Skelettquarz, Coelestin, Moldavit, Eisen-Nickel-Meteorit, Luvulith, Flores-Amethyst

»Löcher« in der Aura: Porphyrit, (Rauchquarz-)Laser
Lunge stärkend: gelbes Tigerauge, Citrin
Lust auf Zigaretten: Dumortierit
Lust auf Junk-food: roter Chalzedon
Lymphdrainage (Nachbehandlung): Heliotrop, alle Chalzedone, insbesondere weißer
Lymphfluß anregend: weißer Chalzedon, Flores-Amethyst, klarer Bergkristall, Milchquarz, Mondstein
Lymphknotenverhärtung: weißer Chalzedon
Lymphstau: Flores-Amethyst, Mondstein, weißer Chalzedon
Macht lammfromm: Baumquarz, Holz
Macht genügsam: Baumquarz, Holz, Onyx, Sardonyx, Moosachat, Sodalith
Magen (etwas ist auf den geschlagen): Goldfluß
Magen: Achat
Magen (verkorkster): Dolomit, Aragonite
Magen beruhigend: Sodalith
Magen-Darm-Verstimmung (unklar): Malachit, gelber Karneol, Bernstein, Citrin, Jade
Magenschmerzen: Bergkristall, Obsidian, Bernstein, Peridot, Citrin, Schwefel, Flores-Amethyst, Saphir
Magersucht: Kieselsteine
Magische Beeinflussungen abwehrend: Oolith, Labradorit, Hämatit, Sodalith, Kieselstein, Flint
Magnetische, lunare Kräfte: Magnetit
Männliche Steine: bei Hämatit der schwarze, glänzende, Boji (Linse oder Kugel mit glatter Oberfläche), Moqui Marble (abgeplattete Kugel, gedellte Oberfläche), Luvulithenergie (»männlicher« Amethyst)
Marsische Steine: Hämatit, Silex, Tigerauge, Tigereisen, rote Koralle, roter Chalzedon
Mastfutter: Milchquarz mit Heliotrop
Mattigkeit: Dolomit, Silex, Rubin, Tigereisen, Chiastolith
Meditation: im Prinzip sind alle Steine zur Meditation geeignet, besonders Fluorit, Phantomquarz, medialer Kristall, Amethyst, Ametrin, Skelettquarz, Analcim-Katzenauge, Coelestin, Apophyllit, Luvulith
Menstruation (unregelmäßige): Baumquarz, roter Karneol
Menstruationsbeschwerden: Feueropal, Obsidiane, Brasilianit, Sarder, geringelter, roter Karneol, Chrysokoll (siehe auch »PMS-bedingte Beschwerden«)
Menstruationsschmerzen: Brasilianit, Achat, Schneeflockenobsidian, Sturmstein (Pietersit), Mahagoniobsidian
Mentale Altlasten: Azurit, Lapislazuli, Opalith
Mentale Muster bewußt machend: Fluorit, Coelestin, Pyrit, Lapislazuli, Azurit, Luvulith, Eisen-Nickel-Meteorit
Mentale Programme (festgefahren): Lapislazuli, Luvulith, Azuritknolle
Menthol-/Minze-Effekte: Prasem
Merkurische Steine: Aventurin, trüber Smaragd, orange-weiß gestreifte Achate, Opal, Prasem

Migräne: Analcim-Katzenauge, Amethyst, Rhodochrosit, Uwarowit
Milchfluß: weißer Chalzedon
Milz: Amazonit, Mookait (im Mondlicht aufladen)
Milzenergie aufbauend: gelber Topas, Mookait
Minderwertigkeitsgefühle: Chrysopras, Diamant, Opal, Tigereisen, gelbes Tigerauge, polychromer Turmalin, Saphirquarz
Minze-/Menthol-Effekte: Prasem, Bergkristall
Mißachtung der körperlichen Bedürfnisse: Baumquarz, Chalzedone, Kieselstein, Zoisit mit Rubin
Mißhandlungstraumen aus der Kindheit: Lepidolith, Petalith
Mißtrauen (gesundes) fördernd: schwarze Koralle
Mitleid: Rhodonit, Rosenquarz, rosa Turmalin
Modebranche: Fluorit, roter Karneol, Orangenkalzit, Hermanover Kugeln
Mondische Steine: Phantom-Quarz, Perlen, Selenit, Mondstein, Sodalith, lila Jade, Magnetit, Sternrubin, trüber Smaragd, Prehnit (im Mondlicht aufladen)
Morbus Crohn: Milchquarz
Mückenstiche: Prasem, Bergkristall
Müdigkeit (Dauer-): Baumquarz, Beryll, Riverstone, Rubin, Hämatit, Obsidian, Silex, roter Turmalin, Tigereisen, roter Chalzedon, Chiastolith, Rutilquarz
Müdigkeit: Dolomit, Hämatit, Rubin, rote Granate, Beryll, Riverstone
Multiple Sklerose (MS): Pyritsonne mit Chrysopras
Muskelkrämpfe: Dolomit, Obsidian
Muskeln nährend: Dolomit, roter Chalzedon, roter geringelter Karneol, Sarder
Muskelverspannungen: Chiastolith, Dolomit, Aragonit, Aquamarin, Morganit, Saphirquarz
Mut: Diamant, Chrysopras, Silex, Rubin, Leopardenjaspis, Charoit, Hämatit, Tigereisen, rotes und gelbes Tigerauge
Mutlosigkeit: Saphirquarz
Myogelosen/Muskelverhärtungen: Kunzit, Dolomit, Chiastolith, Aquamarin
Myomneigung: Achat
Nacken: Apatit(elixier)
Nährende Energie: Chrysokoll, Heliotrop, Milchquarz, gelber und roter Karneol, Disthen
Naivität: Ulexit
Narben/Narbengewebe: Eisenkiesel, Chiastolith, Magnetit, Coelestin, Staurolith, Turmalin, Bergkristall, Rauchquarz, Kunzit
Neptunische Steine: Labradorit, Sternsaphir
Nerv (eingeklemmt): Labradorit, Spektrolith, Lepidolith, Saphir, Sodalith, Bergkristall
Nerven beruhigend: Saphirquarz, Saphir, Rhyolith, Lepidolith, Sodalith
Nervenäther: Chrysopras, Peridot
Nervenbahnen (irritiert, gereizt): siehe »Nerv (eingeklemmt)«
Nervenentzündung/Neuritis: Lepidolith, Saphir, Sodalith, Bergkristall
Nervenkrieg, »dicke Luft«: Tigereisen, Porphyrit
Nervenschmerz: Lepidolith, Labradorit, Chrysopras
Nervenstabilisator: Iolith, Lepidolith, Rhyolith, Chrysopras, Saphir, Sodalith, Padparadscha, lila Jade

Nervensystem: Zinkblende, Sodalith, Saphir, Lepidolith, Chrysopras, Oolith, Serpentin, Dumortiert
Neurasthenie: Chiastolith
Neuritis/Nervenentzündung: Lepidolith, Saphir, Sodalith, Bergkristall
Neurodermitis: Amazonit, Lapislazuli
Nickelallergie: Chrysopras
Niedrige Durchdringungskraft: Realgar, Malachit, Schwefel, Pyritsonne, Aventurin, Jaspis-Arten, Achate, Chalzedone
Niere: gelber Jaspis, Malachit, Türkis, Citrin, Nephrit
Nieren (kolikgeschädigt): Malachit, Nephrit, Chyta, Jade
Nierendruckgefühl: Malachit
Niereninfektionen (Nachbehandlung): Chyta, gelbe und grüne Jade, Malachit, Nephrit
Nierenkoliken: Malachit, Nephrit, Chyta
Nierenmißbildungen: Chyta, Nephrit, Jade
Nierenstreß: Amethyst
Nüchternheit/Realismus: alle erdenden Steine, Oolith
Oberschenkel- und/oder Knienebenchakren: Falkenauge, schwarzer Turmalin, Magnetit, Skelettquarz, Bergkristall, Hämatit, Tigereisen
Obsessionen: Chrysopras, Kieselstein, Flint, Oolith
Ödeme: weißer Chalzedon, Amethyst, roter Karneol, Indigolith
Offenbarungen: Obsidian, Ametrin
Öffnen (nach depressiver Phase): rosa Kalzit, Apatit
Öffnen (sich der Umwelt können): rosa Koralle, Tigereisen, Feuerachat, Apatit, Bernstein, Chrysopras, Opal, Muscheln
»Öffner« des Kehlchakras: Aquamarin
Ohrgeräusche durch niedrigen Blutdruck: Magnetit
Operationen: Amazonit
Optimismus: Citrin, Peridot, Goldfluß, Sonnenstein, Chalkopyrit, Morganit, Analcim-Katzenauge
Optimismus (milder): Sonnenstein
Organfrequenzen anhebend: Smaragd
Osteoporose: Apatit, weißer Kalzit, Elixier aus Fluorit zusammen mit Koralle, Muscheln, Orangenkalzit
Paresen (»taube« Stellen): Bergkristall, Eisenkiesel
Pech bringend: (können sein) schwarzer Diamant, Beryll, Peridot, alle schlecht gereinigten Steine
Perfektion von Körper, Seele und Geist: Dow-Kristall
Periode: siehe Menstruation
Phantasie beflügeln: Moldavit
Phantomschmerz: Lepidolith, Magnetit
Pilzinfektionen: Porphyrit, Jade
Planetare Einflüsse: stark bei Beryll
Plutonische Steine: dunkler Rubin, rote Granate, Tektite, Obsidiane, schwarzer Granat
PMS-bedingte Depression: Chrysokoll

Pollenallergie: Aquamarin, Prasem, Chrysopras, Bergkristall
Pollenallergie (Vorbeugen): Prasem mit Chrysopras
Prellungen: grüne Jade, Bergkristall, Prasem, Smaragd, Aquamarin
Probleme zur Sprache bringen: Indigolith, Disthen, Aquamarin
Problemintegration: Phantomquarz, Schamanen-Dow
Puls (unregelmäßig): Morganit
Quaddelungen (Nachbehandlung): Labradorit, Amethyst, Bergkristall, Indigolith, Prasem, weißer Chalzedon
Radikal machend: schwarzer Diamant
Raubbau (körperlicher): Heliotrop, Milchquarz mit Heliotrop, roter und gelber Karneol, Peridot, Kieselsteine, Flint, Dumortierit, Rubin, Amethyst, Bergkristall
Raubbau an Energiereserven verhindernd: Sonnenstein
Raucherhusten: grüner Kalzit, Dumortierit
Raumenergetisierung: im Prinzip alle Quarze
Raumklima verbessern: Milchquarzstufen
Räusperzwang: Lapislazuli, Chrysokoll, blauer Chalzedon
Rede vor Leuten halten müssen: Tigereisen, blauer Chalzedon
Regeneration nach langen Krankheiten: Porphyrit, siehe auch »Kräftigung nach längerer Krankheit«
Regenerierend: Achat, Aventurin, Smaragd
Regulierend: Achat, Bergkristall
Reifen, erwachsen werden: rosa Kalzit, Ametrin, Analcim-Katzenauge, Phantomquarz, Skelettquarz
Reizkolon: Milchquarz, gelber Karneol, Jade
Reizüberflutung möglich bei: Mondstein, Coelestin, Phantomquarz (weißes Phantom), Selenit, medialer Kristall, Sturmstein, Bergkristall (Laser)
Rekonvaleszenz nach schwächenden Krankheiten: Amazonit
Reserven (langfristig) aufbauend: Rubin
Rheuma: Labradorit, Saphir, Türkis, Spektrolith, Biotit-Linse, Magnetit, Bernstein, Rauchquarz, Magnesit
Richtungsänderungsimpulse für Geist und Verstand gebend: Staurolith
Rot im Ätherkörper verankernd: Realgar
Rückführungen (Umsetzung, Integration der Erkenntnisse aus): Petalith, Rhyolith, Apophyllit (weiß), Opalith, Azurit, Disthen
Rückführungen: Azurit, Chrysokoll (Gem Silica), Amethyst, Luvulith, Disthen, Petalith, Rhyolith; bei Atlantisbezug: Labradorit; Lemurien: Rutilquarz, schwarze Koralle, Malachit, Sternrubin; empfehlenswert für solche Vorhaben sind außerdem folgende Steine (zum »In-den-Händen-Halten«): Bergkristall, Opalith, Olivin, Apophyllit, Chrysopras, Coelestin (transparent, weiß), Elestialquarz, Rauchquarz.
Saturnische Steine: Onyx, Sardonyx, dunkelblauer Saphir, schwarze Koralle, trüber Diamant, trüber Saphir
Schicksalsschläge: gelber Diamant, Dow-Kristall, Charoit
Schlacken ausschwemmen: Heliotrop, Magnesit, Rauchquarz
Schlaf vertiefend: Charoit, Moldavit, Morganit, Silberauge, Chrysopras, Brasilianit, Moqui Marble, Smaragd, Sodalith

Schlappheit/Erschöpfung: rotes Tigerauge, Chiastolith
Schleimhaut aufbauend: Achat
Schluckbeschwerden: blauer Chalzedon, Disthen, Sodalith, Aquamarin
Schmerz (Nerven): Lepidolith, Labradorit, Chrysopras
Schmerz der Seele: Flint, Kieselsteine, Analcim-Katzenauge, Coelestin, Kunzit
Schmerzen: Bergkristall, Obsidian, Amethyst, Rhodochrosit, Morganit, Schörlstäbchen, Chalkopyrit, Lepidolith, Labradorit, Magnetit, Saphir, Rhyolith, Brasilianit
Schmerzen (Gicht): Obsidian mit Türkis und Schörlstäbchen, Saphir, Türkis, siehe auch »Harnsäure (erhöhte Werte)«
Schmerzen (Knie): Magnetit, Bernstein (mit vielen Harzeinschlüssen), Uwarowit
Schmerzspritzen (Nachbehandlung): Labradorit, Lepidolith, Saphir, Sodalith, Amethyst
Schockzustände (Energiestillstand): gelber Diamant, Charoit, Bergkristallspitzen, Lepidolith, Saphir, Obsidian
Schüchternheit beseitigend: Muscheln, §marsische Steine
Schulter-, Arm-, Kopfchakren: Chrysopras, Lepidolith, Labradorit
Schulter-Arm-Syndrom: Labradorit, Kunzit, Chiastolith, Lepidolith, Sodalith, Rhyolith
Schulterbereich: blauer Chalzedon, Apatit, Chrysokoll, Labradorit, Aquamarin
Schulung der rezeptiven Körperhälfte: weiße Bergkristall-Phantomeinender
Schutz des Kehlchakras: Aquamarin
Schutzstein (Aura): Diamant, Saphir, Türkis, Sodalith, gelbes Tigerauge, Amazonit, Porphyrit, Falkenauge, Heliotrop, Sodalith, blauer Chalzedon, Achatscheiben, Labradorit, Chrysopras, Serpentin, Onyx, Holz, schwarzer Turmalin, Oolith, Rhyolith, Bernstein, roter, geringelter Karneol, Tektite, Hämatit, Leopardenjaspis, Flint, Kieselsteine, irregulär versteinerte Seeigel, Krokodilszahn
Schutzstein (sanft): Amazonit
Schwachstellen in der Aura: Porphyrit, Amazonit, Bergkristall
Schwangerschaft: Achatanhänger (Geoden, pol. Scheiben, Kugeln, lagige Achate)
Schwellungen/Stauungen im Bauchraum: Jade, Peridot, Citrin, Amethyst, Flores-Amethyst
Schwellungen vor der Periode: Chrysokoll, siehe auch »Menstruationsbeschwerden«
Schwingung (zart, hoch): Kunzit, Hiddenit, Morganit, Aquamarin
Schwitzen (nächtlich): roter (geringelter) Karneol
Seele an den Körper bindend: roter (geringelter) Karneol
Seelenschmerz: Flint, Kieselsteine, Analcim-Katzenauge, Coelestin, Kunzit
Sehnen/Bänder: Apatit, Chalkopyrit
Sehnenansätze verkürzt/Tennisarm: Kunzit, Labradorit, Lepidolith, Staurolith, Chiastolith
Seitenbänder (schwache): Apatit, grüne Jade, Orangenkalzit
Seitenstiche: gelber Topas, Mookait, Silex
Selbstvertrauen: Rubin, Diamant, Sodalith, Hämatit, rote Granate, Tigereisen, Serpentin
Selbstzweifel: Hermanover Kugeln, Tigereisen, Granate, Rubin, Padparadscha, Leopardenjaspis, Biotit-Linse

Selbstzweifel, Grübelei: Hermanover Kugeln

Sensibilität: Rhodonit, (weißer) Phantomquarz, Mondstein, Selenit

Sentimentalität: Rhodonit

Sexmangel : dringlich: Realgar, weniger dringlich: Rubin, Zoisit mit Rubin

Sexuelle Probleme zur Sprache bringen: Disthen mit Zoisit mit Rubin, Rubin, Krokoit oder Realgar

Sicherheitsgefühl: Onyx, Zoisit mit Rubin

Sichtweise (gelassen, relaxt): Falkenauge, Dumortierit, Silberauge, Sonnenstein

Sieb(effekt): Sodalith

Sinneseindrücke (schöne) vertiefend: rosa Koralle, Mondstein, Phantomquarz

Sinnlichkeit fördernd: Rubin, Realgar, Muscheln, Perlen, Rosenquarz

Sodbrennen: Dolomit, Muscheln, Disthen, Sodalith, Indigolith, Saphirquarz, Chyta

Solare Steine: klarer Bergkristall, Rutilquarz, Citrin, Bernstein, Pyrit(sonne), Sonnenstein, Diamanten

Solarplexus: Citrin, Bernstein, Pyritsonne, gelbes Tigerauge, Goldfluß

Sonnenbrand: Prasem mit Rauchquarz

Sonnengeflecht: Citrin, Bernstein, Pyritsonne, gelbes Tigerauge

Sonniges Gemüt: Sonnenstein, Pyritsonne, Citrin, Bernstein

Sorgen: Porphyrit

Spannung im Lichtkörper: Olivin/Peridot, Aventurin, Smaragd

Spasmen (Blase, Darm, Magen, Uterus): Pyritachat, Morganit, Quarzdoppelender, gelber Karneol, gelber Jaspis, Dow-Kristall, Obsidian

Spirituelle Weiterentwicklung: Amethyst, Ametrin, Analcim-Katzenauge, Fensterkristall, Apophyllit, goldener Kalzit, Skelettquarz

Spirituelle Ziele: Dow-Kristall, Coelestin, goldener Kalzit (Bernsteinkalzit), Flores-Amethyst, Lavendelquarz

Sport (extrem): Amazonit, gelber und schwarzer Diamant

Sprachfluß/gegen Stottern: blauer Chalzedon, Disthen

Stärkend/Aufbauend (roborierend): sehr viele Heilsteine, insbesondere rote und schwarze Granate, Hämatit, Tigeraugen, Tigereisen, Chondrite, Rubin, außerdem noch Diamant, Silex, Leopardenjaspis, Bergkristalleinender

Stein der Redner: blauer Chalzedon

Steinkraftfeld: alle Steine eignen sich, besonders Bergkristallkombinationen

Stillen (Probleme): weißer Chalzedon, Heliotrop, Milchquarz

Stimmungsaufhellend: Apatit, Citrin, Pyritachat, Rosenquarz, Feueropal, rosa Turmalin, Bernstein, Morganit, Muscheln, Serpentin, Rhodochrosit, Chalkopyrit, Onyx, Hermanover Kugeln, Peridot, rosa Koralle, Moqui Marble, Dumortierit, gelbes Tigerauge

Stoffwechsel anregend: roter Chalzedon, Rubin, Granate, roter Turmalin, Jaspis-Arten, Hämatit, Tigereisen, Beryll, Riverstone, Topase, Eisenkiesel

Stoffwechselschäden: Türkis, Schwefel

Störfrequenzen (alte aller Art): Azurit, Azuritknolle, Opalith, Azurit-Malachit, grüner Kalzit mit Heliotrop

Stottern/Sprachfluß: blauer Chalzedon, Disthen

Strahlenkiller: Tektite, roter Turmalin, Rauch- und Rosenquarz

Strahlungsschäden (Licht): Rauchquarz, Rosenquarz

Strahlungssignatur (Licht): Rauchquarz, Rosenquarz

Streit: Tigereisen, Porphyrit

Strenge: Sardonyx, Saphir

Streßpickel: Zinkblende, siehe auch »Entspannend«

Stur machend: schwarzer Diamant

Substanz aufbauend: siehe »Raubbau (körperlich)«

Süchte: Chrysopras, Kieselstein, Flint, Oolith

Tatenlosigkeit: Saphirquarz

Teint (schöner)/Haut (schöne): Morganit, Perlen, Smaragd, rosa und hellgrüner Turmalin, Wassermelonenturmalin, Zinkblende

Telepathische Fähigkeiten fördernd: Flores-Amethyst, medialer Kristall, weißer Phantomquarz, Fensterkristall

Tenesmen: Pyritachat

Tennisarm/Verkürzte Sehnenansätze: Kunzit, Labradorit, Lepidolith, Staurolith, Chiastolith

Thymus-Drüse: Smaragd

Transformation: Amethyst

Traumbilder (Nachdenken über): Magnesit, Saphir, Kalzit, Luvulith

Träume (schöne): Amethyst, Indigolith

Träume (verrückte): Moldavit

Träume (wilde) verursachend: (Mahagoni-)Obsidian, Moldavit, Azurit-Malachit, Eisen-Nickel-Meteorit, Azurit, Lapislazuli, Opalith

Traumleben (reges): Magnesit, Amethyst

Trost spendend: lila Jade, Dioptas, Rosenquarz, Kunzit, Rhodochrosit, rosa und hellgrüner Turmalin, Petalith, rosa Kalzit, Rhodonit

Über den Dingen stehen: Falkenauge

Überbrückung von Chakren: Eisenkiesel, Herkimer-Diamant, Schörlstäbchen, Bergkristalleinender, alle Steine mit einer oder zwei (Natur-)Endungen

Umsetzung, Integration der Erkenntnisse aus Rückführungen: Petalith, Rhyolith, Apophyllit (weiß), Opalith, Azurit, Disthen

Unbeherrschtheit: Aventurin, Variszit, Onyx, Saphir

Unfälle: Amazonit, Charoit

Unglück bringend: (können sein) schwarzer Diamant, Beryll, Peridot, alle schlecht gereinigten Steine

Unlust: rotes Tigerauge, roter Chalzedon, Beryll, Rubin, Realgar, Riverstone

Untere Hauptchakren: Brasilianit, Jaspis, Hämatit, Rubin, Tigereisen, Falkenauge, Schörl, roter Turmalin, Realgar, Holz, Morion/Rauchquarz, Karneol

Uranische Steine: Peridot, heller, klarer Rauchquarz, gelber Topas, Moldavit

Urogenitalbereich (Erkrankung des): Nephrit

Uterus/Blase: gelbe Jade, gelber Jaspis, Citrin, Bernstein, Leopardenjaspis, Nephrit, Malachit, Achatgeoden

UV-Licht-Schäden: Rauchquarz

Vegetative Dystonie: Chiastolith

Venusische Steine: Chrysokoll, Dioptas, Lapislazuli, Türkis, Andenopal, Rosenquarz, klarer Smaragd, klarweißer Diamant, rosa und hellgrüner Turmalin, hellblauer Saphir

Verarbeitungsfähigkeit (erhöht): Iolith, Saphir, Eisen-Nickel-Meteorit, Moldavit, Luvulith, Amethyst, medialer Kristall, Phantomquarz (weiß), schwarze Koralle, Ulexit, Sturmstein

Verbesserung des Energiedurchflusses: Bernstein (besonders), gelber Diamant, Topase, Citrin, Turmaline, Kunzit, Rutil- und Turmalinquarz, Riverstone, Beryll, Bergkristall, Goldfluß, Chalkopyrit, Obsidian

Verbesserung des Raumklimas: Milchquarzstufen

Verbesserungen im Energiefluß der unteren Chakren: Staurolith, Falkenauge, Realgar, Krokoit

Verbindet mit höheren Lichtkräften: Ametrin, Skelettquarz, Coelestin

Verbindet mit höherem Selbst: Ametrin, Skelettquarz, Fensterkristall

Verborgene Informationen: Speicherkristall, Coelestin

Verborgenes an den Tag bringen: Obsidian (Rauchobsidian)

Verbrennungen (leichte): Prasem, Chrysokoll, Bergkristall

Verfolgungswahn: Oolith, Chrysopras, (einfarbigere) Rhyolithe

Vergeßlichkeit: siehe »Ausgleich, Erdung«

Verjüngend: lila und grüne Jade, Smaragd, Beryll, Usovit (Turmalin), Kunzit, Hiddenit

Verschlagenheit: Sardonyx, schwarze Koralle

Verschleiß (Knochen): Apatit, weißer Kalzit, Magnetit

Versöhnlich stimmend: Smaragd, Rhyolith, Dioptas, Petalith

Verstand und Körper aussöhnend: Luvulith, Dow-Kristall

Verständnis: Ametrin

Verstopfung/Harte Bauchdecke: Morganit, Bergkristall

Vertiefer schöner Sinneseindrücke: rosa Koralle, Mondstein, Phantomquarz

Vertrauensselig (allzu): Ulexit mit schwarzer Koralle oder Doppelspat

Verwachsungen: Rhodonit, Kunzit, Hiddenit, gestreifte, lagige Achate, Chiastolith, Staurolith

Verzeihend: Jade, Rhyolith, Morganit

Visionen: Amethyst, Mondstein, Indigolith, Aquamarin, medialer Kristall, Skelettquarz, weißer Phantom, Moldavit, Luvulith, Eisen-Nickel-Meteorit, Lavendelquarz, Fensterkristall

Vitalisierung, Aurakräftigung: Bergkristallelixier, insbes. aus Generatorquarz

Vitalstoffaufnahme verbessern: Milchquarz, Ochsenauge (rotes Tigerauge), roter Chalzedon

Wachsamkeit steigern: schwarze Koralle

Wahrnehmungsfähigkeit: Fensterkristall, Ulexit, schwarze Koralle, Doppelspat

Wahrsagekugeln: Obsidian, Bergkristall, Labradorit

Wandlungsimpulse: Staurolith, Azurit, Apophyllit (weiß)

Wärmend: Pyritsonne, Chalkopyrit, alle Obsidiane, Rubin, Diamant, Schwefel, Bernstein, Feuerachat, Realgar, Feueropal, roter Turmalin, Tigereisen, Granate

Wärmende Energie: Pyritachat, Sonnenstein, gelber Topas, Pyritsonne, Bernstein, Rubin, Realgar, Citrin, Schwefel, Goldfluß, Chalkopyrit, Obsidian, gelbes Tigerauge, rötlich-braune Achate, Lava

Waschekzem: Lapislazuli

Wassermann-Stein (»auflösend«): Kunzit, Rhodochrosit

Weckt das Naturverständnis: Baumquarz, Chrysokoll, Rhodochrosit
Weibliche Steine: bunt angelaufener Hämatit, Boji (Linse oder Kugel mit zerfurchter, abgeblätterter Oberfläche), Moqui Marble (Kugel mit Ringwulst am Äquator), Amethystenergie (Pendant: Sugilith/Luvulith)
Weiche, empfindliche Steine: Dioptas, Hermanover Kugeln, Krokoit, Disthen, Ulexit, Opale, Schwefel, Bernstein, Realgar, Malachit
Weinerliches Naturell: Chrysokoll
Weitergabe von telepathischen Botschaften: medialer Kristall, Transmitterkristall, Phantomquarz
Weltschmerz: Rhyolith, Sodalith
Wendigkeit (geistige): Iolith, Fluorit (besonders weiß mit Gold), alle Opale und Meteorite, Opalith, Azurit, Pyrit, Kalzit, polychromer Turmalin
Werbung: Fluorit, Aquamarin
Werbung (Beschützer vor): Aquamarin
Wetterfühligkeit: blauer Chalzedon, Labradorit, Obsidiane
Wildentschlossen machend: schwarzer Diamant
Willensfluß bewegen: Moosachat
Wirbel (labile): lila und grüne Jade, Apatit, rote und weiße Koralle, Orangenkalzit, weißer Fluorit, weißer Kalzit
Wirbelsäule: Orangenkalzit, Perlen, Kunzit, Turmaline, Apatit, weißer Kalzit mit roter Koralle
Wirkung auf alle Körpersäfte: Mondstein, Flores-Amethyst, weißer Chalzedon, Heliotrop
Wirkung (starke physische): Malachit, Pyritsonne, Schwefel, Realgar, Chondrit
Wohlbefinden (körperlich): Aventurin, Variszit, Achat, roter, geringelter Karneol, Bergkristall, Kunzit, Peridot, Sarder, Howlith
Wunden (verheilend): Nephrit, Rauchquarz
Wundheilung (schöne): Rauchquarz
Wundheilung fördernd: Heliotrop, Rauchquarz, Staurolith, Hämatit, Bergkristall, Plasma, Zinkblende, Obsidian, Achat, Lapislazuli, Sarder
Wunsch nach Sex: Realgar
Wurzelchakraenergien: Hämatit, Rubin, Rauchquarz, Schörl, Silex, Falkenauge
Zaghaftigkeit: Beryll, Tigereisen, Chrysopras
Zahlen- und Kurzzeitgedächtnis (schlechtes): siehe »Ausgleich«, »Erdung«
Zartmacher: Aquamarin, Morganit, polychrome Turmaline, Rosenquarz, Kunzit, Aventurin, Sonnenstein
Zeit einteilen: Onyx
Zerstreutheit: siehe »Ausgleich«, »Erdung«
Zufügen fehlender Qualität: Jade
Zuneigung gewinnen: Türkis, Moqui Marble
Zusammenhänge aufzeigend: Azurit, Analcim-Katzenauge, Fensterkristall
Zuversicht: Pyritachat, goldener Kalzit, Analcim-Katzenauge, Onyx, polychromer Turmalin
Zwanghaftes Verhalten: Charoit, Oolith, Chrysopras, Rhyolith
Zwistigkeiten (familiäre): Porphyrit, Tigereisen

STEINE UND INDIKATIONEN

Achat: müde Augen, nervöse Blase, Darm, Ekzeme, Endometriose, entsäuernd, entschlackend, entspannend, Gastritis, wundes Gefühl im Hals (polierte Scheibchen), Haut, Herpes (»Ekelbläschen«), Inkontinenz (»Sextanerbläschen«), Myomneigung, Menstruationsschmerzen, regenerierend, regulierend, Schleimhaut aufbauend, Aura-Schutzstein (Scheiben), Verwachsungen (gestreift, lagig), wärmende Energie (rötlich-braun), körperliches Wohlbefinden, fördert Wundheilung

Achatanhänger: entspannend, Schwangerschaft (Geoden, polierte Scheiben, Kugeln, lagige)

Achatgeoden: Blase/Uterus

Achatwasser: Darmentschlackung

Amazonit: Allergienachbehandlung, Auraklebstoff, Blasen, Blut aufbauend, Blutverlust, Durchfall, Ekzeme, Freisetzen von frischer, grüner Energie, Herpes (»Ekelbläschen«), Kondition aufbauend, Kräftigung nach längerer Krankheit, Lebenskraft stärkend, Leber entgiftend, Milz, Neurodermitis, Operationen, Rekonvaleszenz, sanfter Schutzstein für die Aura, Schwachstellen in der Aura, Sport (extrem), Unfälle

Amethyst: Alkoholgenuß, gegen Alpträume, Köper und Geist aufbauend, Aura reinigend (Massage), Schwellungen/Stauungen im Bauchraum, dicke Beine, Blutdruck regulierend, Darmentschlackung, Einschlafhilfe, Eiter (Furunkel), Engramme löschen, Bauchraum entgiftend, seelisch-geistig entgiftend, entspannend, dicke Füße und Knie, Hellsicht, Intuition fördernd, Kopfschmerzen (Drusenstücke als »Kamm«), Lift-Effekt, Meditation, Migräne, Nierenstreß, Ödeme, Quaddeln, körperlicher Raubbau, während Rückführungen, Schmerzen, spirituelle Weiterentwicklung, Transformation, schöne Träume, reges Traumleben, erhöhte Verarbeitungsfähigkeit, Visionen

Amethystwasserkompressen: geschwollene Augen

Ametrin: Angina pectoris-Anfälle, Begrenzungen überwinden, beruhigend, Bewußtseinsreife, Freude, Friede, Glück, Gottvertrauen, funktionelle Herzbeschwerden, hohe Steinfrequenzen, Kontaktaufnahme zu anderen Galaxien, Kummer, Liebe, Liebeskummer, Meditation, Offenbarungen, reifen, erwachsen werden, spirituelle Weiterentwicklung, verbindet mit höheren Lichtkräften, verbindet mit höherem Selbst, Verständnis

Analcim-Katzenauge: chayotierendes Auge, beruhigend, Bewußtseinsreife, Einschlafhilfe, innere Gewißheit, Glück, Gottvertrauen, hohe Steinfrequenzen, Kontaktaufnahme zu anderen Galaxien, Aufarbeitung von Kummer, Lebens-

kräfte freisetzend, Licht in die Aura bringend, lindgrüne Steinaura, Meditation, Migräne, Optimismus, erwachsen werden, Schmerz der Seele, spirituelle Weiterentwicklung, zeigt Zusammenhänge auf, Zuversicht, lindgrüne Steinaura
Andenopal: gegen Alpträume, beruhigend, Einschlafhilfe, Grübelei
Apatit: Bänder, schwache Seitenbänder, Sehnen, Bandscheibenvorfall, Prolapsgefahr, Depression, Energie (je nach Bedarf) freisetzend, Grippe-Nachbehandlung, Halswirbelbereich (Elixier), Knochen aufbauend/stärkend, Kraftreserven mobilisierend, Nacken (Elixier), sich der Umwelt öffnen können, sich nach depressiver Phase öffnen, Osteoporose, Schulterbereich, stimmungsaufhellend, Knochenverschleiß, labile Wirbel, Wirbelsäule
Apophyllit: Bewußtseinsreife (weiß), Freisetzen von frischer, grüner Energie (grüner), Inspiration, Licht in die Aura bringend, Meditation, Umsetzung, Integration der Erkenntnisse aus Rückführungen (weiß), spirituelle Weiterentwicklung, Wandlungsimpulse (weiß)
Aquamarin: Augenleiden, Beschützer vor Werbung, Feinsinnigkeit steigernd, »Frosch« (Kloß) im Hals (Globusgefühl), wundes Gefühl im Hals, verrenkter Hals, Hellsicht, Kehlchakra-Bereich, heißer Kopf, Muskelverspannungen, Myogelosen/Muskelverhärtungen, »Öffner« des Kehlchakras, Pollenallergie (Heuschnupfen), Prellungen, Probleme zur Sprache bringen, Schluckbeschwerden, Schulterbereich, Schutz des Kehlchakras, zarte, hohe Schwingung, Visionen, Zartmacher
Aragonit: basischen Stoffwechsel fördernd, entsäuernd, verkorkster Magen, Muskelverspannungen
Augenachat: brennende Augen, Augenleiden, Gerstenkorn
Aventurin: entsäuernd, Freisetzen von frischer, grüner Energie, niedrige Durchdringungskraft, regenerierend, Spannung im Lichtkörper, Unbeherrschtheit, körperliches Wohlbefinden, Verstand klärend
Azurit: mentale Altlasten, Aufpeitscher, Bewußtmacher, geistige Flexibilität, Leben selbst bestimmen, festgefahrene mentale Programme (Knolle), mentale Muster bewußt machend, Umsetzung, Integration der Erkenntnisse aus Rückführungen, während Rückführungen, alte Störfrequenzen aller Art (Knolle), verursacht wilde Träume, Wandlungsimpulse, geistige Wendigkeit, zeigt Zusammenhänge auf
Azurit-Malachit: Eiter, Bauchraum, Leber und Galle entgiftend, Galle, Galleabflußstörungen, Gallenkoliken, löscht Infektionsschwingungen, Leber, verursacht eventuell wilde Träume
Baumquarz: Bodenständigkeit, gegen Dauermüdigkeit, Einschlafhilfe, Freude, Gefühl für den natürlichen Rhythmus, Lebenskraft stärkend, macht genügsam und lammfromm, bei Mißachtung der körperlichen Bedürfnisse, unregelmäßige Menstruation, weckt das Naturverständnis
Bergkristall: Allergieprophylaxe, Anti-Fäulniswirkung, Appetit regulierend, ausgleichend, Bauchschmerzen, Blasen, Chakraunterfunktion, chiropraktische Maßnahmen/Einrenkungen, Erschöpfung, unter Druck stehen, Drüsenfunktion harmonisierend, kühlende Energie, Blockaden lösend, Energie beschleunigt leiten (Laser), energieunterversorgte Bereiche, entspannend, Fieber senkend,

dicke Füße und Knie, schlecht heilendes Gewebe, harte Bauchdecke, Verstopfung, Hitzepickel, Hitzestau, immunstärkend, Knie und/oder Oberschenkelnebenchakren, zarte Konstitution, heißer Kopf, Kräftigung nach längerer Krankheit, steifes Kreuz, Kristallschau (Wahrsagekugel), Lähmungen, Lendenwirbelsäule, Lymphfluß anregend (klar), Magenschmerzen, Mückenstiche, Narben/Narbengewebe, eingeklemmter Nerv, Nervenentzündung/Neuritis, Paresen (»taube Stellen«), Prellungen, Quaddeln, körperlicher Raubbau, regulierend, Schmerzen, Schockzustände (Energiestillstand) (Spitzen), Schwachstellen in der Aura, verbessert den Energiedurchfluß, leichte Verbrennungen, körperliches Wohlbefinden, fördert Wundheilung

Bergkristalldoppelender: gestörte Energieab- oder -weiterleitung (und/oder Rauchquarzdoppelender sowie Eisenkiesel)

Bergkristalleinender: aufbauend, stärkend, Ausgleich, Erdung (groß), energetisch unterversorgte Gebiete (rechtsdrehend), energetisierend, Schulung der rezeptiven Körperhälfte (Phantom), Überbrückung von Chakren (mit einer oder zwei [Natur-]Endungen)

Bergkristallelixier: appetitlose, eßunlustige Kinder, Aurakräftigung, Vitalisierung (insbesondere aus Generatorquarz), Diät unterstützend, Eiter, (Kantinen-)Essen energetisch anreichern

Bernstein: Bannstein, Bauchraum, nervöse Blase, Uterus, unterer Rand des Brustkorbs (mit Sonnenstein, Goldfluß und Citrin), 3. Chakra, Freude, froh machend, sonniges Gemüt, Kräftigung nach längerer Krankheit, Lebensfreude stärkend, Lebensmut, unklare Magen-Darm-Verstimmung, Magenschmerzen, sich der Umwelt öffnen können, Rheuma, Aura-Schutzstein, Solarplexus (Sonnengeflecht), stimmungsaufhellend, verbessert den Energiedurchfluß, wärmend, wärmende Energie, Knieschmerzen

Beryll: antreibend, aufmunternd, gegen Dauermüdigkeit, Faulheit (mit Riverstone), Freisetzen von frischer, grüner Energie, Grübelei, Licht in die Aura bringend, Müdigkeit, kann unter Umständen Pech, Unglück bringen, starke planetare Einflüsse, regt den Stoffwechsel an, Unlust beseitigend, verbessert den Energiedurchfluß, Zaghaftigkeit, Frühjahrsmüdigkeit

Biotit-Linse: hohe Steinfrequenzen, Rheuma, Selbstzweifel

Boulderopal: Begeisterungsfähigkeit fixierend

Brasilianit: gegen Alpträume, Einschlafhilfe, Energie (je nach Bedarf) freisetzend, Freisetzen von frischer, grüner Energie, Menstruationsbeschwerden, Menstruationsschmerzen, untere Hauptchakren, Schlaf vertiefend, Schmerzen

Chalkopyrit: antidepressiv, Bänder, Sehnen, Begeisterungsfähigkeit stärkend, beruhigend, Experimentierfreude, froh machend, schmerzende Gelenke, »gut drauf sein«, erhöhte Harnsäurewerte, heiter stimmend, bei Hinterhertrauern, lebensbejahendes Gefühl, Lebensfreude stärkend, Lebensgenuß, Optimismus, Schmerzen, stimmungsaufhellend, verbessert den Energiedurchfluß, wärmend, wärmende Energie

Chalzedon: niedrige Durchdringungskraft

Chalzedon, blau: Ausgleich, Erdung, Drüsenfunktion harmonisierend, Erkältung, wundes Gefühl im Hals, verrenkter Hals, Halsschmerzen, Kehlchakra-Bereich,

Kloß im Hals (»Globusgefühl«), Räusperzwang, wenn man eine Rede vor Leuten halten muß, Schluckbeschwerden, Schulterbereich, Aura-Schutzstein, Sprachfluß/gegen Stottern, der Stein der Redner, Wetterfühligkeit

Chalzedon, rot: abnehmen (nur in Verbindung mit Rauchquarz mit rotem Chalzedon mit besonderer Programmierung), Appetit mindernd, aggressiv, kriegerisch machend, Blutzucker regulierend, Dauermüdigkeit, Diät unterstützend, zarte Konstitution, Lust auf Junk-food, Muskeln nährend, regt den Stoffwechsel an, gegen Unlust, verbessert die Vitalstoffaufnahme

Chalzedon, weiß: dicke Füße und Knie, Lymphdrainage (Nachbehandlung), Lymphfluß anregend, Lymphknotenverhärtung, Lymphstau, Milchfluß, Ödeme, Quaddelungen, Probleme beim Stillen, wirkt auf alle Körpersäfte

Charoit: ausweglose Situationen, basischen Stoffwechsel fördernd, gegen Alpträume, Beobachtungsgabe schärfend, beruhigend, unter Druck stehen, Einschlafhilfe, entsäuernd, entspannend, Mut, Schicksalsschläge, Schlaf vertiefend, Schockzustände (Energiestillstand), zwanghaftes Verhalten

Chiastolith: Müdigkeit, abgearbeitet, Abgestumpftsein, Dauererschöpfung, Dauermüdigkeit, energieunterversorgte Bereiche, nervöse und körperliche Erschöpfung, Schlappheit, schmerzende Gelenke, Kummer, Mattigkeit, Muskelverspannungen, Myogelosen/Muskelverhärtungen, Narben/Narbengewebe, Schulter-Arm-Syndrom, Sehnenansätze verkürzt/Tennisarm, vegetative Dystonie, Verwachsungen

Chondrite: aufbauend, stärkend, Blutarmut, blutbildend, starke physische Wirkung

Chrysokoll: Halsschmerzen, Angina, ausgleichend, besänftigend, kühlend, Blasen, PMS-bedingte Depressionen, kühlende Energie, nährende Energie, entspannend, Erkältung, Fieber senkend, Freisetzen von frischer, grüner Energie, Gallenkoliken, Kehlchakra-Bereich, heißer Kopf, Menstruationsbeschwerden, Räusperzwang, während Rückführungen (Gem Silica), Schulterbereich, Schwellungen vor der Menstruation, leichte Verbrennungen, weckt das Naturverständnis, gegen weinerliches Naturell

Chrysopras: Allergieprophylaxe, Arm-, Schulter-, Kopfchakren, beruhigend, Besessenheitsgefühle, Ekzeme, Fanatismus, fixe Idee (stark), Gier, Größenwahn, Minderwertigkeitsgefühle, Mut, Nervenäther, Nervensystem, Nervenschmerz, Nervenstabilisator, Nickelallergie, Obsessionen, sich der Umwelt öffnen können, Pollenallergie (Heuschnupfen), zum Vorbeugen von Pollenallergie zusammen mit Prasem, Schlaf vertiefend, Aura-Schutzstein, Süchte, Verfolgungswahn, Zaghaftigkeit, zwanghaftes Verhalten

Chyta: Nierenmißbildung, kolikgeschädigte Nieren, Niereninfektion (Nachbehandlung), Nierenkoliken, Sodbrennen

Citrin: Abgestumpftsein, antidepressiv (mit Onyx), Asthma, Bauchraum, Schwellungen/Stauungen im Bauchraum, Bauchschmerzen, Begrenzungen überwinden, alte Beschränkungen, Blähungen, Uterus, unterer Rand des Brustkorbs (mit Goldfluß, Sonnenstein und Bernstein), Depression, 3. Chakra, entspannend, Freude, froh machend (»gnadenlos«), sonniges Gemüt, bei Grübelei, als Splitterkette mit Onyxkugelkette: »Happy«-Ketten, Hinterhertrauern, hohe Vibration (fast unirdisch), Kinder, Kummer, lebensbejahendes Gefühl, Lebensfreude stärkend, Lebenskräfte freisetzend, Lebensmut, Lunge stärkend, unklare Magen-Darm-Verstimmung, Magenschmerzen, Niere, gibt Optimismus, Solarplexus (Sonnengeflecht), stimmungsaufhellend, verbessert den Energiedurchfluß, wärmende Energie

Coelestin: Antenneneffekt, fördert außersinnliche Wahrnehmung, Begrenzungen überwinden, beruhigend, mildes Erden, innere Gewißheit, Inspiration, Körperpolung ausgleichend, Licht in die Aura bringend, Lift-Effekt, Meditation, mentale Muster bewußt machend, Narben/Narbengewebe, Reizüberflutung möglich, Schmerz der Seele, spirituelle Ziele, verbindet mit höheren Lichtkräften

Diamant: aufbauend, stärkend, Diät unterstützend, Energie beschleunigt leiten, Gefühlsverstärker, Licht in die Aura bringend, Minderwertigkeitsgefühle, Mut, Aura-Schutzstein, Selbstvertrauen, wärmend

Diamant, gelb: ausweglose Situationen, Blockaden lösend, Kondition aufbauend, Schicksalsschläge, Schockzustände (Energiestillstand), Sport (extrem), verbessert den Energiedurchfluß

Diamant, schwarz: ewiges Hadern, Kondition aufbauend, kann unter Umständen Pech, Unglück bringen, macht radikal, Sport (extrem), macht stur, macht wildentschlossen

Dioptas: Augenleiden, Bauchraum entgiftend, Friede, friedfertig und harmlos machend, gegen ewiges Hadern und Hinterhertrauern, akuter Kummer, Leber, Leber entgiftend, spendet Trost, stimmt versöhnlich

Disthen: Aufmerksamkeit verbessernd, alte Beschränkungen, kühlende Energie, nährende Energie, »Frosch« (Kloß) im Hals (»Globusgefühl«), wundes Gefühl im Hals, Heiserkeit, Kehlchakra-Bereich, Konzentration, Probleme zur Sprache bringen, Umsetzung, Integration der Erkenntnisse aus Rückführungen, während Rückführungen, Schluckbeschwerden, sexuelle Probleme zur Sprache bringen (mit Zoisit mit Rubin), Sodbrennen, Sprachfluß/gegen Stottern

Dolomit : basischen Stoffwechsel fördernd, entsäuernd, Gastritis, Kummer, verkorkster Magen, Mattigkeit, Müdigkeit, Muskelkrämpfe, Muskeln nährend, Muskelverspannungen, Myogelosen/Muskelverhärtungen, Sodbrennen

Dow-Kristall: Ausgleich, Erdung, Bewußtseinsreife, Blockaden lösend, starkes Energieungleichgewicht, entspannend, hohe Steinfrequenzen, Inspiration, Körperpolung ausgleichend, Krämpfe/Spasmen (Magen, Darm, Blase, Uterus), Perfektion von Körper, Seele und Geist, Schicksalsschläge, spirituelle Ziele, söhnt Verstand und Körper aus

Dumortierit: basischen Stoffwechsel fördernd, beruhigend, Einschlafhilfe, entsäuernd, entspannend, gelassene, relaxte Sicht, gegen kratziges Gefühl im Hals, heiter stimmend, Lust auf Zigaretten mindernd, Nervensystem, körperlicher Raubbau, Raucherhusten, stimmungsaufhellend, Nikotin verleidend

Edelopal: Begeisterungsfähigkeit fixierend

Eisen-Nickel-Meteorit: außersinnliche Wahrnehmung fördernd, neue Denkprogramme, Forschung, Hellsicht, hohe Steinfrequenzen, neue Ideen, Inspiration, Lift-Effekt, mentale Muster bewußt machend, verursacht wilde Träume, erhöhte Verarbeitungsfähigkeit, Visionen

Eisenkiesel: Chakraunterfunktion, gestörte Energieab- oder -weiterleitung, klare, kraftvolle Energien, konstanter Energiefluß, Kräftigung nach längerer Krankheit, Narben/Narbengewebe, Paresen (»taube Stellen«), regt den Stoffwechsel an, Überbrückung von Chakren

Enhydros: beruhigend, entspannend

Falkenauge: Ausgleich, Erdung, Energiefluß der unteren Chakren verbessernd, entspannend, mildes Erden, Knie- und/oder Oberschenkelnebenchakren, untere Hauptchakren, Aura-Schutzstein, gelassene, relaxte Sichtweise, über den Dingen stehen, Dingen auf den Grund gehen, Wurzelchakraenergien

Fensterkristall: Einfühlungsvermögen, Gottvertrauen, Kristallschau, spirituelle Weiterentwicklung, fördert telepathische Fähigkeiten, verbindet mit höherem Selbst, Visionen, Wahrnehmungsfähigkeit, zeigt Zusammenhänge auf

Feuerachat: Begeisterungsfähigkeit regulierend, Durchblutungsstörungen, gibt Experimentierfreude, Extrovertiertheit fördernd, kalte Füße und/oder Hände, sich der Umwelt öffnen können, wärmend

Feueropal: Blasenentzündung nach Unterkühlung, kalte Füße und/oder Hände, Menstruationsbeschwerden, stimmungsaufhellend, wärmend

Flint: appetitregulierend, appetitanregend, Appetitschwäche, bannende Wirkung, nervöse Erschöpfung, Extra-Innenkreis, unstillbarer Liebeskummer, magische Beeinflussungen abwehrend, Obsessionen, körperlicher Raubbau, Schmerz der Seele, Aura-Schutzstein, Süchte

Flores-Amethyst: außersinnliche Wahrnehmung fördernd, Schwellungen/Stauungen im Bauchraum, Bauchschmerzen, Lift-Effekt, Lymphfluß anregend, Lymphstau, Magenschmerzen, spirituelle Ziele, fördert telepathische Fähigkeiten, wirkt auf alle Körpersäfte

Fluorit: Bandscheibenvorfall, Prolapsgefahr, chiropraktische Maßnahmen/Einrenkungen, Experimentierfreude, Fehlhaltungen/Haltungsschäden, geistige Flexibilität (besonders weiß mit Gold), Forschung (lila), wirre Gedankenabfolgen, verrenkter Hals (blau und lila), neue Ideen (lila, gelb und blau), Inspiration, Knochen aufbauend/stärkend (weißer), Licht in die Aura bringend, Meditation, mentale Muster bewußt machend, Modebranche, Osteoporose (Elixier mit Koralle), geistige Wendigkeit (besonders weiß mit Gold), Werbung, labile Wirbel (weiß)

Generatorquarz: energieunterversorgte Bereiche

Gold: Fixieren der Energien

Goldfluß: unterer Rand des Brustkorbs (mit Sonnenstein, Bernstein und Citrin), etwas ist auf den Magen geschlagen, Optimismus, verbessert den Energiedurchfluß, wärmende Energie

Granat: Aggressiv, kriegerisch machend, blutbildend, Burn-out-Syndrom, Chakraunterfunktion, ewiges Hadern (rote, grüne, schwarze), immunstärkend, körperlich aufbauend, Lebenskraft stärkend, Lebenslust, Licht in die Aura bringend, bei Selbstzweifeln, regt den Stoffwechsel an, wärmend

Granat, rot: appetitanregend, Appetitschwäche, aufbauend, stärkend, Blut aufbauend, Blutverlust, Kräftigung nach längerer Krankheit, Leistungsschwäche, Müdigkeit, Selbstvertrauen

Granat, schwarz: aufbauend, stärkend, blutbildend

Hämatit: aggressiv, kriegerisch machend, Anämien, aufbauend, stärkend, Blut aufbauend, Blutverlust, blutbildend, okkulte Blutungen stillend, Burn-out-Syndrom, Chakraunterfunktion, Dauermüdigkeit, energetisch unterversorgte Gebiete, kraftvolles Erden, kalte Füße und/oder Hände, schmerzende Gelenke, Knie- und/oder Oberschenkelnebenchakren, zarte Konstitution (mit roter Koralle), Kontaktaufnahme zu anderen Galaxien, Kreislaufschwäche, Leistungsschwäche, magische Beeinflussungen abwehrend, Müdigkeit, Mut, untere Hauptchakren, Aura-Schutzstein, Selbstvertrauen, regt den Stoffwechsel an, fördert Wundheilung, Wurzelchakraenergien

Heliotrop: Anämien, Angina, Ausschwemmen von Schlacken, Blut aufbauend, Blutverlust, eitrige Bronchitis, Diät unterstützend, Eiter (mit gelben Flecken), nährende Energie, radikal entgiftend (mit Rauchquarz), entspannend, eitrige Entzündung, Erkältung, körperliche Erschöpfung, Halsschmerzen, Heiserkeit, Hektik, eitriger Husten (mit gelben Stellen), immunstärkend, Infektionsschwingung löschen (mit grünem Kalzit), zarte Konstitution, Körperschutz- und -pflegestein, Kräftigung nach längerer Krankheit, Lymphdrainage (Nachbehandlung), körperlicher Raubbau, Aura-Schutzstein, Probleme beim Stillen, wirkt auf alle Körpersäfte, fördert Wundheilung

Herkimer-Diamant: gestörte Energieab- oder -weiterleitung, konstanter Energiefluß, Überbrückung von Chakren

Hermanover Kugeln: Freude, froh machend, innere Gewißheit, Grübelei, Hinterhertrauern, lebensbejahendes Gefühl, setzt Lebenskräfte frei, bringt Licht in die Aura, Selbstzweifel, stimmungsaufhellend

Hiddenit: nervöse Blase, eitrige Bronchitis, kühlende Energie, Feinsinnigkeit steigernd, Herzbeschwerden aller Art, zarte, hohe Schwingung, verjüngend, Verwachsungen

Holz: Ausgleich, Erdung, beruhigend, Bodenständigkeit, kraftvolles Erden, genügsam machend, Hinterhertrauern, macht lammfromm, untere Hauptchakren, Aura-Schutzstein

Howlith: Müdigkeit, abgearbeitet, körperliches Wohlbefinden

Indigolith: dicke Füße und Knie, wundes Gefühl im Hals, verrenkter Hals, Heiserkeit, Hellsicht, Kehlchakra-Bereich, Ödeme, Probleme zur Sprache bringen, Quaddelungen, Sodbrennen, schöne Träume, Visionen

Iolith: entspannend, geistige Flexibilität, ewiges Hadern, Licht in die Aura bringend, Nervenstabilisator, erhöhte Verarbeitungsfähigkeit, geistige Wendigkeit

Jade: Anti-Fäulniswirkung, Schwellungen/Stauungen im Bauchraum, dicke Füße und Knie, schlecht heilendes Gewebe, langlebig machend, unklare Magen-Darm-Verstimmung, Nierenmißbildung, kolikgeschädigte Nieren, Pilzinfektion, Reizkolon, verzeihend, fügt fehlende Energie zu

Jade, gelb: Blähungen, nervöse Blase, Uterus, eitrige Bronchitis, Divertikel, Eiter, Inkontinenz (»Sextanerbläschen«), Niereninfektion (Nachbehandlung)

Jade, grün: schwache Seitenbänder, dicke Beine, Blähungen, Gastritis, steifes Kreuz, Lendenwirbelsäule, Niereninfektion (Nachbehandlung), Prellungen, verjüngend, labile Wirbel

Jade, lila: beruhigend, Grübelei, verrenkter Hals, Nervenstabilisator, spendet Trost, verjüngend, labile Wirbel

Jaspis: Chakraunterfunktion, Kräftigung nach längerer Krankheit, niedrige Durchdringungskraft, untere Hauptchakren, regt den Stoffwechsel an, gibt Mut, entgiftet, schützt, erdet

Jaspis, gelb: nervöse Blase, Uterus, Darm, Galle, Inkontinenz (»Sextanerbläschen«), Krämpfe/Spasmen (Magen, Darm, Blase, Uterus), Leber, Leber entgiftend, Niere

Jaspis, grün: stärkt die Lebensfreude

Kalzit : Bandscheibenvorfall, Prolapsgefahr, basischen Stoffwechsel fördernd, chiropraktische Maßnahmen/Einrenkungen, die Dinge von allen Seiten betrachten (Doppelspat), geistige Flexibilität, Forschung (Doppelspat), wirre Gedankenabfolgen (Doppelspat), Licht in die Aura bringend, Nachdenken über Traumbilder, Wahrnehmungsfähigkeit (Doppelspat), geistige Wendigkeit

Kalzit, golden: Forschung, neue Ideen, spirituelle Weiterentwicklung, spirituelle Ziele, Zuversicht

Kalzit, grün: eitrige Bronchitis, Eiter, eitrige Entzündung, Erkältung, Grippe (mit Indochinit), eitriger Husten, steifes Kreuz, Lendenwirbelsäule, Raucherhusten, alte Störfrequenzen aller Art (mit Heliotrop)

Kalzit, rosa: wirre Gedankenabfolgen, Heimweh, längerer Klinikaufenthalt, sich nach depressiver Phase öffnen, reifen, erwachsen werden, spendet Trost

Kalzit, weiß: Beobachtungsgabe schärfend, neue Ideen, Knochen aufbauend/stärkend, Osteoporose, Knochenverschleiß, labile Wirbel, Wirbelsäule (rote Koralle)

Karneol: Müdigkeit, abgearbeitet, steifes Kreuz, Lendenwirbelsäule

Karneol, gelb: Appetit auf Herzhaftes, Darm, Durchfall, nährende Energie, Gastritis, Krämpfe/Spasmen (Magen, Darm, Blase, Uterus), unklare Magen-Darm-Verstimmung, körperlicher Raubbau, Reizkolon

Karneol, rot: nährende Energie, mildes Erden, Experimentierfreude, macht froh, dicke Füße und Knie, neue Ideen (geringelt), Menstruationsbeschwerden (geringelt), Muskeln nährend (geringelt), Ödeme, unregelmäßige Menstruation, körperlicher Raubbau, Aura-Schutzstein (geringelt), nächtliches Schwitzen (geringelt), bindet die Seele an den Körper (geringelt), körperliches Wohlbefinden (geringelt), untere Hauptchakren

Kieselstein: appetitregulierend, appetitanregend, Appetitschwäche, bannende Wirkung (besonders rote und schwarze), Besessenheitsgefühle (schwarze), Bulimie (mit Quarzadern), nervöse Erschöpfung, Extra-Innenkreis, unstillbarer Liebeskummer (mit Granitadern), Magersucht, magische Beeinflussungen abwehrend, Mißachtung der körperlichen Bedürfnisse, Obsessionen, körperlicher Raubbau, Schmerz der Seele, Aura-Schutzstein, Süchte

Koralle: Bandscheibenvorfall, Prolapsgefahr, basischen Stoffwechsel fördernd, chiropraktische Maßnahmen/Einrenkungen, Fehlhaltungen/Haltungsschäden, verrenkter Hals, Licht in die Aura bringend, labile Wirbel (rote), gelborange Steinaura

Koralle, rosa: Anteilnahme, geistigen Austausch anregend, steigert Feinsinnigkeit, Freude, Harmonie fördernd, heiter stimmend, sich der Umwelt öffnen können, vertieft schöne Sinneseindrücke, stimmungsaufhellend, gelborange Steinaura

Koralle, schwarz: ausgenutzt, betrogen, Beobachtungsgabe schärfend, gesundes Mißtrauen fördernd, während Rückführungen mit Lemurienbezug, erhöhte Verarbeitungsfähigkeit, bei Verschlagenheit, steigert die Wachsamkeit, Wahrnehmungsfähigkeit

Koralle, weiße: Knochen aufbauend/stärkend, labile Wirbel

Korund: Licht in die Aura bringend

Krokodilszahn: Aura-Schutzstein

Krokoit: sexuelle Probleme zur Sprache bringen, verbessert den Energiefluß der unteren Chakren, Liebeskummer

Kunzit: Anteilnahme, leitet Energie beschleunigt, neuer, achter Farbstrahl, Fehlhaltungen/Haltungsschäden, steigert Feinsinnigkeit, schlecht heilendes Gewebe, Kloß im Hals (Globusgefühl), Harmonie fördernd, hohe Heilvibration, Heimweh, Herzbeschwerden aller Art, hohe Steinfrequenzen, konstanter Energiefluß, Kummer, Myogelosen/Muskelverhärtungen, Narbenzüge, Schmerz der Seele, Schulter-Arm-Syndrom, zarte, hohe Schwingung, Sehenansätze verkürzt/Tennisarm, spendet Trost, verbessert den Energiedurchfluß, verjüngend, Verwachsungen, Wassermannstein (»auflösend«), Wirbelsäule, körperliches Wohlbefinden, Zartmacher

Labradorit: Arm-, Schulter-, Kopfchakren, Atlantisstein, chiropraktische Maßnahmen/Einrenkungen, kühlende Energie, verrenkter Hals, Kehlchakra-Bereich, heißer Kopf, Kristallschau (polierte Scheibe), Wahrsagekugel, magische Beeinflussungen abwehrend, eingeklemmter Nerv, Nervenschmerz, Rheuma, während Rückführungen mit Atlantisbezug, Schmerzen, Schmerzspritzen, Schulter-Arm-Syndrom, Schulterbereich, Aura-Schutzstein, Sehenansätze verkürzt/Tennisarm, Wetterfühligkeit

Lapislazuli: mentale Altlasten, juckendes Ekzem, Ekzeme, wirre Gedankenabfolgen, Halsschmerzen, Hitzepickel, Juckreiz stillend, Kehlchakra-Bereich, Leben bestimmend, Leber und Galle entgiftend, festgefahrene mentale Programme, mentale Muster bewußt machend, Neurodermitis, Räusperzwang, Waschekzem, fördert Wundheilung

Lava(gestein): Begeisterungsfähigkeit stärkend, Blasenentzündung nach Unterkühlung, Blockaden lösend, Durchblutungsstörungen, kalte Füße und/oder Hände

Lavendelquarz: außersinnliche Wahrnehmung fördernd, Intuition fördernd, Lift-Effekt, spirituelle Ziele, Visionen

Leopardenjaspis: nervöse Blase, aufbauend, stärkend, bei Kleinmütigkeit, Lebensfreude stärkend, Aura-Schutzstein, Selbstzweifel

Lepidolith: Arm-, Schulter-, Kopfchakren, beruhigend, chiropraktische Maßnahmen/Einrenkungen, leichte Erfrierungen (mit Obsidian oder Feueropal oder Rubin), nervöse Erschöpfung, verrenkter Hals, Licht in die Aura bringend, Mißhandlungstraumen aus der Kindheit, eingeklemmter Nerv, Nerven beruhigend, Nervenentzündung/Neuritis, Nervensystem, Nervenschmerz, Nervenstabilisator, Phantomschmerz, Schmerzen, Schmerzspritzen, Schockzustände (Energiestillstand), Schulter-Arm-Syndrom, Sehenansätze verkürzt/Tennisarm

Luvulith: außersinnliche Wahrnehmung fördernd, Forschung, Hellsicht, neue Ideen, Lift-Effekt, Meditation, festgefahrene mentale Programme, mentale Muster bewußt machend, während Rückführungen, Nachdenken über Traumbilder, erhöhte Verarbeitungsfähigkeit, söhnt Verstand und Körper aus

Magnesit: Ausschwemmen von Schlacken, physisch und seelisch-geistig entgiftend, entschlackend, Gernraucher (mit Chrysopras mit Dumortierit), Rheuma, Nachdenken über Traumbilder, reges Traumleben

Magnetit: Aufladung des Körperkraftfeldes, schmerzende Gelenke, Knie- und/oder Oberschenkelnebenchakren, Knieschmerzen, Körperpolung ausgleichend, magnetische, lunare Kräfte, Narben/Narbengewebe, Ohrgeräusche durch niedrigen Blutdruck, Phantomschmerz, Rheuma, Schmerzen, Knochenverschleiß

Magnetit-Jade: Blähungen, Drüsenfunktion harmonisierend, Körperpolung ausgleichend

Mahagoniobsidian: Menstruationsschmerzen, verursacht wilde Träume, wärmend

Malachit: eventuell bei Asthma, Aufpeitscher, sich ausdrücken können (mit Indigolith oder Chalzedon oder Chrysokoll), schwaches Bindegewebe (mit Jaspis), nervöse Blase, Uterus, Darm, Gallenkoliken, erhöhte Harnsäurewerte, steifes Kreuz, Leber, Leber und Galle entgiftend, Lendenwirbelsäule, unklare Magen-Darm-Verstimmung, niedrige Durchdringungskraft, Niere, kolikgeschädigte Nieren, Nierendruckgefühl, Niereninfektion (Nachbehandlung), Nierenkoliken, während Rückführungen mit Lemurienbezug, starke physische Wirkung

Markasit: Begeisterungsfähigkeit aufrechterhaltend, bewußtmachend, Extrovertiertheit fördernd

Medialer Kristall: die Dinge von allen Seiten betrachten, Hellsicht, Intuition fördernd, Kontaktaufnahme zu anderen Galaxien, Meditation, Reizüberflutung möglich, fördert telepathische Fähigkeiten, erhöhte Verarbeitungsfähigkeit, Visionen, Weitergabe von telepathischen Botschaften

Melanit: appetitanregend, Appetitschwäche

Milchquarz: beruhigend, Diät unterstützend, Divertikel, nährende Energie, entspannend, Gastritis, Lymphfluß anregend, Mastfutter (mit Heliotrop), Morbus Crohn, körperlicher Raubbau (mit Heliotrop), verbessert Raumklima (Stufe), Reizkolon, Probleme beim Stillen, verbessert die Vitalstoffaufnahme

Moldavit: außersinnliche Wahrnehmung fördernd, neue Denkprogramme, Forschung, Hellsicht, hohe Steinfrequenzen, Kontaktaufnahme zu anderen Galaxien, Lift-Effekt, beflügelt die Phantasie, Schlaf vertiefend, verrückte Träume, erhöhte Verarbeitungsfähigkeit, Visionen

Mondstein: Abgestumpftsein, Fruchtbarkeitsstein, Hellsicht, Lymphfluß anregend, Lymphstau, Reizüberflutung möglich, Sensibilität, vertieft schöne Sinneseindrücke, Visionen, wirkt auf alle Körpersäfte

Mookait: Milz, Milzenergie aufbauend, Seitenstiche

Moosachat: den Dingen ihren Lauf lassen können, fixe Idee (leicht), Hinterhertrauern, macht genügsam, bewegt den Willensfluß

Moqui Marble: körperliche Erschöpfung, Hinterhertrauern, Lebenskräfte freisetzen, Schlaf vertiefend, stimmungsaufhellend, gibt Zuversicht, man gewinnt leicher Zuneigung

Morganit: beruhigend, unter Druck stehen, Einschlafhilfe, entspannend, harte Bauchdecke, Verstopfung, schöner Teint/Haut, heiter stimmend, Herzbe-

schwerden aller Art, Kummer vorbeugend, lebensbejahendes Gefühl, Muskelverspannungen, Optimismus, unregelmäßiger Puls, Schlaf vertiefend,
Schmerzen, zarte, hohe Schwingung, Spasmen (Blase, Darm, Magen Uterus),
stimmungsaufhellend, verzeihend, Zartmacher

Morion (Rauchquarz): Ausgleich, Erdung, kalte Füße und/oder Hände, untere
Hauptchakren

Muscheln: Anteilnahme, geistigen Austausch anregend, Bandscheibenvorfall,
Prolapsgefahr, basischen Stoffwechsel fördernd, Begeisterungsfähigkeit wek-
kend, chiropraktische Maßnahmen/Einrenkungen, entspannend, Fehlhaltun-
gen/Haltungsschäden (rosa), Freude, Gastritis, Harmonie fördernd (rosa),
Hektik, Knochen aufbauend/stärkend, kontaktfreudig machend, Lebensfreude
stärkend, Licht in die Aura bringend, sich der Umwelt öffnen können, Osteoporose, beseitigt Schüchternheit, fördert die Sinnlichkeit, Sodbrennen, stimmungsaufhellend

Nephrit: Anti-Fäulniswirkung, Asthma, Beengungsgefühl im Brustkorb (mit grünem Kalzit und Citrin), schwaches Bindegewebe, Blase/Uterus, Brennen beim
Wasserlassen, Eiter, dicke Füße und Knie, Grippe, eitriger Husten, Niere, Nierenmißbildung, kolikgeschädigte Nieren, Niereninfektion (Nachbehandlung),
Nierenkoliken, Erkrankung des Urogenitalbereichs, verheilende Wunden

Obsidian: Aufpeitscher, Bauchschmerzen, Besessenheitsgefühle, Blasenentzündung nach Unterkühlung, Blockaden lösend, okkulte Blutungen stillend, Dauermüdigkeit, kalte Füße und/oder Hände, Gicht (mit Türkis und Schörlstäbchen), Krämpfe/Spasmen (Magen, Darm, Blase, Uterus), Kristallschau
(Wahrsagekugel), Lähmungen, Magenschmerzen, Menstruationsbeschwerden, Muskelkrämpfe, Offenbarungen, Schockzustände (Energiestillstand), verursacht wilde Träume, verbessert den Energiedurchfluß, bringt Verborgenes
an den Tag (Rauchobsidian), wärmend, wärmende Energie, Wetterfühligkeit,
fördert Wundheilung

Onyx: Ausgleich, Erdung, Bedachtsamkeit, beruhigend, Bodenständigkeit, Disziplin, entspannend, gegen Gier, Grübelei, Hektik, Konzentration, macht
genügsam, Aura-Schutzstein, Sicherheitsgefühl, stimmungsaufhellend, bei
Unbeherrschtheit, Zeit einteilen, Zuversicht, neonlila Steinaura

Oolith: Bannstein, fixe Idee (stark), magische Beeinflussungen abwehrend,
Nervensystem, Nüchternheit/Realismus, Obsessionen, Aura-Schutzstein,
Süchte, Verfolgungswahn, zwanghaftes Verhalten

Opal: geistige Flexibilität, Freude, Gefühlsverstärker, Licht in die Aura bringend,
Minderwertigkeitsgefühle, sich der Umwelt öffnen können, geistige Wendigkeit (alle)

Opalith: karmische Altlasten, mentale Altlasten, geistige Flexibilität, Hinterhertrauern, neues Image (Skelettquarz zur Erdung nehmen!), Kummer, Umsetzung, Integration der Erkenntnisse aus Rückführungen, alte Störfrequenzen
aller Art, verursacht eventuell wilde Träume, geistige Wendigkeit

Orangenkalzit: schwache Seitenbänder, lädierte Bandscheiben, Bandscheibenvorfall, Prolapsgefahr, neue Ideen, steifes Kreuz, Lendenwirbelsäule,
Modebranche, Osteoporose, labile Wirbel, Wirbelsäule

Padparadscha: Inspiration, Nervenstabilisator, Selbstzweifel, Glücksstein

Peridot: Schwellungen/Stauungen im Bauchraum, Bauchschmerzen, Freisetzen von frischer, grüner Energie, froh machend, lebensbejahendes Gefühl, Magenschmerzen, Nervenäther, Optimismus, körperlicher Raubbau, Spannung im Lichtkörper, stimmungsaufhellend, körperliches Wohlbefinden

Perlen: zarte Haut, schöner Teint, Licht in die Aura bringend, fördert die Sinnlichkeit, Wirbelsäule, orange Steinaura

Petalith: Mißhandlungstraumen aus der Kindheit, Umsetzung, Integration der Erkenntnisse aus Rückführungen, stimmt versöhnlich, Kummer, während Rückführungen, spendet Trost

Phantomquarz: Begrenzungen überwinden, belebend (Einender mit Chloriteinschlüssen), die Dinge von allen Seiten betrachten (weißer), Einfühlungsvermögen, Hellsicht (weißer), Inspiration (insbesondere mit Chloriteinschlüssen), Kristallschau (weiß), Meditation, Problemintegration, reifen, erwachsen werden, Reizüberflutung möglich (weiß), Schulung der rezeptiven Körperhälfte (Bergkristalleinender), Sensibilität (weiß), vertieft schöne Sinneseindrücke, fördert telepathische Fähigkeiten (weiß), erhöhte Verarbeitungsfähigkeit, Visionen, Weitergabe von telepathischen Botschaften

Porphyrit: appetitanregend, Appetitschwäche, Auraklebstoff, Blasenentzündung nach Unterkühlung, Depression, Freisetzen von frischer, grüner Energie, Körperschutz- und-pflegestein, Kräftigung nach längerer Krankheit, Lebenskraft stärkend, »Löcher« in der Aura, Nervenkrieg, »dicke Luft«, Pilzinfektion, Regeneration nach langen Krankheiten, Aura-Schutzstein, Schwachstellen in der Aura, Sorgen, Streit, familiäre Zwistigkeiten

Prasem: Allergieprophylaxe, Blasen, juckendes Ekzem, kühlende Energie, Fieber senkend, Freisetzen von frischer, grüner Energie, Hitzepickel, Hitzestau, heißer Kopf, Menthol-/Minze-Effekte, Mückenstiche, Pollenallergie (Heuschnupfen), zum Vorbeugen bei Pollenallergie in Verbindung mit Chrysopras, Prellungen, Sonnenbrand (mit Rauchquarz), leichte Verbrennungen, juckender Allergiegaumen

Prehnit: Freisetzen von frischer, grüner Energie

Pyrit: entsäuernd, Licht in die Aura bringend, mentale Muster bewußt machend, geistige Wendigkeit

Pyritachat: aufmunternd, mildes Erden, Fixieren der Energien, Gottvertrauen, Hinterhertrauern, Krämpfe/Spasmen (Magen, Darm, Blase, Uterus), stimmungsaufhellend, Tenesmen, wärmende Energie, Zuversicht

Pyritsonne: Bauchraum, 3. Chakra, entsäuernd, froh machend, sonniges Gemüt, Grübelei, Lebensfreude stärkend, Multiple Sklerose (MS) (mit Chrysopras), niedrige Durchdringungskraft, Solarplexus (Sonnengeflecht), wärmend, wärmende Energie, starke physische Wirkung

Quarz-Katzenauge: chayotierendes Auge, rote Steinaura

Quarzdoppelender: konstanter Energiefluß, Krämpfe/Spasmen (Magen, Darm, Blase, Uterus)

Rauchquarz: Abnehmen (nur in Verbindung mit rotem Chalzedon mit besonderer Programmierung), Ausgleich, Erdung, Ausschwemmen von Schlacken, beruhigend, Blockaden lösend (Laser), energetisch unterversorgte Gebiete (Laser), gestörte Energieab- oder -weiterleitung (Doppelender und/oder Bergkristalldoppelender), entschlackend, kraftvolles Erden (Doppelender, Stufen), schlecht heilendes Gewebe, »Löcher« in der Aura (Laser), Narben/Narbengewebe, Narbenzüge, Rheuma, Strahlenkiller, Strahlungsschäden, -signatur (Licht), UV-Licht-Schäden, verheilende Wunden, schöne Wundheilung, fördert Wundheilung, Wurzelchakraenergien, goldene Steinaura

Realgar: Chakraunterfunktion, Energiefluß der unteren Chakren verbessernd, energieunterversorgte Bereiche, kalte Füße und/oder Hände, konstanter Energiefluß, niedrige Durchdringungskraft, untere Hauptchakren, verankert Rot im Ätherkörper, Sexmangel (dringlich), sexuelle Probleme zur Sprache bringen, fördert die Sinnlichkeit, bei Unlust, verbessert den Energiefluß der unteren Chakren, wärmend, wärmende Energie, starke physische Wirkung, Wunsch nach Sex

Rhodochrosit: Anteilnahme, Harmonie fördernd, Heimweh, Herzbeschwerden aller Art, hohe Steinfrequenzen, Kummer (vorbeugend), Leben bestimmend, Migräne, Schmerzen, stimmungsaufhellend, spendet Trost, Wassermannstein (»auflösend«), weckt das Naturverständnis, apricotfarbene Steinaura

Rhodonit: Angina-pectoris-Anfälle, Anteilnahme, Asthma, Heimweh, Herzbeschwerden aller Art, Mitleid, Narbenzüge, Sensibilität, Sentimentalität, spendet Trost, Verwachsungen

Rhyolith: Aphthen, nervöse Erschöpfung, Heimweh, Herpes (»Ekelbläschen«), Nerven beruhigend, Nervenstabilisator, Umsetzung, Integration der Erkenntnisse aus Rückführungen, während Rückführungen, Schmerzen, Schulter-Arm-Syndrom, Aura-Schutzstein, Verfolgungswahn (einfarbigere), stimmt versöhnlich, verzeihend, Weltschmerz, zwanghaftes Verhalten

Riverstone: auf der Stelle treten, Dauererschöpfung, Dauermüdigkeit, energieunterversorgte Bereiche, Grippe (mit Rubin), Leistungsschwäche, Müdigkeit, stoffwechselanregend, bei Unlust, verbessert den Energiedurchfluß, wirkt antreibend

Rosenquarz: mildes Aphrodisiakum, zarte Haut, Heimweh, Herzbeschwerden aller Art, akuter Kummer, Liebeskummer, Mitleid, fördert die Sinnlichkeit, stimmungsaufhellend, Strahlenkiller, Strahlungsschäden, -signatur (Licht), spendet Trost, Zartmacher

Rubin: Aggressiv, kriegerisch machend, Anämien, appetitanregend, Appetitschwäche, aufbauend, stärkend, Blasenentzündung nach Unterkühlung, Blut aufbauend, Blutverlust, blutbildend, niedrigen Blutdruck steigernd (mit Riverstone), Burn-out-Syndrom, Chakraunterfunktion, Dauererschöpfung, Dauermüdigkeit, energetisch unterversorgte Gebiete, Energie (je nach Bedarf) freisetzend, Fieber erzeugend (auch mit Riverstone), Frühjahrsmüdigkeit, kalte Füße und/oder Hände, Grippe (mit Riverstone), ewiges Hadern, immunstärkend, Kräftigung nach längerer Krankheit, Lebenskräfte freisetzen, Leistungsschwäche, Mattigkeit, Müdigkeit, gibt Mut, untere Hauptchakren, körperlicher Raubbau, baut langfristig Reserven auf, während Rückführungen mit Lemurienbezug (Sternrubin), Selbstvertrauen, Selbstzweifel, Sexmangel, sexuelle Probleme zur Sprache bringen, fördert die Sinnlichkeit, regt den Stoffwechsel an, Unlust, wärmend, wärmende Energie, Wurzelchakraenergien

Rutilquarz: Abgestumpftsein, Ausgleich, Erdung, Dauererschöpfung, Müdigkeit, energetisch unterversorgte Gebiete (Einender), während Rückführungen mit Lemurienbezug, verbessert den Energiedurchfluß

Saphir: Asthma (klarer, dunkelblauer), Bauchschmerzen, beruhigend, Bewußtseinsreife, Disziplin, Fanatismus, wirre Gedankenabfolgen, Gicht, gegen Gier, Grübelei, Hektik, Inspiration, Kehlchakra-Bereich, Kontaktaufnahme zu anderen Galaxien, Konzentration, Magenschmerzen, eingeklemmter Nerv, Nerven beruhigend, Nervenentzündung/Neuritis, Nervensystem, Nervenstabilisator, Rheuma, Schmerzen, Schmerzspritzen, Schockzustände (Energiestillstand), Aura-Schutzstein, Strenge, Nachdenken über Traumbilder, bei Unbeherrschtheit, erhöhte Verarbeitungsfähigkeit, blaurote Steinaura

Saphirquarz: ausgenutzt, betrogen, Entschlußlosigkeit, Minderwertigkeitsgefühle, Muskelverspannungen, Mutlosigkeit, Nerven beruhigend, Tatenlosigkeit

Sarder: Müdigkeit, abgearbeitet, entspannend, mildes Erden, Experimentierfreude, Gastritis, Menstruationsbeschwerden, Muskeln nährend, körperliches Wohlbefinden

Sardonyx: antidepressiv, entspannend, bei Fanatismus, bei Gier, seelischer Kälte, Konzentration, macht genügsam, bei Strenge, bei Verschlagenheit

Schamanen-Dow: Problemintegration

Schneeflockenobsidian: erhöhte Harnsäurewerte, Menstruationsschmerzen, wärmend

Schwefel: Appetit regulierend, Bauchschmerzen, Ekzeme, Leber, Leber entgiftend, Magenschmerzen, niedrige Durchdringungskraft, wärmend, wärmende Energie, starke physische Wirkung

Seeigel (irregulär versteinert): Aura-Schutzstein

Selenit: Kristallschau, Sensibilität

Serpentin: basischen Stoffwechsel fördernd, beruhigend, entsäuernd, entspannend, heiter stimmend, Nervensystem, Aura-Schutzstein, Selbstvertrauen, stimmungsaufhellend

Silberauge: Brennen beim Wasserlassen, gegen Kummer, vertieft den Schlaf, gelassene, relaxte Sichtweise

Silex: Aggressiv, kriegerisch machend, Anämien, appetitanregend, Appetitschwäche, aufbauend, stärkend, Müdigkeit, zarte Konstitution, Mattigkeit, Mut, Seitenstiche, Wurzelchakraenergien

Skelettquarz: Ausgleich, Erdung, Bewußtseinsreife, kraftvolles Erden, Gottvertrauen, Hellsicht, Inspiration, Knie- und/oder Oberschenkelnebenchakren, Kontaktaufnahme zu anderen Galaxien, Meditation, reifen, erwachsen werden, spirituelle Weiterentwicklung, verbindet mit höheren Lichtkräften, verbindet mit höherem Selbst, Visionen

Smaragd: Anti-Fäulniswirkung, Augenleiden, unter Druck stehen, Einschlafhilfe (klarer), Eiter, Engramme löschen, entsäuernd, Freisetzen von frischer, grüner Energie, Haut, schöner Teint, hohe Heilvibration, immunstärkend, langlebig machend, Leber entgiftend, Leistungsschwäche, hebt Organfrequenzen an,

Prellungen, regenerierend, Schlaf vertiefend, Spannung im Lichtkörper, Thymus-Drüse, verjüngend, stimmt versöhnlich

Smaragdwasser: entzündete Augen

Sodalith: Bannstein, beruhigend, Halsschmerzen, Hektik, Juckreiz stillend, Kehlchakra-Bereich, Konzentration, macht genügsam, Magen beruhigend, magische Beeinflussungen abwehrend, eingeklemmter Nerv, Nerven beruhigend, Nervenentzündung/Neuritis, Nervensystem, Nervenstabilisator, Schlaf vertiefend, Schluckbeschwerden, Schulter-Arm-Syndrom, Aura-Schutzstein, Selbstvertrauen, Sieb(effekt), Sodbrennen, Weltschmerz

Sonnenstein: antidepressiv, basischen Stoffwechsel fördernd, unterer Rand des Brustkorbs (mit Goldfluß, Bernstein und Citrin), entsäuernd, entspannend, geschäftliche Erfolge, Existenzängste (Geschäftseröffnung), sonniges Gemüt, heiter stimmend, Kinder, milder Optimismus, verhindert Raubbau an Energiereserven, gelassene, relaxte Sichtweise, wärmende Energie

Spektrolith: kühlende Energie, heißer Kopf, eingeklemmter Nerv, Rheuma

Staurolith: Chiropraktische Maßnahmen/Einrenkungen, energetisch unterversorgte Gebiete, Energiefluß der unteren Chakren verbessernd, Frühjahrsmüdigkeit, dicke Füße und Knie, schmerzende Gelenke, Narben/Narbengewebe, gibt Richtungsänderungsimpulse für Geist und Verstand, Sehnenansätze verkürzt/Tennisarm, verbessert den Energiefluß der unteren Chakren, Verwachsungen, Wandlungsimpulse, fördert Wundheilung

Sturmstein (Pietersit): Begeisterungsfähigkeit aufrechterhaltend, Menstruationsschmerzen, Reizüberflutung möglich, erhöhte Verarbeitungsfähigkeit

Sugilith: hohe Steinfrequenzen

Tektit: gegen Computerstrahlung, Forschung, hohe Steinfrequenzen, Konzentration, Leistungsschwäche, Aura-Schutzstein, Strahlenkiller

Tigerauge: aufbauend, stärkend, blutbildend

Tigerauge, gelb: Bauchraum, 3. Chakra, Lunge stärkend, Minderwertigkeitsgefühle, Mut, Aura-Schutzstein, Solarplexus (Sonnengeflecht), stimmungsaufhellend, wärmende Energie

Tigerauge, rot: appetitlose, eßunlustige Kinder, Diät unterstützend, Erschöpfung/Schlappheit, Frühjahrsmüdigkeit, Mut, Unlust, verbessert die Vitalstoffaufnahme

Tigereisen: Aggressiv, kriegerisch machend, aufbauend, stärkend, Blut aufbauend, Blutverlust, blutbildend, Burn-out-Syndrom, Chakraunterfunktion, Dauermüdigkeit, Durchfall (rotes), energetisch unterversorgte Gebiete, Energiespender, starke Grippe, ängstliche Kinder, Kleinkariertheit, Kleinmütigkeit, Knie- und/oder Oberschenkelnebenchakren, zarte Konstitution, kontaktfreudig machend, archaische, ungebändigte Lebenskraft, Mattigkeit, Minderwertigkeitsgefühle, Mut, »dicke Luft«, sich der Umwelt öffnen können, untere Hauptchakren, wenn man eine Rede vor Leuten halten muß, Selbstvertrauen, Selbstzweifel, regt den Stoffwechsel an, Streit, wärmend, Zaghaftigkeit, familiäre Zwistigkeiten

Topas: energetisch unterversorgte Gebiete (gelb), leitet Energie beschleunigt, Galleabflußstörungen (gelb), Gallenenergie ausgleichend, konstanter Energiefluß, Konzentration (gelb), Licht in die Aura bringend, Milzenergie aufbauend (gelb), Seitenstiche (gelb), regt den Stoffwechsel an (weiß und gelb), verbessert den Energiedurchfluß (weiß und gelb), wärmende Energie (gelb), antidepressiv (gelb und weiß), körperlich und geistig anregend (weiß)

Türkis: basischen Stoffwechsel fördernd, Brennen beim Wasserlassen, kühlende Energie, entgiftend, entsäuernd, geschäftliche Erfolge, Erfolgs- und Glücksstein, Gicht, wundes Gefühl im Hals, Leber und Galle entgiftend, Niere, Rheuma, Aura-Schutzstein, Stoffwechselschäden, Zuneigung gewinnen

Turmalin: Blockaden lösend, energetisierend, leitet Energie beschleunigt, gestörte Energieab- oder -weiterleitung (Schörlstäbchen), Fehlhaltungen/Haltungsschäden (Stäbchen mit Naturendung), Hautabschürfungen, konstanter Energiefluß (Schörl), Licht in die Aura bringend, Narben/Narbengewebe, untere Hauptchakren (Schörl), Schmerzen (Schörlstäbchen), regt den Stoffwechsel an, Überbrückung von Chakren (Schörlstäbchen), verbessert den Energiedurchfluß, Wirbelsäule, Wurzelchakraenergien (Schörl)

Turmalin, hellgrün: Anteilnahme, schöner Teint/Haut, Herzbeschwerden aller Art, steifes Kreuz, Lendenwirbelsäule, spendet Trost

Turmalin, polychrom: geistigen Austausch anregend, Flexibilität, Hinterhertrauern, kontaktfreudig machend, Minderwertigkeitsgefühle, geistige Wendigkeit, Zartmacher, Zuversicht

Turmalin, rosa: Anteilnahme, schöner Teint/Haut, Herzbeschwerden aller Art, steifes Kreuz, Kummer (vorbeugend), Lendenwirbelsäule, Mitleid, stimmungsaufhellend, spendet Trost

Turmalin, rot: appetitanregend, Appetitschwäche, Computerstrahlung, Dauermüdigkeit, untere Hauptchakren, Strahlenkiller, wärmend

Turmalin, schwarz: Ausgleich, Erdung, energetisch unterversorgte Gebiete (Naturender), Knie- und/oder Oberschenkelnebenchakren, Aura-Schutzstein

Turmalinquarz: Dauererschöpfung, energetisch unterversorgte Gebiete, verbessert den Energiedurchfluß

Ulexit: Augen öffnend, ausgenutzt, betrogen, Beobachtungsgabe schärfend, bewußtmachend, die Dinge von allen Seiten betrachten, Naivität, erhöhte Verarbeitungsfähigkeit, allzu vertrauensselig (mit schwarzer Koralle oder Doppelspat), Wahrnehmungsfähigkeit

Uwarowit: unter Druck stehen, Eiter, stark entsäuernd, immunstärkend, Knieschmerz, Kopfdruck, Migräne, Kopfschmerzen

Variszit: Müdigkeit, Abgearbeitetsein, beruhigend, Energie (je nach Bedarf) freisetzend, entspannend, Harmonie fördernd, Unbeherrschtheit, körperliches Wohlbefinden

Wassermelonenturmalin: schöner Teint/Haut, Anteilnahme

Zinkblende: juckendes Ekzem, Ekzeme, zarte Haut, schöner Teint, Hautabschürfungen, Herpes (»Ekelbläschen«), Hitzepickel, Juckreiz stillend, Leber, Nervensystem, Streßpickel, fördert Wundheilung

Zoisit mit Rubin: sich ausdrücken können, über Bedürfnisse sprechen können, beruhigend, Eheberater, Mißachtung der körperlichen Bedürfnisse, Sexmangel, Sicherheitsgefühl

Schutzsteine

Chrysopras: Er schirmt das holographische Zentrum (Speicherzentrum) beziehungsweise die drei außerkörperlichen spirituellen Zentren vor allen schädlichen Einflüssen ab (bester Auflageort: neben den Ohrmuscheln).

Diamant: Das Diamantaurafeld kann von keiner negativen Qualität durchdrungen werden, da beißt sich alles und jedes die Zähne aus (Mohshärte 10, »Adamas«: der Unbezwingbare). Ihr »Bodyguard«, wenn Sie gesund sind (schenken lassen!). Jede Kraft prallt bereits von seiner Aura ab und wird demontiert (zersetzt) sowie transformiert.

Falkenauge, Tigerauge, Amazonit, Serpentin (und andere): Die lagenweise Stapelung der Steinmatrix leitet Negatives in Stapelrichtung im Stein durch jeden Stapel durch, leitet es aus der Aura des Schutzobjektes heraus, neppt Negatives wie ein Spiegelkabinett.

Heliotrop, Chrysokoll, Onyx-, Jaspis-, Achat-Varietäten, Holz, Sodalith (und andere): Diese Steine opfern sich, saugen alles auf in sich, damit Sie nichts abbekommen. Chrysokoll läutert etwas ab, die anderen weniger. Daher sollten Sie lieber größere Steine kaufen, sie oft mit Wasser und Salz reinigen und *selber* transformieren.

Labradorit: Der Geheimtip: raffiniert zieht er die übelsten aller Strahlen, die anrollen, an seine Aura heran, verblüfft mit seinem Farbenspiel – und reflektiert und transformiert den Gegner. Gut gepflegt und gehegt ist Labradorit wie ein Türkis und Diamant und *noch* bezahlbar. Bei Schulter-Arm-Syndrom, rutschenden HWS-/BWS-Wirbeln und Tennisarm wirkt er super.

Magnesit: Dieser Stein wirkt wie Türkis, wütet aber gern ausschließlich im physischen Körper.

Saphir: »Harter«, zuverlässiger Bursche mit Mohshärte 9. Sie baden in seiner eiskalten lila Schwingung. Negatives »kriegt kalte Füße« und wird (h)eis(s)kalt erwischt und abgeläutert (transformiert).

Türkis: Der Türkis saugt wie ein Schwamm Negatives in sich auf und speichert alles ungeläutert in seinen (gut gereinigten?!) Depots; bei Zerbröseln und Farbverlust hilft kein Reinigen mehr ...

ALLGEMEINER INDEX

Anhang V

ADRESSEN

Neben Mineralienhandlungen und Edelsteinlädchen bieten heute auch Buchhandlungen mit großen Esoterikabteilungen Heilsteine an. Für alle Interessierten die keine Eikaufsmöglichkeiten für Heilsteine in ihrer Nähe haben, hat der Verlag in Zusammenarbeit mit der Autorin eine aktuelle Liste mit Mineralienversandhändlern zusammengestellt.

Sie können diese Liste anfordern. Schicken Sie dazu an die untenstehende Adresse einen adressierten und ausreichend frankierten (Österreich und Schweiz: internationalen Antwortschein beilegen) Rückumschlag. Sie erhalten damit außerdem Informationen über laufende Seminare der Autorin.

Windpferd Verlag
»Der Steinschlüssel«
Friesenrieder Straße 45
D-87648 Aitrang

Kimberley Marooney

Engel –
Himmlische Helfer

Engel-Karten für göttliche
Führung und Inspiration

Engel sind himmlische Helfer, sie
wollen helfen und unterstützen, die
göttliche Wahrheit und Zusammen-
hänge zu erkennen und Hilfe und
Beistand in allen Lebenslagen lei-
sten.
Kimberley Marooneys Werk ist
bestens geeignet Menschen in
Kontakt, mit den himmlischen Hel-
fern zu bringen. Verschiedenste
Legesysteme mit entsprechenden
Interpretationen erleichtern den
Weg und schon nach kurzer Zeit
können wir unsere himmlischen
Helfer bewußt wahrnehmen.
Je stärker wir uns der Weisheit der
Engel öffnen, desto mehr werden
sie uns mit ihrer unvorstellbaren
Liebe und Freude umgeben.

208 Seiten und 44 Engel-Karten
DM/sFr 49,80/öS 389,00
ISBN 3-89385-144-5

Franz Benedikter

Die Psyche streicheln

**Die Geheimnisse zärtlicher
Berührung.
Wie durch streicheln Hormone
freigesetzt werden, die glücklich,
gesund und schön machen**

Durch sanftes Berühren bestimmter
Körperzonen entspannende oder
aktivierende und euphorisierende
Hormone freisetzen.
Franz Benedikter zeigt mit seinem
kompakten Übungsprogramm, wie
man durch Selbst- und Partner-
Massage, die eher ein zärtliches
Berühren ist, auf das gesamte
Wohlbefinden einwirken kann. Wie
neueste wissenschaftliche Erkenntnisse belegen, lösen Berührungen
der Haut hormonelle Reaktionen
aus. Endorphine bringen Glücksge-
fühle, erhöhen die Leistungsbereit-
schaft, heben das Lebensgefühl
und steigern die sinnliche Wahrnehmung.

160 S. DM/sFr 19,80/öS 155,00
ISBN 3-89385-143-7

Walter Lübeck

LEA – Lebensenergiearbeit

**Die Grundlagen der feinstoffli-
chen Lebensenergiearbeit verstehen und kreativ einsetzen
Das Handbuch zur persönlichen
und globalen Heilung**

LEA – Lebensenergiearbeit – das
sind alle Methoden, die mit der
Wahrnehmung und Beeinflussung
feinstofflicher Kräfte arbeiten, die
Spiritualität auf praktische Art und
Weise in unser Leben integrieren
und natürliche Fülle und Harmonie
verbreiten. Noch nirgends sonst
wurden die Lebensenergien, mit
denen spirituelle Systeme arbeiten,
so ausführlich und differenziert dargestellt sowie praktische Anleitun-
gen gegeben. Auch auf mögliche
Probleme bei falscher Anwendung
von Lebensenergie wird eingegangen, ebenso auf Visualisierung,
Farbenergieheilung, Atemarbeit
und Rituale.
272 Seiten, DM/sFr 24,80/
öS194,00, ISBN 3-89385-154-2

Werner Koch

Die Kraft der Visionen

**Mit der Kraft der Vorstellung
neue Ziele stecken, Wünsche
realisieren, Energie freisetzen
und dem Leben entscheidende
Wendungen geben
Neue Perspektiven und Horizon-
te entdecken**

Visionen sind Energiequellen, die
unseren Handlungen Richtung und
Sinn geben. Sie führen uns aus
Gewohnheiten heraus, lassen neue
Lösungsmuster vor unserem inneren Auge entstehen, erweitern
unser Verständnis und verändern
unsere Wirklichkeit.
Visionen haben heilende Kraft: Wir
können mit ihrer Hilfe das Hormon-
system stärken und erkrankten Zellen den Weg zur Gesundung zeigen. Bilder, die krank machen,
werden zu Krankheitsbildern.
Dagegen werden Vorstellungen zu
Medizin, wenn sie durch heilende
Bilder ersetzt werden.
192 Seiten, DM/sFr 19,80/
öS 155,00, ISBN 3-89385-158-5

Christa Kössner

Handbuch für Singles, die es nicht länger bleiben wollen

Der erfolgreiche Weg, Zufriedenheit und Glück in einer von Liebe, Vertrauen und Verständnis geprägten Partnerschaft zu finden

Die Chance, Single zu sein oder Single zu werden, ist heute größer denn je. Auf dem Land wird schon jede dritte Ehe geschieden, in der Stadt jede zweite. Viele bleiben Single – die meisten unfreiwillig. Für diese wachsende Gruppe hat Christa Kössner dieses Buch geschrieben. Von der Single-Typologie über Single-Verhaltens-Symptome wie Fehlprogramme, Maskenspiele und Unnahbarkeits-Blockaden findet der Single hier ein Repertoire von verschiedensten Spiegelbildern, in denen er sich wiederfinden, woran er arbeiten und sich entwickeln kann.
208 Seiten, DM/sFr 29,80/ öS 233,00, ISBN 3-89385-152-6

Dr. John Grey, Bonney Meyer

Gute Karten für die Liebe

Ein inspirierendes Karten-Set für Klarheit, Glück und Erfüllung in Beziehungen und Partnerschaften

Mit „Gute Karten für die Liebe" können wir mehr Klarheit in unsere Beziehungen bringen und konstruktiv handeln. Das Karten-Set ist eine Quelle der Weisheit und ein liebevoller Führer, der uns hilft, die Art von Beziehung zu schaffen, die wir wirklich wollen – ob es sich nun um persönliche, freundschaftliche oder geschäftliche Beziehungen handelt.
Die Karten zeigen, was uns im Moment zu unserem Glück fehlt und welche anderen konstruktiven Alternativen es gibt – damit wir uns wieder wohl fühlen können. Das Buch enthält einen Kommentar zu jeder Karte und zeigt, wie man sie benutzt.
160 Seiten und 64 Karten DM/sFr 49,80/öS 389,00

Waltraud Maria Hulke

Das Farben- Energie-Buch

Farbtherapie, die Heilmethode der Zukunft

Ein ganz und gar praktisches Buch, das zeigt, daß Farben Energien sind, die wir in vielen Lebensbereichen aktivieren und nutzen können. Es zeigt viele neue Aspekte, die in dieser Form bislang noch nicht erforscht und beschrieben wurden, und schlägt den Bogen von der asiatischen Akupunkturlehre bis zur modernen Farbtherapie. Farben beeinflussen unser Leben ja noch viel mehr, als man gemeinhin glaubt. Ihre subtilen Schwingungen berühren Körper, Seele und Geist gleichermaßen, können aufregen oder beruhigen, den Verstand ein- oder ausschalten, wärmen oder kühlen, reizen oder lindern, sogar Wunder bewirken.

224 Seiten, DM/SFr 19,80
ÖS 155,00   ISBN 3-89385-095-3

Reinhard Florek

Heilende Edelsteine

Edle Steine und ihre Wirkung auf Körper, Seele und Geist

Dieses Buch ist ganz der Praxis gewidmet. Es zeigt, auf wie vielfältige Weise heilende Edelsteine mit anderen Heiltechniken und -Traditionen kombiniert werden können. Die Palette der beschriebenen Anwendungsmöglichkeiten reicht von keltischen Meditationen mit speziellen Edelsteinen in der Umgebung von bestimmten Bäumen über Runenanwendungen mit Kristallen, schamanischen Übungen mit Tattwas, Edelsteinakupunktur bis hin zu Edelsteinelixieren. Der Autor gibt dabei viele Tips und Anregungen für rituelle Anwendungen. Man sollte sich in dieser Materie bereits ein wenig auskennen. Tabellen, Pendeltafeln und viele Abbildungen runden dieses Buch ab.

144 Seiten, DM/SFr 16,80
ÖS 131,00   ISBN 3-89385-035-X

Shalila Sharamon • Bodo Baginski

Das Chakra-Handbuch

**Vom grundlegenden Verständnis
zur praktischen Anwendung**

Dieses Buch bietet eine umfassende Anleitung zur Harmonisierung unserer feinstofflichen Energiezentren. Das Wissen um die Chakren vermittelt uns tiefe Einsichten über die Wirksamkeit der subtilen Kräfte im menschlichen Organismus. Zur praktischen Chakra-Arbeit beschreibt das Buch präzise eine Fülle von Möglichkeiten: die Anwendung von Klängen, Farben, Edelsteinen, Mantren und Düften mit ihren spezifischen Wirkungen auf die einzelnen Energiezentren, ergänzt durch verschiedene Meditationen, Körperübungen, Atemübungen und Naturerfahrungen.
Ein reich illustrierter esoterischer Bestseller.

256 Seiten, DM/SFr 19,80
ÖS 155,00   ISBN 3-89385-038-4

Shalila Sharamon • Bodo Baginski

Edelsteine und Sternzeichen

Das umfassende Edelstein-Handbuch

Das Wesentliche über die Bedeutung der Edelsteine wurde zusammengetragen, wie und warum sie wirken – übersichtlich, anschaulich und lebendig. Der Hauptaspekt liegt dabei auf dem Heilen. Altes Wissen und neue Erkenntnisse über die Wirkung der Edelsteine sind zu einer Quelle zusammengeflossen, 35 der bekanntesten Edelsteine sind mit ihren Heilanwendungen ausführlich beschrieben, außerdem erfährt man, welcher Edelstein für welche Gelegenheit und welches Tierkreiszeichen förderlich ist. Man kann damit den für sich selbst wirksamsten Stein finden und weiß, wen man mit welchem Stein besonders glückbringend beschenken kann. Mit großer Indikationsliste.
192 Seiten, DM/SFr 19,80

Ursula Klinger-Raatz

Engel und Edelsteine

Die geheimnisvollen Kräfte von geschliffenen Steinen und Kristallen

Edelsteine und Kristalle bergen viele geheimnisvolle Kräfte, die dem vordergründigen Blick verborgen bleiben und ein Stein, ganz besonders ein Edelstein, ist nicht leblose Materie, sondern verdichtete, schwingende Energie. In diesem Buch geht es um die leuchtenden, durchscheinenden Edelsteine, die in geschliffener Form gerne zu Schmuck verarbeitet werden. Der Schliff des Steins – rund, oval, tropfenförmig, eckig – zeigt an, in welchem Bereich sich seine heilenden Kräfte entfalten und die Trägerin oder der Träger Schutz erfährt. Ob mit kurzer Kette am Hals, mit langer am Herzen oder als Ring am Finger getragen, die Wirkung ist immer eine andere.

224 Seiten, DM/SFr 24,80
ÖS 194,00   ISBN 3-89385-023-6

Harish Johari

Die sanfte Kraft der edlen Steine

Ein Handbuch für die Anwendung und den Umgang mit Edelsteinen und ihre Bedeutung in Astrologie, Ayurweda und Tantra

Seit Menschengedenken haben edle Steine eine geheimnisvolle Anziehungskraft ausgeübt. Das Wissen um die Wirkungen der Steine, ihre Entsprechungen zu kosmischen Zyklen und Planeten, ihre Heilwirkungen und ihre Kraft als Talismane lebt in Harish Joharis Buch wieder auf. Hier kann man wirklich viel Neues über Edelsteine lernen: Echtheitszeichen, mögliche Mängel und ihre Auswirkungen auf den Träger, Rituale zum Tragen eines Steins, medizinische Anwendungen und Rezepte, wo die besten Edelsteine herkommen, wer welchen Edelstein tragen sollte und vieles mehr.

320 Seiten, DM/SFr 24,80
ÖS 194,00   ISBN 3-89385-024-4